DICTIONNAIRE

DE

PHRÉNOLOGIE,

ET DE

PHYSIOGNOMONIE,

A L'USAGE DES ARTISTES,

DES GENS DU MONDE, DES INSTITUTEURS, DES PÈRES DE
FAMILLE, DES JURÉS, etc.

Avec des gravures sur bois, intercalées dans le texte.

Par T. THORÉ.

Paris,

A LA LIBRAIRIE USUELLE,

Rue Neuve-Saint-Marc, 6.

—

1836.

NOMENCLATURE
D'APRÈS SPURZHEIM

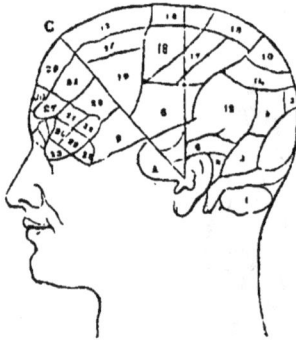

ET TOPOGRAPHIE
ET M. DUMOUTIER.

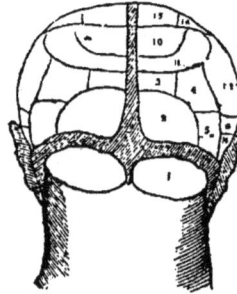

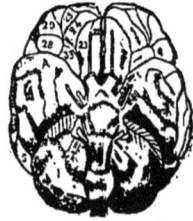

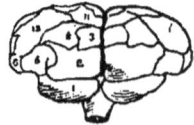

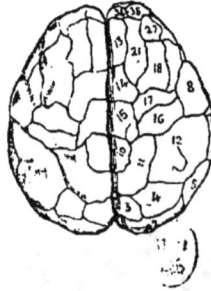

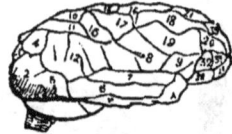

A Alimentivité.
N Amour de la vie.
1 Amativité.
2 Philogéniture.
3 Habitativité.
4 Affectionivité.
5 Combativité.
6 Destructivité.
7 Secrétivité.
8 Acquisivité.
9 Constructivité.
10 Estime de soi.
11 Approbativité.
12 Circonspection.
13 Bienveillance.
14 Religiosité.
15 Fermeté.
16 Consciencicosité.
17 Espérance.
18 Merveillosité.
19 Idéalité.
20 Gaieté.
21 Imitation.
22 Individualité.
23 Configuration.
24 Étendue.
25 Pesanteur.
26 Coloris.
27 Localité.
28 Calcul.
29 Ordre.
30 Eventualité.
31 Tems.
32 Tonalité.
33 Langage.
34 Comparaison.
35 Causalité.

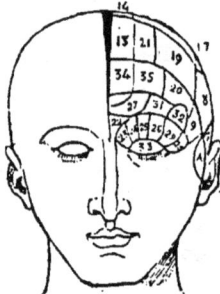

DICTIONNAIRE

DE

PHRÉNOLOGIE,

ET DE

PHYSIOGNOMONIE,

A L'USAGE DES ARTISTES,

DES GENS DU MONDE, DES INSTITUTEURS, DES PÈRES DE
FAMILLE, DES JURÉS, etc.

Avec des gravures sur bois, intercalées dans le texte.

Par T. THORÉ.

Paris,

A LA LIBRAIRIE USUELLE,

Rue Neuve-Saint-Marc, 6.

—

1836.

Imp de J.-R. Mavan
Passage du Guic, (

Omnia in omnibus occultata.

PARACELSE.

La Phrénologie est la science de l'Homme au point de vue de l'Unité.

Le christianisme avait expliqué toutes choses avec la Dualité. — Dieu et le Diable, Esprit et Matière, Ame et Corps, Bien et Mal, Vrai et Faux, Beau et Laid, etc. — Et, partout, le second terme était sacrifié au premier.

Il semble qu'il y ait maintenant une Religion nouvelle basée sur l'Unité. Dieu est en Tout, et Tout est en Dieu.

L'Antropologie correspondant à ce dogme doit transformer la notion de *corps* et *d'âme*, de *physique* et de *moral*. Elle doit absorber la Dualité dans l'Unité.

La Phrénologie est l'annonce de cette Antropologie panthéistique.

C'est pourquoi l'auteur de ce livre croit à la Phrénologie. Il pense qu'il ne faut pas être révolutionnaire à demi ; qu'il faut avoir la logique de protester à la fois contre tout le passé, en Religion, en Morale, en Politique, en Science, en Art. Car les révolutions sont solidaires.

L'Antropologie nouvelle n'est pas encore très avancée comme expérimentation et analyse. Ainsi, on pressent à peine les analogies de la Phrénologie et de la Physiognomonie. Cependant il importe d'étudier l'Homme dans toutes ses manifestations. L'auteur de ce livre a tenté de concilier ces branches d'une même doctrine ; mais la forme fragmentaire d'un Dictionnaire s'est opposée bien souvent à une exposition méthodique. L'auteur en a été quitte alors pour affirmer sans justifier ses affirmations. Relativement à lui, son livre est une recherche inquiète qui le conduira vers quelqu'autre travail plus systématique ; relativement au public, c'est une œuvre de vulgarisation.

———

DICTIONNAIRE

DE

PHRÉNOLOGIE

ET DE

PHYSIOGNOMONIE.

A.

ACQUISIVITÉ. (*n.* 8, *Spurz.* — *n.* 7, *Gall.*)

SENTIMENT DE LA PROPRIÉTÉ. — INSTINCT DE FAIRE DES PROVISIONS. — CONVOITISE. — PENCHANT AU VOL.

«Dans les guerres, dans les procès, dans l'ad-
»ministration des biens des orphelins et des pu-
»pilles, dans les relations commerciales, dans
»presque toutes les manières de gagner sa vie, mê-
»me dans beaucoup d'établissemens créés ou pro-
»tégés par le gouvernement, tels que les loteries,
»les jeux, etc., partout je ne vois qu'escroqueries,
»filouteries, duperies, vols, pirateries, pillage.

»Toute la différence consiste dans le plus ou le
»moins.» — GALL.

La destination naturelle de cette faculté est
de porter l'animal ou l'homme à recueillir les
choses nécessaires à sa vie. Suivant le degré
de développement et d'activité de l'organe, et
aussi suivant sa combinaison à l'infini avec les
autres facultés, l'Acquisivité se manifeste de diverses façons. Quand elle devient exagérée (Voyez
HARMONIE.), et qu'elle n'est pas contrebalancée par
le sentiment de justice, elle s'exerce aux dépens
d'autrui et conduit au vol. Gall cite une foule
d'exemples où la manie du vol est passée à l'état
d'irrésistibilité. L'Acquisivité n'implique pas l'avarice. (Voyez AVARICE.) Il peut arriver qu'on désire
beaucoup acquérir pour satisfaire des inclinations
quelconques, et que l'on ne conserve pas ce que
l'on a acquis. Il y a des exemples de vol par charité chrétienne, par amour, et par d'autres mobiles puisés dans des sentimens généreux. Les manifestations de l'Acquisivité, comme de tous les organes, sont donc variables avec les individus.

L'organe * de cette faculté est situé sur la partie

---

* Nous prévenons ici, une fois pour toutes, que les organes
sont doubles, comme on le verra au mot *cerveau*. Quand nous
disons *l'organe* d'une faculté, nous entendons toujours *les
organes*.

latérale du cerveau, immédiatement au-dessus du lobe moyen. Il porte le n. 7 de la topographie de Gall et le n. 8 de celle de Spurzheim.

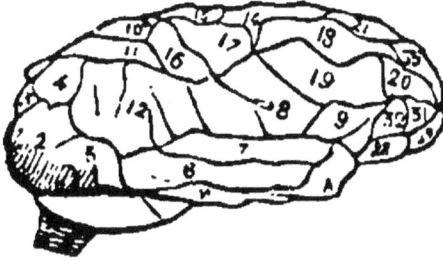

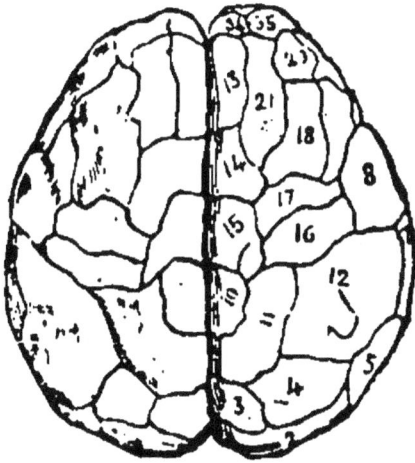

Il correspond sur le crâne à l'angle antérieur inférieur du pariétal. Il est borné en haut par l'Espérance et la Conscienciosité; en arrière par la Circonspection; en bas par la Secrétivité; en avant par la Constructivité et l'Idéalité. (Voir Topographie.)

(*Voyez le n° 8 des deux planches ci-contre.*)

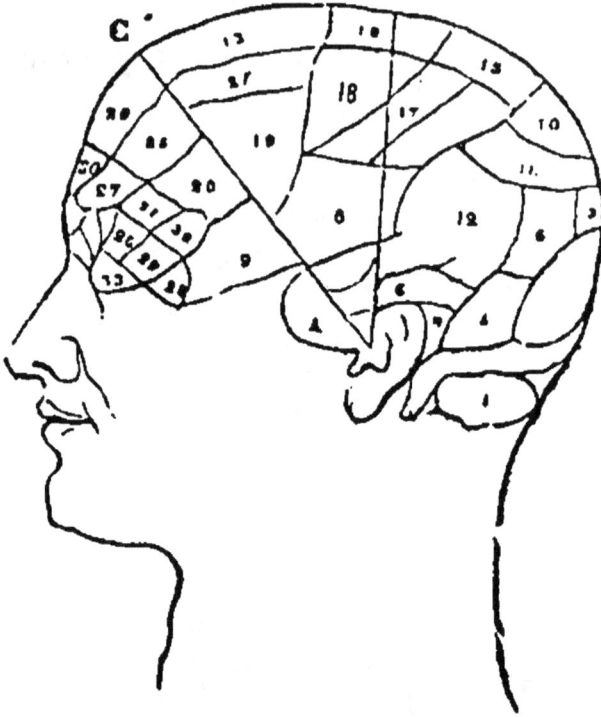

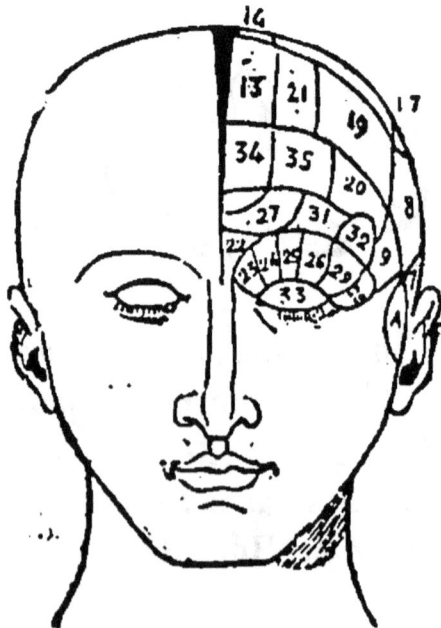

Pour apprécier le développement relatif de l'Acquisivité, il faut, comme pour tous les organes situés dans les parties latérales, faire passer un diamètre fictif d'un côté à l'autre, (voyez MESURE,) comme dans la figure ci-dessous.

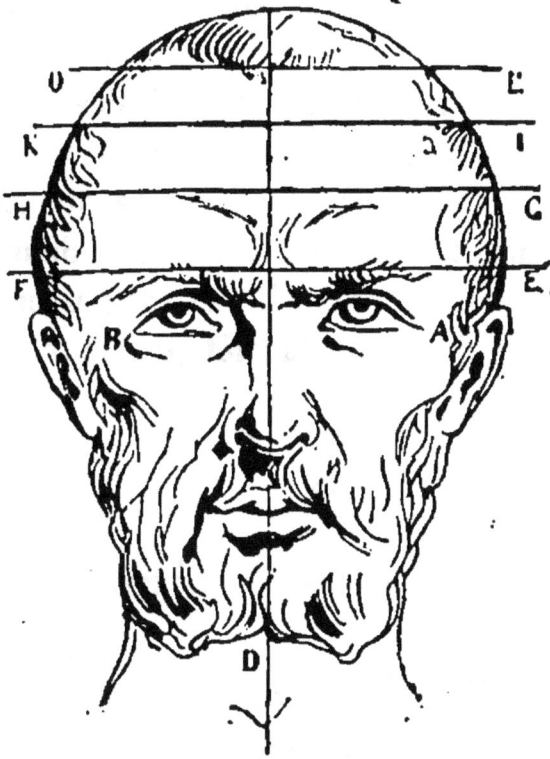

ACTIVITÉ.

L'activité des organes, et, par suite, la manifestation plus ou moins énergique des facultés, dépend de causes naturelles et de causes accidentelles. (Pour les premières, voyez TEMPÉRAMENT, et pour les secondes, INFLUENCES EXTÉRIEURES).

L'Activité, en prenant le mot dans le sens de vivacité, et par opposition avec paresse, implique le développement d'une ou plusieurs facultés. Un même individu peut être très actif pour une chose et très apathique pour une autre, suivant qu'il est poussé par son organisation. Quand il s'agit de faire ce qu'on aime, on est toujours actif. (Voyez LIBERTÉ.)

L'Activité, dans le sens opposé à Passivité, est, comme le mot l'indique, la puissance d'agir ou de faire agir. (Voyez INITIATIVE.) Cette dualité abstraite : Activité et Passivité, se retrouve dans toutes les faces de la vie universelle et joue nécessairement un grand rôle dans la métaphysique. (Voyez SEXUALITÉ.)

ADAM. — Voyez HOMME.

ADRESSE. — Voyez CONSTRUCTIVITÉ.

AFFECTIONIVITÉ, (*n. 4, Spurz.* — *n. 3, Gall.*)
AMITIÉ. — ATTACHEMENT. — TENDRESSE. — ADHÉSIVITÉ.

L'homme et les animaux sont susceptibles d'attachemens individuels. Cette faculté qui a pour but naturel de rapprocher les êtres entr'eux, a été nommée par Spurzheim Affectionivité. Depuis, George Combe a proposé de l'appeler Adhésivité.

L'organe qui préside à cette faculté est situé dans

le cerveau entre la Philogéniture en bas, l'Approbativité en haut, et des deux côtés, l'Habitativité et la Circonspection.

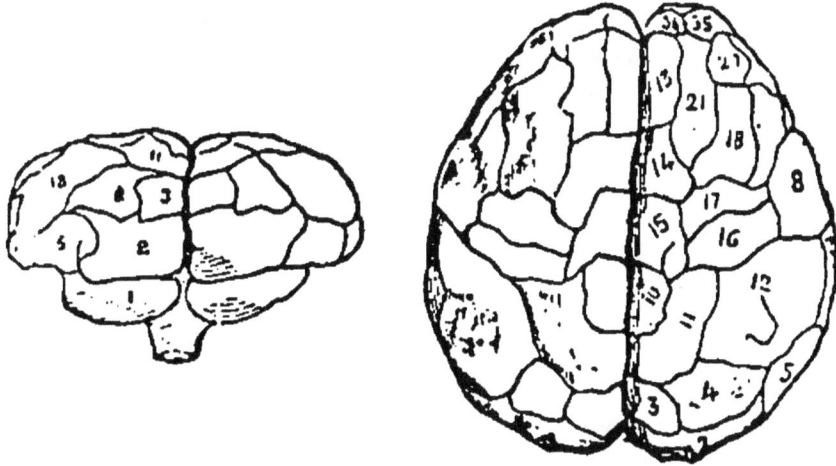

Dans le crâne, il se traduit au-dessus du milieu du bord postérieur de l'os pariétal. (Voyez FAMILISME.)

(Voyez le n° 4 des deux figures suivantes.)

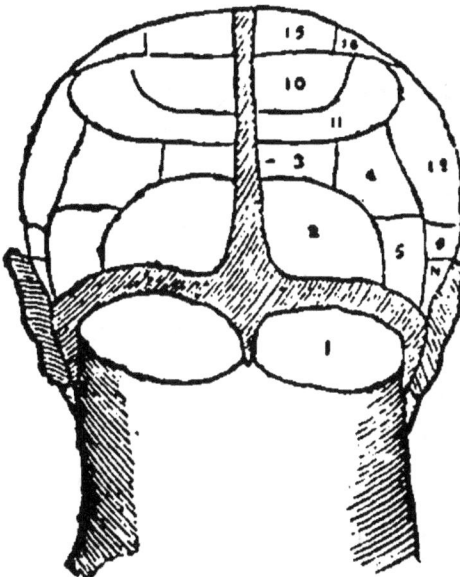

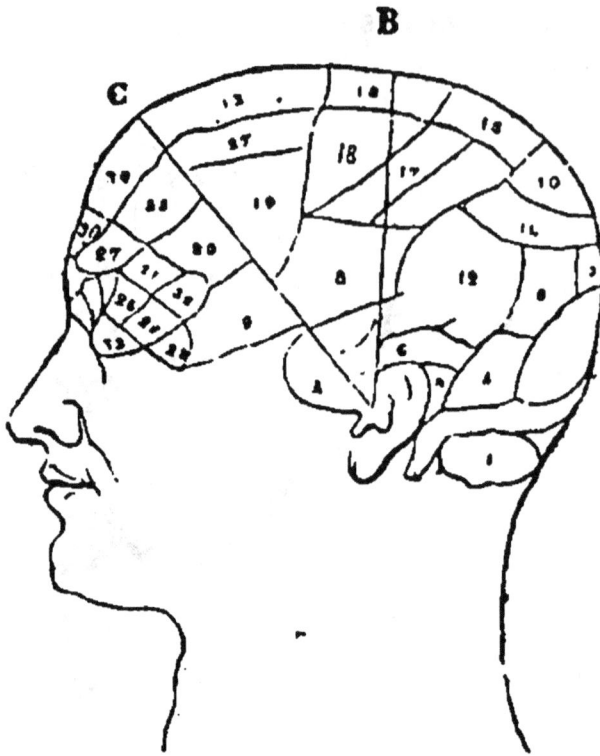

AGE.

NAISSANCE. — ENFANCE. — MATURITÉ. — VIEILLESSE.

Les penchans et les facultés changent avec l'âge dans la même proportion que l'organisme se perfectionne ou se détériore.

L'enfant nouveau-né reste pendant quelque temps étranger au monde extérieur, sa vie n'est guère que végétative. La partie du cerveau placée dans les régions antérieures-supérieures du front, n'offre à l'œil qu'une pulpe rougeâtre; mais, au bout de quelques semaines, les fibres nerveuses se prononcent de plus en plus; au bout d'à peu près trois mois, les parties moyennes et antérieures-supérieures du front, jusqu'ici perpendiculaires, ou aplaties en arrière, commencent à se bomber. Dès cette époque, l'enfant regarde long-temps et avec attention tous les objets; il les compare entr'eux; en peu d'années, il acquiert une somme énorme de connaissances du monde extérieur et nous étonne par ses observations. Il n'y a point de savant qui amasse dans le même temps autant de matériaux, et c'est ce qui explique l'avancement démesuré du front chez les enfans; mais plus tard, ces parties frontales se mettent, chez la plupart des individus, en équilibre avec les autres parties du cerveau.

Parvenu à sa maturité, l'homme reste pendant une période plus ou moins longue, suivant les individus, dans un état presque stationnaire. Mais à l'approche de la vieillesse, tout le système nerveux commence à perdre de sa plénitude et par conséquent de son activité. Dans toutes les parties du corps, les nerfs se rapetissent, les circonvolutions cérébrales se rétrécissent et s'affaissent; elles s'écartent l'une de l'autre; les anfractuosités s'agrandissent; en un mot, tout le cerveau diminue. La lame intérieure du crâne suit ce rétrecissement; elle s'écarte de la lame extérieure et il se dépose entr'elles une certaine quantité de masse osseuse spongieuse; les sinus s'élargissent sensiblement.

Les appréciations phrénologiques deviennent donc moins certaines quand elles portent sur des hommes très avancés en âge.

ALBERT-DURER.

Le plus grand peintre de l'école allemande, Albert-Durer, qui était en même tems un savant géomètre, a laissé un livre fort remarquable sur la *symétrie du corps humain*. Il donne les proportions de toutes les parties entr'elles ; il explique les têtes avec les variations des cubes; il joue merveilleusement avec les lignes et les combine à l'infini. Mais le *pourquoi* de ces rapports souvent étranges et toujours d'un style élevé, le pourquoi n'est jamais exposé. Albert avait perçu par le sens artiste la variété et la multiplicité de la nature; il en avait aussi compris les harmonies, et il posa des règles empiriques sans les justifier; par exemple, il y a quatre degrés pour la proportion relative du corps humain : Il y a des corps qui ont sept têtes de hauteur, d'autres huit, neuf, et jusqu'à dix; pour quelle raison? quel résultat en arrive-t-il comme manifestation intellectuelle? il n'en est pas question. L'antropométrie d'Albert-Durer n'a donc pas de valeur physiognomonique, mais nous en conseillons la lecture aux artistes qui y puiseront de précieux documens sur la science des lignes.

ALBERT-LE-GRAND.

Né en 1193, ou suivant quelques auteurs, en
1205. Il enseigna la philosophie à Cologne, à Ratisbonne, à Strasbourg, et à Paris en 1245. Il fut
nommé évêque de Ratisbonne, par le pape Alexandre IV, et mourut à Cologne en 1280; il fut le maître de Thomas-d'Aquin. Albert-le-Grand est un
des savans les plus remarquables du moyen âge;
il a laissé une foule d'écrits théologiques et scien-
tifiques, entr'autres des livres sur l'alchimie et les
sciences naturelles, où il donne les moyens de connaître à l'extérieur les facultés humaines. Il dessina
une tête sur laquelle il marqua le siége des différentes facultés intellectuelles; il plaça contre la
partie antérieure du front, ou dans la première cavité cérébrale, le *sens commun et l'imagination*, c'est-
à-dire la faculté aperceptive; dans la seconde cavité, *l'entendement* et le *jugement*; dans la troisième, la mémoire et les forces motrices; du reste,
il a presque reproduit dans son traité des *animaux*,
les signes physiognomoniques d'Aristote. (*Voir*
Aristote.)

ALIÉNATION. — Voyez FOLIE.

ALIMENTIVITÉ. (*Lettre* A.—*Topog. Dumoutier.*)

BOULYMIE. — FAIM. — VORACITÉ. — GOURMANDISE. — SOBRIÉTÉ. — TÉMPÉRANCE. — FRUGALITÉ.

Lorsque Gall découvrit ce qu'il appelait l'instinct carnassier (*Destructivité.*) qui, suivant lui, portait les animaux et l'homme à se nourrir de chair, ses adversaires lui demandèrent s'il n'y avait point aussi un organe pour les frugivores, comme pour les carnivores. Gall répondit qu'il n'était pas impossible qu'on trouvât bientôt un organe pour la nutrition. On doit en effet considérer la faculté de s'alimenter comme une faculté fondamentale et naturelle, et les Phrénologistes, appuyés sur de nombreuses observations, ont placé le siége de l'organe qui préside à cette faculté en avant et en dessous du lobe moyen. Il porte comme indication la lettre A, parce qu'il a été considéré comme justifié seulement depuis la nomenclature numérotée de Spurzheim.

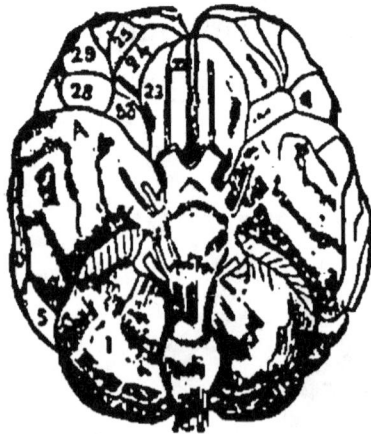

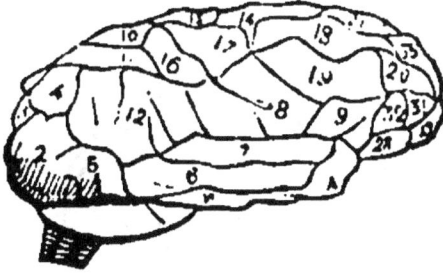

Il correspond sur le crâne à la partie antérieure de l'os temporal qui est recouverte par le muscle du même nom.

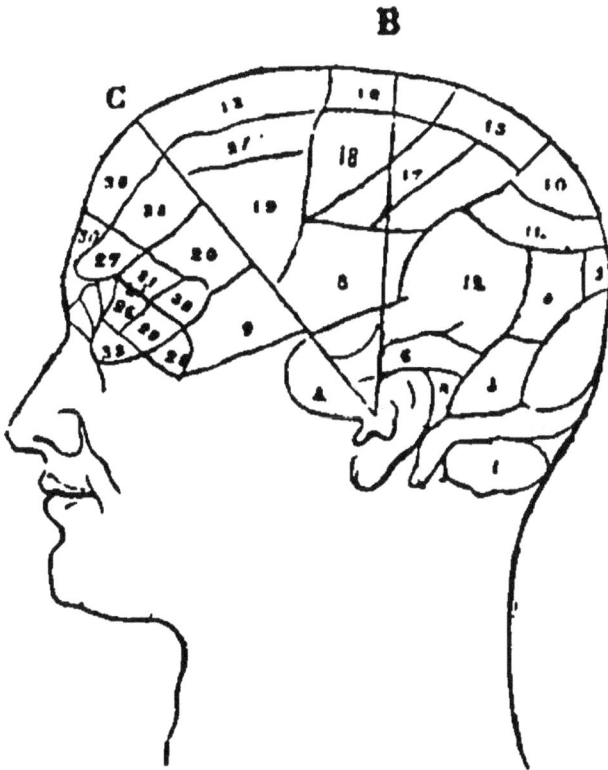

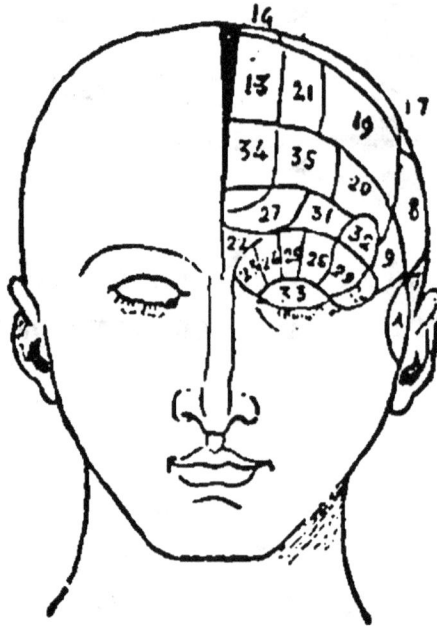

Il est donc presqu'impossible d'apprécier au juste son développement avec les tégumens. Cependant, si l'on a le loisir ou le soin de faire remuer la mâchoire à la personne qu'on examine, on se rend compte de l'épaisseur du muscle et par conséquent de la saillie ou de la dépression de l'organe. (Voyez MUSCLE.)

Toujours le même procédé pour mesurer les organes latéraux : supposer un diamètre transversal, comme dans la figure page 5.   (Voir MESURE.)

ALLÉGORIE. — Voyez COMPARAISON.

AMATIVITÉ ou AMOUR PHYSIQUE.
(n. 1 *Spurz et Gall.*)

INSTINCT DE LA GÉNÉRATION, — DE LA REPRODUCTION, — DE LA PROPAGATION. — INSTINCT VÉNÉRIEN, — LUXURE. — LASCIVETÉ. — LIBERTINAGE. — CYNISME. — NYMPHOMANIE. — SATYRIASIS. — VIOL. —PUDEUR. — DÉCENCE. — CHASTETÉ. — CONTINENCE. — IMPUISSANCE.

L'existence et la durée des espèces reposent sur cette fonction de l'organisme vivant. Il n'est pas besoin de prouver qu'elle est une force indépendante, un penchant propre existant par lui-même. Jusqu'à Gall, on avait mis l'origine et le siége de cette faculté dans les parties sexuelles. Mais avec un peu d'observation et de réflexion, on s'aperçoit qu'il n'y a pas un rapport direct entre les organes sexuels et le penchant vénérien. Sans puiser des preuves dans les maladies ou les aliénations, n'y a-t-il pas beaucoup de femmes très bien conformées qui ne sentent aucune attraction vers les hommes, et qui conçoivent sans éprouver la moindre sensation de volupté ?

L'organe qui préside à l'amour physique est le cervelet qui occupe dans le crâne les grandes fosses occipitales, (Voyez CERVELET.) où il s'étend d'un procès mastoïdien à l'autre.

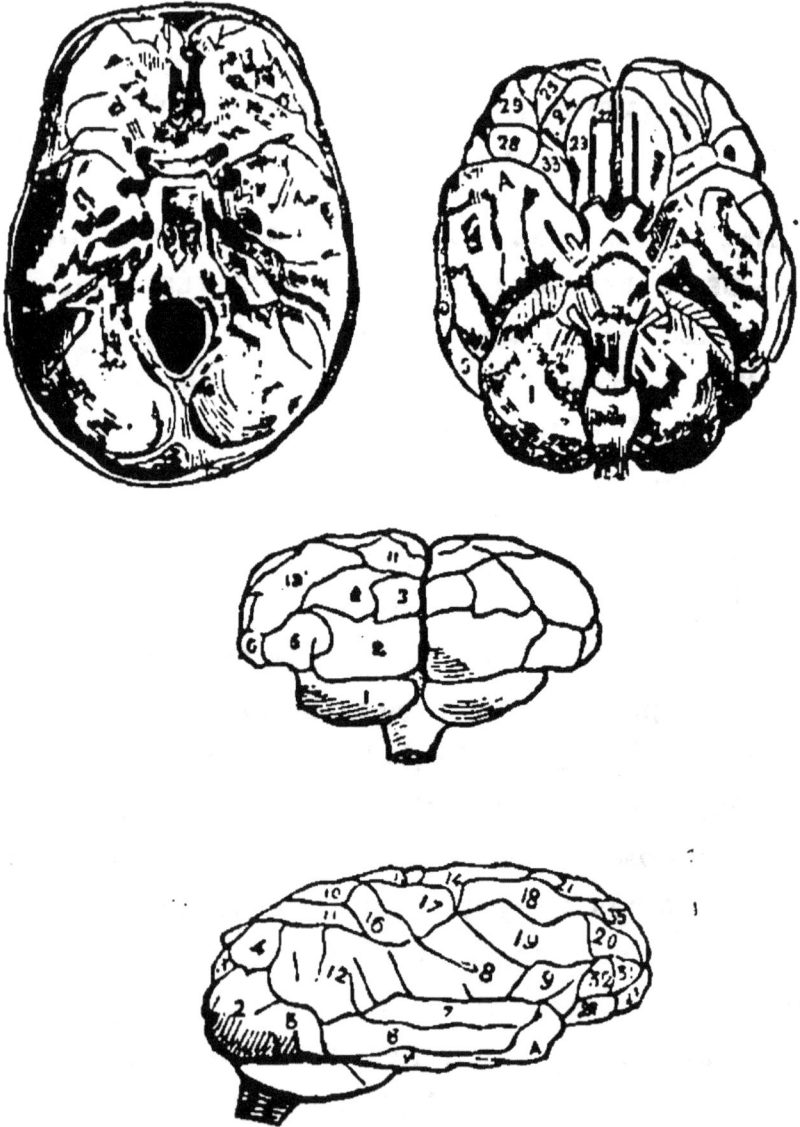

Il se traduit à l'extérieur du crâne et on peut en apprécier le développement, malgré les muscles du col qui s'attachent en cet endroit. Plus la proéminence formée par la voûte de la partie postérieure et inférieure de l'occipital est bombée, plus elle descend vers la nuque; plus elle s'élargit vers les oreilles, plus aussi le cervelet est grand. Dans ce cas, la nuque est large et forte, le col arrondi et large derrière les oreilles. Lorsqu'au contraire le cervelet est peu développé, ces parties seront plates, étroites, renfoncées; le col, quoiqu'épais en partant du tronc, sera étroit dans l'intervalle d'un procès mastoïdien à l'autre.

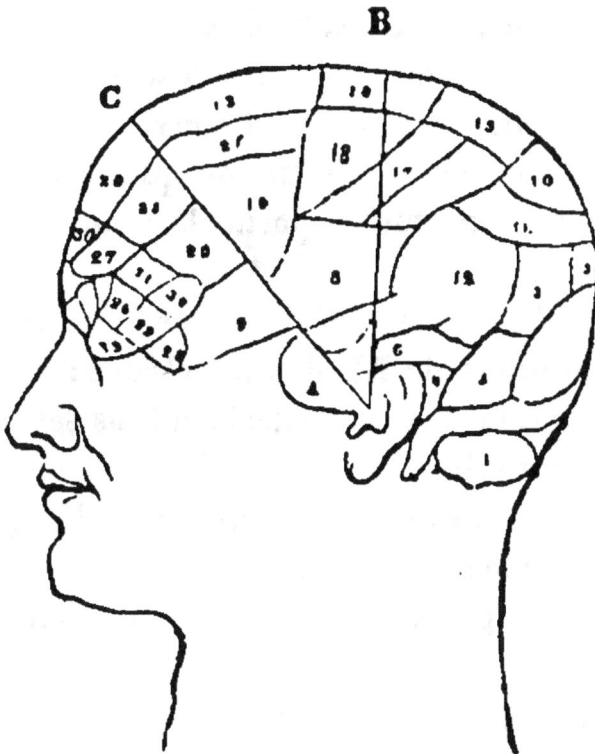

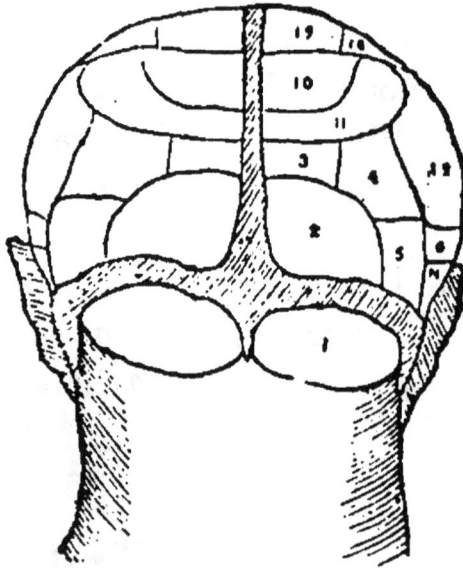

Un développement exagéré ou une irritation anormale du cervelet conduisent à des manifestations vénériennes exagérées et souvent à des manies presqu'incurables, de même que la faiblesse de cet organe explique en partie la continence et l'impuissance.

A propos du cervelet, Gall cite ce curieux passage d'Apollonius de Rhodes sur Médée :

« Le feu qui la dévore s'attache à tous ses nerfs, » et se fait sentir jusque derrière la tête, dans cet »endroit où la douleur est plus vive, lorsqu'un »amour extrême s'empare de tous les sens... »

On peut comparer le portrait de Newton et de Kant qui sont restés chastes toute leur vie, aux portraits de Néron, de François Ier, de l'Aretin et de Mirabeau.

On s'est demandé bien souvent si l'instinct de la

propagation a un degré d'activité plus grand chez le mâle ou chez la femelle. Tout semble prouver que l'initiative de cette faculté appartient en général au mâle dans toutes les espèces de l'animalité ; et l'homme en particulier paraît doué d'une impulsion vénérienne plus impérieuse que la femme. Hippocrate avait déjà émis cette opinion. Le sexe masculin représente en effet dans les vues de la nature le principe actif, l'élément incitateur, tandis que la femelle est le principe passif, l'élément fécondé. Toutes les observations confirment cette vérité métaphysique : le cervelet est sensiblement plus grand chez les mâles que chez les femelles, et celles-ci, dans plusieurs espèces animales, ne sont propres au rapprochement sexuel qu'à certaines périodes de l'année.

On a fait une foule d'expériences pour soutenir que le cervelet présidait aux mouvemens musculaires. (Voyez MUTILATION.) Sans nier la connexité de tous les appareils nerveux ou encéphalique avec tous les phénomènes de la vie, et particulièrement du cervelet avec les phénomènes de la locomotion, il n'en reste pas moins établi que le cervelet est l'organe de l'Amativité ; peut-être la science arrivera-t-elle à le diviser et à lui attribuer plusieurs fonctions physiologiques.

AMBITION. — Voyez ESTIME DE SOI.

AME. — Voyez MATÉRIALISME. — SPIRITUALISME. — HOMME. — PHRÉNOLOGIE, etc.

AMITIÉ. — Voyez AFFECTIONIVITÉ.

AMOUR. — Voyez RELIGIOSITÉ. — BIENVEILLANCE. — AMATIVITÉ. — PHILOGÉNITURE.

AMOUR DE LA VIE. (N. *Topog. Dumoutier.*) INSTINCT DE LA CONSERVATION.

Il n'y a pas encore bien long-temps que les phrénologistes ont admis cet organe. C'est particulièrement l'observation des suicides qui l'a confirmé. A côté, et pour ainsi dire en contrepoids de la force destructive (Voyez DESTRUCTIVITÉ.) dont l'homme a été doué suivant les plans de la nature, il fallait une autre force qui attachât les êtres à la vie. L'organe de cette faculté est situé dans le cerveau à la partie inférieure du lobe moyen, au-dessous de la Destructivité.

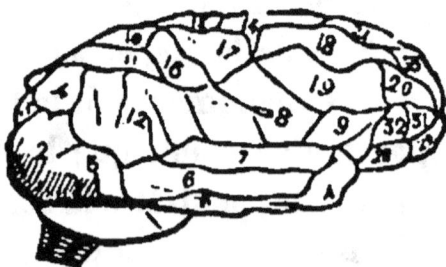

Il se traduit sur le crâne, en avant et en haut du procès mastoïdien, auprès de l'attache de l'oreille qui le recouvre presqu'entièrement.

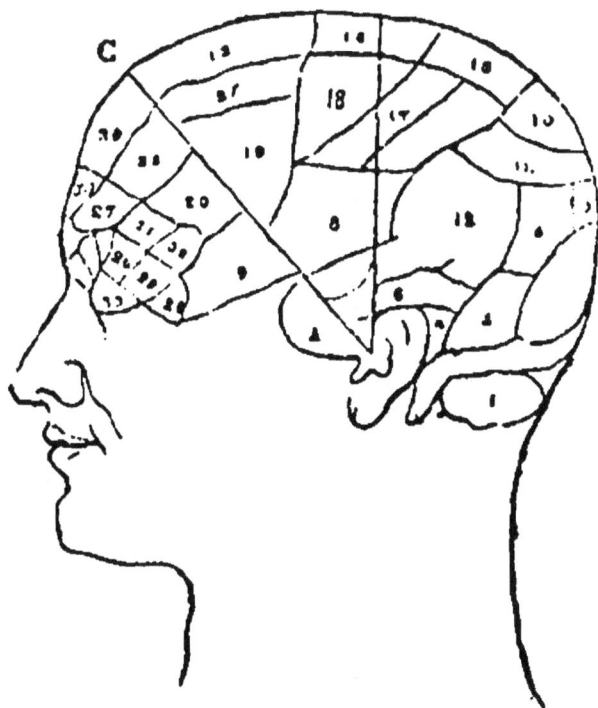

Le développement de cet organe, joint à la Circonspection, dispose à la timidité. Quand, au contraire, il est déprimé, et quand, avec cela, l'organe de la Combativité est protubérant, on est porté jusqu'à une témérité extrême. S'il y a exagération de la Destructivité, en l'absence de l'Amour de la vie, on peut avoir une propension vers le suicide. (Voyez SUICIDE.)

ANALOGIES. —Voyez SWEDENBORG.—RESSEMBLANCE. —TYPES. — ANIMALITÉ.

ANALYSE.—Voyez ÉDUCABILITÉ. — INDIVIDUALITÉ.

ANATOMIE. — Voyez CERVEAU. — CRANE. — NERFS. — MUSCLES, ETC.

ANDROGYNE. — Voyez DIEU. — SEXE.

ANENCÉPHALES.

Individus privés d'encéphale (de α privatif et κηφαλη tête.) A proprement parler, il n'y a point d'individus sans cerveau, et même dans les anomalies les plus monstrueuses, on rencontre toujours des rudimens encéphaliques. Nous n'avons point à examiner ici ces êtres plus ou moins incomplets qui vivent rarement au-delà de quelques heures; nous devions seulement établir que le cerveau est une des conditions essentielles de la vie.

ANFRACTUOSITÉS.

Les anatomistes appellent ainsi les intervalles plus ou moins profonds qui existent entre les circonvolutions du cerveau. (Voyez CIRCONVOLUTION et CERVEAU.)

ANGLE FACIAL. — Voyez CAMPER.

ANIMALITÉ.

L'Animalité partage avec la végétalité la vie organique et automatique. (Voir VÉGÉTALITÉ.) Mais les animaux jouissent encore de fonctions d'un ordre plus élevé et essentiellement différentes; ils jouissent de la faculté de la sensibilité, de percevoir les impressions extérieures et intérieures; ils ont la conscience de leur existence. Ils exercent des mouvemens volontaires, des fonctions des sens; ils sont doués d'aptitudes industrielles, d'instincts, de penchans, de talens, de qualités morales et de facultés intellectuelles.

Aussitôt qu'une ou plusieurs de ces fonctions ont lieu dans un être, il est censé jouir de la *vie Animale*.

On divise donc les parties du corps en organes de la *vie végétative*, à laquelle préside le nerf trisplanchnique ou grand sympathique, et en organes de la *vie Animale*.

Le système nerveux dont les végétaux et les animaux-plantes sont encore privés est l'appareil qui régit la vie animale. (Voir NERFS.)

Le premier phénomène de la vie animale, c'est la perception d'impressions qui viennent soit du dehors, soit du dedans. La *Sensibilité* est commune à tous les systèmes nerveux.

La faculté des mouvemens volontaires avec réaction, avec *Conscience*, occupe la seconde place dans l'ordre des fonctions de la vie animale.

Les fonctions des cinq sens occupent le troisième rang.

Enfin le rang le plus élevé appartient aux penchans, aux aptitudes, aux facultés intellectuelles et morales.

Excepté le sentiment religieux et la connaissance de l'existence de Dieu, dit Lactance, il n'est aucune qualité morale et aucune faculté intellectucile dont l'ensemble du règne animal ne partage au moins les premiers germes. Le naturaliste, dit Gall, se trouve quelquefois embarrassé de déterminer où l'animalité finit et où l'humanité commence. Dans tous les pays voisins de *l'état de nature*, on donne à plusieurs espèces de singes, le nom d'homme. Tout le monde sait qu'*orang-outang* signifie aux Indes Orientales *homme sauvage*. Il n'y a véritablement pas plus de distance entre l'orang et le groënlandais, qu'entre le groënlandais et l'européen. M. de Labrosse a connu à Lowango une négresse qui était restée trois ans à vivre avec des orang-outangs. Il semble que l'échelle des êtres s'élève sans interruption dans une progression insensible et graduée jusqu'à l'homme, qui résume dans sa nature toutes les virtualités dispersées chez ses inférieurs. L'homme est la synthèse de la création, et, pour employer la langue d'un philosophe de nos amis, les animaux sont des notes dont l'homme est l'harmonie. Chaque espèce d'animal a un caractère aussi bien qu'une forme unique. Il représente dans son unité le type d'une des facultés qui se sont épopisées dans la nature humaine. La forme qui indique la qualité essentielle de l'animal indique aussi la qualité essentielle de l'homme. Les physionomies animales, si nettement déterminées, peuvent donc fournir des règles sûres, applicables à la physionomie humaine. Ainsi, le type lion représente le courage ; le type tigre, la Destructivité ; le type renard, la ruse ; le type oiseau en général, la frivolité ; le type poisson, la voracité et la stupidité. Ainsi des autres. Ceux qui possèdent le sens physionomique peuvent faire de ces applications à l'infini. (Voyez HOMME. — PHYSIONOMIE. — RACE, etc.)

Quant à l'étude des animaux eux-mêmes, elle recommence pour ainsi dire à chaque espèce, surtout en ce qui touche la phrénologie. L'écartement des deux tables du crâne et les sinus qui affectent différentes variations offrent de grandes difficultés. Il ne faut jamais perdre de vue le principe : « Qu'il n'y a que cette partie du crâne de l'animal dont la forme est déterminée par le cerveau, qui ait un sens pour l'organologie. »

ANOMALIE. — Voyez MONSTRE.

ANTIPATHIE. — Voyez SYMPATHIE.

ANTIQUITÉ.

Les anciens croyaient qu'on pouvait connaître le caractère à la température du corps et de ses parties, comme le cœur, le cerveau, etc. Ils ont expliqué au moyen du *chaud* et du *froid*, *calidum et frigidum*, presque tous les phénomènes de la vie physique, et de la vie morale. (Voyez Aristote.)

ANTROPOLOGIE.

L'Antropologie est la science de l'Homme. (Ανθρωπως-λογος.) Ce mot conviendrait mieux sans doute que le mot Phrénologie, pour désigner la science qui nous occupe. Car, à bien dire, elle embrasse toutes les manifestations de la vie humaine, et elle devrait rendre compte de l'harmonie entre tous les phénomènes physiques et moraux. Mais la science de l'homme, envisagée à ce point de vue unitaire, est à peine ébauchée. On a encore l'habitude d'élaborer isolement la physiologie et la psycologie, et même les naturalistes et les métaphysiciens en sont encore à se nier réciproquement. Sans doute la phrénologie, alliée à la philosophie spéculative, est destinée à concilier ces deux points de vue abstraits, et à expliquer l'hominalité avec une seule formule pour ses diverses manifestations. (Voyez MATÉRIALISME, SPIRITUALISME, HOMME, PHRÉNOLOGIE, etc.)

APPARENCE. — AIR. — MINE.

Nous avons transformé le vieux proverbe, comme tant d'autres choses, et nous disons, nous : « Il faut juger sur l'apparence. » Seulement, il faut ap-

prendre pour arriver à *savoir juger*. (Voyez AUTO-
RITÉS, FORME, PHYSIONOMIE, etc.)

APPROBATIVITÉ. (11 *Spurz.* 9. *Gall.*)

VANITÉ. — OSTENTATION. — INDÉPENDANCE.

Gall avait d'abord confondu le besoin de l'estime des autres avec l'estime de soi-même; mais
il comprit bientôt, quoiqu'imparfaitement, les
différences de *l'orgueil* et de la *vanité*, et il a écrit
de fort belles pages sur ces deux qualités humaines
fondamentales. « La vanité, dit-il, l'amour de la
gloire est bienfaisant, et pour l'individu, et pour
la société; c'est un des ressorts les plus puissans,
les plus louables, les plus nobles, les plus désin-
téressés, qui déterminent le choix de nos actions. »
Cependant Gall mêle à tort l'ambition et l'amour-
propre avec la vanité. L'amour-propre tient à l'estime de soi et non pas à l'estime des autres; il faut
donc le rapporter, ainsi que l'ambition, à l'organe
qu'il appelait l'élévation ou l'orgueil. C'est de cette
façon que les phrénologistes actuels entendent ces
deux qualités. On peut avoir une immense opinion
de soi-même, et être fort indépendant de l'opinion
d'autrui. (Voyez ESTIME DE SOI.)

L'organe de l'Approbativité est situé dans la région postérieure-supérieure du cerveau, au-dessus
de l'Habitativité. Il forme une circonvolution al-

longée en quart de cercle, qui enserre presque l'organe de l'Estime de soi.

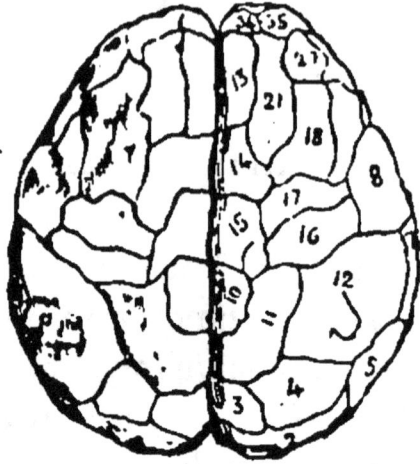

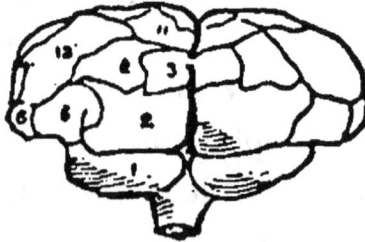

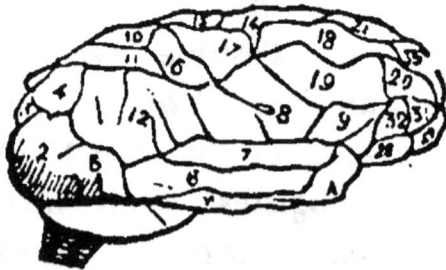

il se traduit sur le crâne, non loin de l'angle postérieur-supérieur de l'os pariétal, en commençant à la ligne médiane, entre l'Habitativité et l'Estime de soi, et s'étend jusqu'à la Consciensciosité.

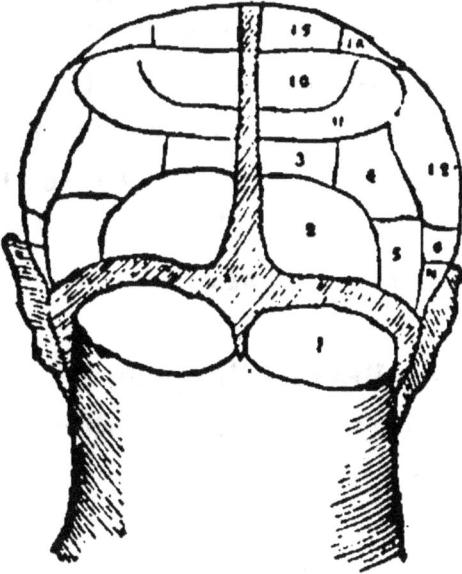

B

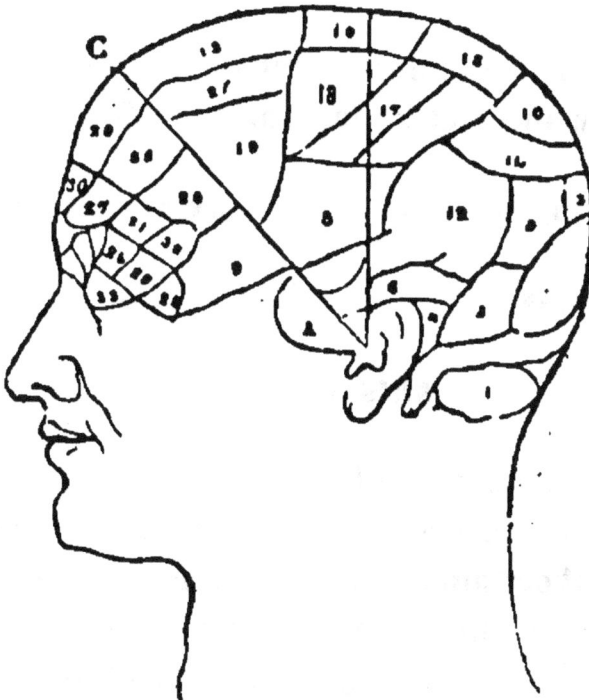

C

L'Approbativité développée allonge la tête en arrière et en haut. Cette conformation se rencontre souvent chez les femmes, dont la tête, à sa partie postérieure-inférieure, est généralement déjà plus allongée que celle des hommes, à cause du groupe d'organes qui constitue le Familisme. (Voyez FAMILISME. TÊTE, PHILOGÉNITURE. HABITATIVITÉ. FEMME, TYPE, etc.)

Il est inutile de dire que l'Approbativité. comme l'Acquisivité et toutes les autres facultés, s'applique à diverses choses, suivant ses diverses combinaisons.

APTITUDE. — Voyez FACULTÉ.

ARACHNOÏDE.

Membrane très-mince qui enveloppe le cerveau, entre la pie-mère et la dure-mère.

ARCHITECTURE. — Voyez CONSTRUCTIVITÉ.

ARISTOCRATIE. — Voyez HIÉRARCHIE. — POLITIQUE.

ARISTOTE.

Plusieurs auteurs de l'antiquité ont écrit sur la physionomie. c'est-à-dire sur les signes extérieurs qui dénotent certaines qualités intérieures de l'homme. Aristote est un des plus anciens dont les livres soient venus jusqu'à nous, car nous n'avons plus

de Pythagore que quelques passages tronqués. Entre les divers traités du philosophe de Stagyre, il y
en a un tout entier consacré spécialement à la physiognomonie, sous le titre de φυσιογνομονικα. Si les
opinions d'Aristote semblent souvent singulières et
hasardées, elles n'en sont pas moins une curieuse
preuve de l'importance que les Grecs attachaient
aux signes extérieurs.

Il n'y a jamais eu que quelques fragmens d'Aristote traduits en français; mais il en existe plusieurs traductions entières en latin. Nous avons
rassemblé ici divers morceaux qui intéressent la
science de l'homme, au point de vue de ce dictionnaire. La plupart sont puisés dans le livre *des animaux.*
Après ces citations, nous donnons presqu'en entier
le traité de physiognomonie, traduit sur le grec
aussi littéralement que possible. Nous devons prévenir ici que nous avons conservé exprès le mot à
mot; que nous n'avons pas voulu éclaircir par des
tournures modernes les passages obscurs et peut-
être inintelligibles aujourd'hui; que nous nous
sommes contentés de représenter chaque mot grec
par un mot à peu près analogue; enfin, pour con-
fesser toute notre pensée sur les traductions, il ne
peut plus y avoir présentement, il nous semble,
un seul homme qui comprenne la langue grecque,
pas plus que les autres langues et les autres civili-
sations mortes. Nous ne nous dissimulons donc pas
combien cette traduction que nous avons revue est

incomplète ; mais, justement à cause du vague qui enveloppe les idées d'Aristote, nous croyons qu'elles peuvent éveiller une foule d'autres idées chez ceux qui prendront la peine d'y réfléchir.

— « Un front grand annonce la paresse ; un front petit, l'activité ; un front large, l'intelligence ; un front rond, la colère.

Si les sourcils s'étendent en ligne droite, ils dénotent un caractère faible ; s'ils sont courbés auprès de la racine du nez, ils indiquent la rudesse et l'austérité ; si la courbure a lieu auprès des tempes, c'est le signe de l'ironie et de la dissimulation. Enfin, s'ils sont baissés dans toute leur longueur, c'est le signe de l'envie.

Des yeux démesurément longs annoncent une nature malfaisante. — L'homme seul a les yeux de couleur variée ; et le cheval. — Il y a des yeux grands, des yeux petits, d'autres moyens, et ce sont les meilleurs. Il y en a de trop saillans, d'autres placés comme il convient. Ceux qui sont enfoncés, ont la vue perçante comme les animaux. Les yeux qui clignent trop, ou qui se tiennent fixes, indiquent quelquefois l'impudence, quelquefois l'inconstance.

L'homme seul, entre tous les animaux, ne remue pas les oreilles. Les oreilles médiocres annoncent le meilleur caractère ; celles qui sont grandes et trop dressées, la sottise ou la loquacité.

La partie intérieure de la main est charnue et divisée par des scissures qui sont le signe d'une longue vie, quand chaque scissure en particulier ou les deux s'étendent tout le long de la main, et d'une vie plus courte, si elles ne l'occupent pas tout entière.

On a remarqué que les femmes, les enfans et les eunuques sont exempts d'être chauves.

L'homme, en proportion de sa grandeur, a le cerveau le plus volumineux. « *De historiâ animalium.* »

PHYSIOGNOMONIE D'ARISTOTE.

CHAPITRE. I.

Comme les âmes (διάνοιαι) sont analogues aux corps et qu'elles ne sont pas impassibles des accidens du corps, ce qui devient surtout évident dans l'ivresse et dans les maladies. Car les âmes paraissent bien changées en raison des impressions du corps. Et, au contraire, les corps ressentent aussi les affections de l'âme, ce qui se remarque dans les amours, les craintes, les chagrins et les plaisirs. En outre, dans les choses qui arrivent naturellement, on peut bien voir le corps et l'âme si parfaitement identiques l'un à l'autre, qu'ils sont, à l'envi l'un de l'autre, la cause de la plupart des affections. Car jamais aucun animal n'a été créé tel qu'il eût la forme d'un certain animal et l'âme d'un autre, mais toujours le corps et l'âme de lui-même. Aussi, faut-il qu'à chaque corps soit affectée certai-

ne forme. Et de plus, les savans sur chacun des animaux peuvent juger d'après la forme : les cavaliers,
les chevaux; les chasseurs, les chiens. Si ces choses sont vraies (et elles le sont toujours), il y a une
science physiognomonique. Les premiers physiognomones ont essayé cette science de trois manières,
chacun suivant une manière. Les uns physiognomonisent d'après les races des animaux, ayant placé, selon chaque race, une forme d'animal et une
âme analogue. Les autres soupçonnaient, en outre,
que ceux semblables par le corps avaient une âme
semblable. Et quelques autres ne conjecturaient pas
d'après tous les animaux, mais d'après la race
même des hommes, les divisant en peuples, autant qu'ils différaient d'usages et de mœurs : comme les Egyptiens, les Thraces, les Scythes. Ils faisaient également un choix des signes. Quelques-
uns, par les dispositions apparentes, jugeaient des
autres; il suit, en effet, un caractère à chacun, au
colère, au craintif, au voluptueux, et dans chacune
des autres affections. On peut physiognomoniser
selon toutes ces manières et selon d'autres encore,
et faire diversement le choix même des signes.
Les uns à la vérité physiognomonisent seulement
quant aux caractères, d'abord, parce que certains
hommes n'étant pas les mêmes au fond, portent
sur le visage les mêmes caractères, comme le brave
et l'effronté ont le même caractère, quoiqu'ils
soient très séparés par leurs âmes; secondement,

parce que selon certains temps, ils n'ont pas le même caractère, mais d'autres. Il arrive parfois aux mélancoliques de passer un jour gaîment et de prendre le caractère de la joie, et au contraire à l'homme gai d'être attristé, au point de changer le caractère qui était sur son visage. Et puis en outre, qui accepterait la conjecture du petit nombre d'indications apparaissant toujours les mêmes? Mais ceux qui physiognomonisent d'après les bêtes, ne font pas le choix des signes comme il convient. Car il ne faut pas dire d'une façon générale, ayant étudié la forme de chacun des animaux, que quiconque serait semblable à celui-là par le corps, serait aussi semblable par l'âme. Car d'abord, pour parler simplement, personne ne trouverait l'homme semblable à la bête, mais approchant d'elle en quelque chose. Ajoutez encore à cela que peu d'animaux ont quelques signes propres, mais beaucoup de communs. C'est pourquoi, si un être est semblable non par un signe propre, mais par quelque signe commun, peut-on dire qu'il ressemble plus au lion qu'au cerf. Car les signes propres doivent signifier les qualités propres, et les signes communs les qualités communes. Les signes communs ne manifestent donc rien au physionomiste. Mais si quelqu'un déterminait les signes propres de chacun des animaux, il n'aurait point à assigner à qui appartiennent ces signes. Car le propre est propre. Mais pourrait-on juger sans les signes parti-

culiers des animaux physiognomonisés : car non
seulement le lion est courageux, mais encore beaucoup d'autres êtres ; non seulement le lièvre est timide, mais d'autres êtres à l'infini. Si donc on ne
découvre rien en consultant les signes communs ou
les signes propres, il ne faut pas considérer chacun
des animaux, mais juger d'après les hommes éprou-
vant la même impression. De sorte que, si quelqu'un examine les signes du courageux, il doit
rechercher tous les animaux courageux dans un
seul qui les résume, quelles qualités sont innées
dans tous, et ne se rencontrent jamais chez les autres. Les signes invariables (μόνιμα) désignent quelque chose d'invariable. Quant aux choses qui arrivent, s'effacent et disparaissent, comment croire
à un signe de ce qui ne demeure pas dans l'âme ?
car si quelqu'un prend pour un signe invariable
un signe qui arrive et s'efface, il arriverait que ce
signe est vrai, mais cependant non convenable,
s'il ne suit pas toujours la chose. Toutes affections
de l'âme qui ne modifient pas en quelque chose les
signes extérieurs dont use le physiognomone, ne
seront pas de cette manière des connaissances pour
l'art, comme on ne peut connaître celles qui touchent aux dogmes et aux sciences des médecins
et des joueurs de cythare. Car celui qui apprend
quelque science ne change aucun des signes dont
use le physionomiste.

II.

Sur quoi roule la physiognomonie et de quels genres
ces signes sont pris.

Il faut donc déterminer sur quelles certaines
choses porte la physiognomonie, puisque les signes
ne sont pas pris de tous les objets, mais de quelques-
uns ; ensuite démontrer les plus évidents par rapport à chaque point. La physiognomonie est donc,
comme son nom l'indique, la science des passions
naturelles qui existent dans l'ame, et des accidentelles qui changent les signes physiognomonisés.
Quels sont ces signes, on le dira plus tard. Mais
je dirai maintenant de quels genres les signes sont
pris : on physiognomonise par les mouvemens, les
contours, les couleurs, et les caractères empreints
sur le visage, et par la surface, et par la voix, et
par la chair, et d'après les parties, et d'après la figure de tout le corps. Tels sont généralement les
signes que les physiognomones appelent de tous
genres. Si un tel exposé n'était pas assez évident et
déterminatif, il est peut-être mieux maintenant
d'énumérer les signes qui se rapportent à chaque
chose et qui n'ont pas été éclairés par les choses
précédemment dites. Les couleurs vives désignent
donc un être chaud et sanguin ; les blanches mêlées de rouge un bon naturel, quand cette couleur
arrive dans un corps dont la surface est lisse. Les

4

poils doux annoncent la timidité, les poils durs,
le courage. Ce signe est pris de tous les animaux.
Le cerf, le lièvre . la brebis, sont très timides et
ils ont le poil le plus doux ; au contraire, le lion et
le sanglier très courageux, ont le poil le plusrude.
On peut aussi remarquer cela dans les oiseaux. Généralement ceux qui ont la plume dure sont courageux; ceux qui l'ont molle, timides. Cela s'observe particulièrement chez les coqs. Il en est de-
même chez les races d'homme. Ceux qui habitent
le nord sont courageux et ont le poil rude. Les mé-
ridionaux sont timides et ont le poil doux. La pi-
losité qui est autour du ventre signifie la loquacité.
Cela se rapporte au genre des oiseaux. Une chair
dure indique l'insensibilité; une chair molle, l'in-
géniosité et l'inconstance, à moins que cela n'arrive dans un corps robuste ayant les extrémités vi-
goureuses. Les mouvemens lents indiquent une intelligence paresseuse, mais les vifs , un intelligence prompte. La voix grave et accentuée, le courage; aigue et lâche, la timidité. Les signes et les
mouvemens qui paraissent sur le visage, sont pris
selon les analogies des impressions. Car lorsqu'on
souffre quelqu'impression , lorsqu'on se met en
colère, il se manifeste le signe de la colère. etc.

III.

Des signes des affections de l'âme en particulier.

Signes de l'homme courageux : Le poil dur, la tenue du corps droite, les os, les côtes et les extrémités du corps robustes. Le ventre et les épaules larges, le col vigoureux, pas trop charnu; la poitrine large et projetée en avant. L'œil ni trop ouvert, ni complètement fermé. Le front aigu, non grand. La joue ni complètement pâle, ni toute rouge.

Signes de l'homme timide : Les poils doux, le corps penché, non droit; les yeux faibles et mobiles; les extrémités du corps faibles, de petites jambes, des mains longues et déliées, des reins petits et faibles, la figure d'accord avec le caractère, non violente, mais inquiète et susceptible d'être émue.

Signes de l'ingénieux (Εὐφυοῦς) : La chair humide, molle; le corps d'un blanc légèrement rougi, la peau lisse, le poil ni bien rude, ni bien noir. L'œil humide, etc.

Signes de l'homme borné: Le col et les cuisses charnus et ramassés. Les omoplates développées; le front grand, rond, charnu; l'œil jaune; les jambes épaisses près du talon, charnues, arrondies, les mâchoires grandes, charnues; le dos char-

nu; les jambes longues, le col gros ; le visage charnu, assez allongé dans la partie inférieure.

Signes de l'impudent : L'œil ouvert et brillant,
les paupières sanguines et épaisses ; légèrement
courbé ; les épaules élevées, la taille un peu pen-
chée ; vif dans ses mouvemens ; rouge de corps, le
visage rond ; la poitrine resserrée en haut.

Signes de l'homme modéré : Posé dans ses mouvemens et lent dans ses paroles. La voix grave et
pleine ; l'œil joyeux, non brillant, noir, ni tout-à-
fait ouvert ni complètement fermé, clignotant len-
tement, car ceux qui ferment rapidement la paupière sont timides ou ardens.

Signes de l'homme chagrin : La peau noire, mai-
gre, le visage ridé, les cheveux hérissés et noirs.

Le colérique a le corps droit ; il est large de figure, animé, un peu roux ; les épaules grandes et
larges. Les extrémités grandes et fortes ; la poitrine dégagée ; barbu, bien couvert de cheveux,
et fleuri.

L'homme doux a la chair humide, en grande
quantité ; il est assez grand et bien taillé.

Les envieux ont les yeux rouges. Le caractère
de leur figure paraît somnolent, le tour du visage
et des yeux, gras.

Les pusillanimes ont de petits membres et de
petites articulations ; de petits yeux, un petit visage, comme fut Leucade de Corinthe.

Les joueurs ont le coude plus court qu'il ne

faut. Ceux qui aiment les injures ont la lèvre supérieure relevée, le teint rouge.

Les voraces ont la distance de la poitrine au nombril, plus longue que de la poitrine au col. Les luxurieux ont la couleur blanche, sont poilus; ont les cheveux droits, épais et noirs; les tempes poilues; l'œil gras et lascif, etc.

IV.

Ce que l'âme et le corps sont l'un par rapport à l'autre.

L'âme et le corps ont de grands rapports; ils agissent l'un sur l'autre. La tristesse obscurcit le visage; la joie l'épanouit. La folie parait être dans l'âme, et les médecins, en purgeant les corps par des remèdes et essayant sur lui certains régimes, éloignent l'âme de la folie. Il est aussi prouvé que certaines facultés de l'âme sont affectées à certaines formes du corps. Et ces formes seront communes à tous les animaux chez lesquels elles se trouveront, etc.

V.

Distinction des genres des animaux en mâle et femelle.

Maintenant, je vais tenter de distinguer les animaux, et d'indiquer ce qui change en eux, se-

4.

lon qu'ils sont courageux ou timides, justes ou injustes. Divisons d'abord l'espèce animale en deux
modes ou deux formes : la masculine et la féminine. Les femelles nous paraissent plus mal-
faisantes , plus effrontées et moins coura-
geuses que les mâles. Les femelles qui sont
élevées auprès de nous en sont la preuve; quant à
celles qui habitent les forêts, les bergers et les
chasseurs s'accordent à dire qu'elles sont telles
que nous venons de les décrire; mais il est reconnu
que, dans chaque espèce, les femelles ont la tête
plus petite, la face plus étroite, le col plus dégagé,
la poitrine plus faible, les flancs moindres, les
cuisses plus charnues, les genoux plus moux, les
jambes plus déliées, la forme du corps plus molle
que les mâles; elles sont moins nerveuses et sont
douées de chairs plus humides. Les mâles sont tout
le contraire, plus forts naturellement, et d'une
espèce plus juste. La femelle est plus timide et plus
injuste naturellement; les choses étant ainsi, le
lion me semble le type le plus parfait de la forme
mâle, car le lion a la face développée, carrée; la
mâchoire supérieure non trop avancée, mais égale
à celle d'en bas; le nez plus large que fin; les yeux
calmes, concaves et pas trop ronds ni trop en
avant; un grand sourcil; le front carré et assez
creux vers le milieu près des sourcils et du nez;
sur le front, près du nez, il a des poils retombant;
la tête moyenne, le col épais et d'une bonne lon-

gueur, les crins blonds, ni lisses ni hérissés; les épaules larges, la poitrine vigoureuse, les cuisses non charnues, les jambes robustes et nerveuses, tout le corps bien articulé, ni trop sec ni trop humide; sa marche est lente, son port magnifique; il se remue sur les épaules lorsqu'il marche; tel est le lion, quant à son corps; quant à son âme, il est généreux, magnanime, aimant la victoire, doux et juste, aimant ceux avec lesquels il vit.

La panthère, au contraire, paraît affecter davantage la forme féminine, si ce n'est aux jambes où il y a apparence de force : elle a la face petite, la bouche grande, les yeux petits, blancs, renfoncés, le front très long, les oreilles plus rondes que plates, le col démesurément long, les cuisses charnues, les parties abdominales très lisses ; telle est la forme du corps de la panthère; pour les facultés de l'ame, elle est vile, scélérate, furtive, et, pour tout dire, perfide.

VI.

Sur le choix des signes, par rapport aux hommes.

L'élection des signes, par rapport à l'homme, se fait ainsi : ceux qui ont les pieds bien conformés, articulés et nerveux, sont doués de force d'âme et se rapportent au genre mâle; ceux qui ont les pieds petits, étroits, inarticulés, plus remarquables par leur gentillesse que par leur force, ont l'âme molle et timide, ils se rapportent au genre femelle; ceux qui ont les doigts des pieds courbés, sont sans pudeur; ceux qui ont les ongles courbés se rapprochent des animaux à serres recourbées; ceux qui ont les doigts des pieds joints ensemble, sont fangeux et se rapprochent des oiseaux de marais dont les doigts sont liés par des membranes; ceux qui ont les alentours des talons fortement dessinés et musclés, ont de la force d'âme et se rangent du genre mâle; ceux qui ont les talons charnus, ont une âme faible et se rapportent au genre féminin; ceux qui ont les jambes fortes, musclées et nerveuses, ont l'âme forte et sont du genre mâle; ceux qui ont les jambes fines, sont luxurieux et ont rapport aux oiseaux; ceux qui ont les cuisses osseuses et nerveuses, sont courageux; ils ont trait au genre mâle; ceux qui ont les cuisses excessives sont sans force et se rapportent au genre femelle; ceux qui ont la fesse osseuse, aigue, sont courageux; si charnue et grasse, ils sont mous; ceux qui ont la ceinture bien prise, sont amateurs des bêtes féroces : ils ont du rapport avec les chiens et les lions; ceux qui ont le dos grand et fort sont courageux; ils se rapportent au genre mâle; ceux qui ont le dos étroit et faible sont timides et se rapportent au genre femelle; ceux qui sont bien flanqués sont courageux; ceux qui ne sont pas bien pourvus de côtes ont l'âme molle; ceux qui ont les flancs bour-

soufflés sont bavards et lourds comme les gre-
nouilles et les bœufs; ceux qui ont l'espace compris
depuis le nombril jusqu'à l'extrémité de la poitrine,
plus grand que depuis cette extrémité jusqu'au col,
sont voraces et insensibles; voraces, parce que le
ventre, organe de la digestion, est développé chez
eux; *insensibles*, parce que le passage des sensations
est rétréci par celui qui reçoit la nourriture, de
sorte que les sens sont alourdis à cause de la ré-
plétion ou du manque de nourriture; ceux qui ont
la poitrine grande et bien dessinée, sont courageux, comme le genre mâle; ceux qui l'ont faible et inarticulée sont timides et se rapportent au
genre femelle; ceux qui ont le col avec des articulations éminentes et les épaules fortes, sont courageux; ceux qui ont le col gros et charnu sont colériques, comme les taureaux; ni trop grand, ni
trop gros, magnanimes comme les lions; délié et
long, rusés comme les cerfs; très court, perfides
et dresseurs d'embûches comme les loups; ceux
qui ont de grosses lèvres, et la supérieure pendant
en avant de l'inférieure, sont fats comme les ânes;
ceux qui ont la lèvre supérieure et les gencives
proéminentes, sont amateurs d'injures, comme les
chiens; ceux qui ont le bout du nez gros, faciles
comme les bœufs; ceux qui ont le nez épais par le
bout, insensibles comme les porcs; le nez rond et
obtus, magnanimes comme les lions; le nez bientôt courbé à partir du front, impudens comme les

corbeaux ; ceux qui ont le nez aquilin, articulé à partir du front, magnanimes comme l'aigle ; ceux qui ont le nez concave et le front rond, luxurieux comme les coqs ; les camards, luxurieux comme les cerfs ; ceux qui ont la face toute petite. sont pusillanimes comme le chat et le singe ; la face grande, lents comme les ânes et les bœufs ; les yeux petits, pusillanimes ; ont rapport au singe ; les yeux grands se rapportent aux bœufs. Il faut donc que l'homme parfait n'ait les yeux ni petits ni grands ; ceux qui ont les yeux caves, sont malfaisans comme le singe ; yeux proéminens, fats, ont rapport aux ânes ; car il faut que les yeux ne soient ni renfoncés, ni proéminens ; le juste milieu sera le mieux ; ceux qui ont les yeux peu renfoncés, sont magnanimes comme les lions ; plus concaves, doux comme les bœufs ; front petit, indisciplinables comme les porcs ; grand, tardifs ; se rapportent aux bœufs ; rond, sans sensation comme les ânes ; moins plat, sagaces comme les chiens ; front large et modéré, magnanimes comme les lions ; nébuleux, audacieux comme le lion et le taureau ; petites oreilles, nature de singe ; grandes, ânes. Très noirs, gens timides comme les Egyptiens et les Ethiopiens ; très blancs, timides comme les femmes. La couleur qui comporte le courage tient le milieu entre les deux : jaunes, sont gens de cœur, comme les lions ; rouges, très astucieux, comme les renards ; ceux à qui est la couleur rouge, sont vifs, parce que tout

ce qui tient au corps échauffé par le mouvement
rougit. Couleur flamme, maniaques; veines dis-
tendues aux tempes et autour du col, annoncent la
colère; visage tout rougissant, la pudeur; joues
enluminées, ivrognerie; yeux enluminés, colère;
yeux très noirs, timides, car le noir est un signe
de timidité; yeux couleur vin, lascifs comme les
chèvres; yeux couleur de feu, impudens comme
les chiens; yeux décolorés et troubles, timides; ce
signe est en rapport avec l'impression, parce que
la crainte éteint inégalement les yeux; yeux bril-
lans, luxurieux comme les corbeaux et les coqs.
Jambes velues, lascifs comme les boucs; poitrine
et ventre velus, mobiles comme les oiseaux; poitrine nue et non velue, effrontés comme les femmes; ainsi, il ne faut être ni trop ni pas assez velu,
le milieu en cela est le mieux. Epaules velues, sans
persévérance comme les oiseaux; dos très poilu,
impudents comme les bêtes. Tous ceux qui ont la
nuque du col poilue, sont libéraux comme les lions;
sourcils joints, tristes; rapport de passion. Sourcils
divisés avant le nez et étendus jusqu'aux tempes,
fats; cheveux plantés droit sur la tête, timides,
parce qu'aux timides les cheveux se hérissent; ceux
qui ont la partie du front qui est devant la tête bien
élevée, sont libéraux comme les lions; yeux mobiles, vifs, rapaces comme les éperviers; cris rau-
ques et sonores, injurieux comme les ânes; voix
faible, sans consistance, doux comme les brebis.

Ceux qui sont vifs, sont petits, car le sang ayant peu
d'espace à parcourir, les mouvemens arrivent trop
vite à la pensée; les gens lents sont très grands,
par la raison contraire; la taille la plus parfaite
pour percevoir ou sentir ce qui a été proposé doit-
être moyenne, etc. D'après toutes ces choses, il a
été prouvé que le mâle est plus fort, plus juste, et
bref, meilleur que la femelle.

Entre les signes physiognomoniques, il y en a
qui prouvent plus que d'autres : les plus sûrs sont
aux parties principales, comme autour du front,
des yeux, de la tête, de la face; puis la poitrine et
les épaules; puis enfin, les jambes et les pieds;
le ventre est le point le moins capital. Pour tout
dire d'un mot, les parties qui montrent les signes
les plus certains, sont celles où se montre un rayon
de grande sagesse.

ART.

Le plus grand effort de l'art est de créer des hommes avec toutes les harmonies de leurs passions,
de leurs pensées et de leurs formes. S'il y a un rapport direct et constant entre la vie intérieure et la
manifestation visible, la science qui enseigne cette
unité merveilleuse est le premier élément de l'art.
Sans doute le génie trouve en soi-même la révélation intuitive des êtres, et le passé nous a légué
de magnifiques créations, où l'homme apparaît

dans son unité vivante et pour ainsi dire épique ;
mais tous les artistes n'ont pas le privilége inné de
faire sortir de leur cerveau l'invention tout armée,
comme Minerve du cerveau de Jupiter. La science,
c'est-à-dire l'observation réduite en formules,
leur vient en aide. Ils ne sauraient donc rester
étrangers à l'étude de la phrénologie et de la physiognomonie. Elles leur serviront à comprendre le
signe des différens caractères et à les exprimer dans
leurs œuvres. Les artistes, dit Gall, se laissent encore subjuger par les prétendues lois du beau.
(Voyez BEAUTÉ.) Il arrive souvent, lorsqu'ils rencontrent des formes peu ordinaires et qui leur paraissent choquantes, qu'ils les regardent comme
des défauts, comme des erreurs de la nature, et
croient devoir alors modifier les proportions ; et
cependant, d'ordinaire, ces formes insolites et qui
offensent l'œil, sont précisément l'expression du
caractère moral et intellectuel. (Voyez PORTRAIT.)
Le grand défaut de la plupart des théories sur l'art,
a été de le renfermer dans des règles inflexibles,
qui repoussaient la variété et la multiplicité. La réhabilitation exclusive de l'art antique, qui a été,
dans ces dernières années, la base de toutes les
productions, avait eu pour résultat de circonscrire
la représentation de l'homme dans le cadre de
l'homme payen, comme si la vie morale et intellectuelle de l'humanité et par conséquent sa manifestation extérieure n'avait pas changé depuis

2000 ans. (Voyez WINKELMANN. — PAGANISME. — CHRISTIANISME. — TÊTE. etc.)

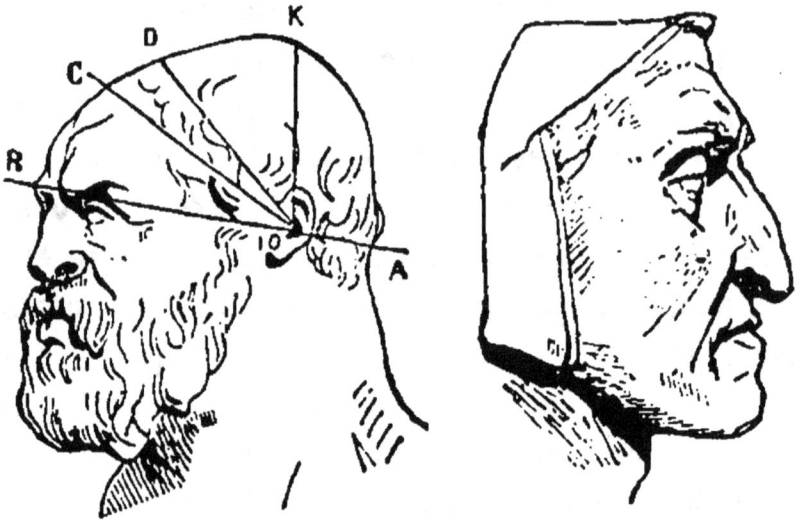

ASSOCIATION. — Voyez HIÉRARCHIE. — SOCIABILITÉ.

ASTROLOGIE.

Les astrologues, entr'autres Ptolémée, jugeaient les caractères d'après les planètes. Sans attacher une créance complète aux horoscopes de l'astrologie, nous ne sommes pas de ceux qui regardent comme des niaiseries stupides les tentatives souvent bizarres de tous les hermétistes, astrologues ou nécromanciens, pour saisir les liens qui unissent toutes les choses entr'elles. Il y a certainement une analogie directe entre les différentes faces de la vie universelle : tel homme a certainement son analogue dans tel animal, dans telle plante, dans tel corps chimique. Que les savans puissent pénétrer clairement dans cette logique de la *création*, on est libre de le nier. Toutefois l'esprit qui s'envole dans ces régions mystérieuses, rencontre souvent des révélations. Pour réhabiliter le mot *d'astrologie* que le positivisme expérimental de ces derniers siècles a discrédité, il suffirait de citer les noms des grands génies de l'antiquité ou du moyen-âge qui ont interrogé la magnifique géométrie planétaire de Dieu.

ATTRACTION.—Voyez MAGNÉTISME.— SYMPATHIE.

AUTORITÉS.

Lavater a réuni, dans un fragment qui porte ce titre, des passages extraits de divers auteurs en faveur de la physiognomonie. En voici quelques-uns :

«L'homme malin et corrompu marche avec une bouche de travers. La sagesse paraît sur le visage du sage, mais les regards du fou parcourent les bouts de la terre. L'homme méchant assure sa face, mais le juste pénètre son dessein. » *Salomon.*

« Le cœur de l'homme change son visage, soit en bien, soit en mal. L'homme est connu à son regard, et le sage à l'air de sa face. » *Ecclesiaste.*

« Vultus indicat mores. » *Cicero.*

« Il n'est rien plus vraisemblable que la conformité et relation du corps à l'esprit. » *Montaigne.*

« La présence de l'homme, son visage, sa physionomie, sont le meilleur texte de tout ce qu'on peut dire de lui. » *Goethe.*

Dans un petit écrit d'Alcuin, intitulé *Demandes et réponses sur la nature humaine*, et destiné aux fils de Charlemagne, on lit :

Qu'est-ce que le cerveau? — Le conservateur de la mémoire.

Qu'est-ce que le visage? — Le miroir de l'âme.

Les jambes? — Les colonnes du corps.

Les pieds? — Une base mobile, etc.

Marc-Aurèle dit : « Ton discours est écrit sur ton front. Je l'ai lu avant que tu aies parlé; un homme plein de franchise et de probité répand autour de lui un arôme qui le caractérise; on le sent, on le devine; toute son âme, tout son caractère se montre sur son visage et dans ses yeux. »

«A l'égard de la configuration des hommes, l'expérience nous fait voir que l'âme et le caractère des nations sont peints la plupart du temps sur les physionomies des individus. » *Winkelmann.*

«Lorsque le ver rongeur est au-dedans, l'empreinte de ses ravages se remarque à l'extérieur qui en paraît tout défiguré. » *Burke.*

AVARICE.

Il est facile de comprendre que l'avarice est une manifestation complexe, résultant d'une combinaison entre plusieurs organes. Elle suppose non-seulement le désir d'acquérir, mais aussi la prudence et la préoccupation de l'avenir, c'est-à-dire la Circonspection qui fait conserver. Elle suppose aussi la négation des appétits sensuels ou d'autres impulsions quelconques qui entraînent à dépenser. Un homme très sensuel ou très bienveillant ne saurait être avare, quelque penchant qu'il ait d'ailleurs à amasser. C'est ce qui explique comment, dans les représentations de l'art, qui sont en définitive basées sur l'observation de la nature, les têtes d'avares sont ordinairement rétrécies à la base du cerveau où siégent les propensions physiques. (Voyez Acquisivité.)

AVOCAT.

Les avocats, qui sont appelés par leurs fonctions à éclairer l'application des lois pénales, doivent puiser d'utiles et immenses ressources dans la connaissance de l'homme. Pour apprécier la criminalité des faits individuels, il faut avoir approfondi leurs causes. Les études phrénologiques sont donc particulièrement indispensables aux avocats, puisqu'elles expliquent les diverses manifestations de la nature humaine. Il y a une foule d'actions qualifiées crimes ou délits, dont les auteurs ne sont vraiment pas responsables et qui rentrent dans la classe des aliénations ou des maladies. En ce temps-ci, où l'on peut, sans exagération, accuser la loi d'une rigueur souvent aveugle, la mission de l'avocat doit être de protéger les malheureux entraînés par une organisation anormale, et de provoquer la réforme de la pénalité. (Voyez PÉNALITÉ. — MAL.)

B.

BAGNES. — Voyez PÉNALITÉ. — MAL.

BARBE. — Voyez CHEVEUX.

BASILIAIRE. — Voyez CRANE. —OS.

BAVARD. — Voyez BOUCHE. — LANGUES. — MÉMOIRE.

BEAUTÉ. — HARMONIE.

Il existe, dit Lavater, une harmonie sensible entre la beauté morale et la beauté physique, entre la difformité morale et la laideur corporelle.

Nous trouvons dans les écrits embrouillés de M. De la Chambre cette explication de la beauté: « Il y a deux sortes de beautés en l'homme, l'intelligible et la sensible. La première n'est autre que la perfection intérieure, c'est-à-dire le juste assemblage de toutes les facultés, qui sont nécessaires à l'homme pour faire les fonctions auxquelles il est destiné : et la beauté sensible consiste dans les dispositions que doivent avoir les organes pour servir à ces facultés ; de sorte que, ce qui rend la figure, la couleur et le mouvement agréables, est la *convenance que ces choses ont avec la nature de l'homme.* Or, quoiqu'il n'y ait peut-être que Dieu seul qui connaisse le principe de cette conformité, il y a néanmoins dans notre âme des semences secrètes de cette connaissance, qui sont cause qu'elle se plaît en ces objets, sans qu'elle en sache la raison. etc. »

Quelque confuse que soit cette notion de la beauté, elle indique cependant sa véritable acception.

La beauté, c'est l'harmonie de la forme avec la destination. Aussi, l'idée de beauté a varié parallèlement à l'idée de la destination humaine, c'est-à-dire à la science de l'homme. La beauté, comme on l'entendait au moyen-âge, diffère essentiellement de la beauté payenne. Chez les payens, tous les types de beauté que l'art nous a conservés, se rapportent purement à la vie extérieure. Ainsi, Vénus représente la beauté dans la volupté ; Hercule, la beauté dans la force ; Diane, la beauté dans l'activité physique ; Apollon, la beauté plastique ; le Gladiateur, l'adresse ; le Laocoon, la douleur corporelle, etc. De même pour tous ; on pourrait oser dire que toutes les symbolisations mythologiques correspondent à des virtualités instinctives, qui devaient être les premières en relief chez la jeune humanité. Chaque type des dieux ou des idéalisations antiques serait facilement exprimable par un organe phrénologique de l'ordre physique ou de l'ordre perceptif : Vénus, c'est l'Amativité ; Hercule, la Combativité ; Mars, la Destructivité ; Silène, l'Alimentivité ; Plutus, l'Acquisivité. Les Muses aussi sont les identiques de l'Idéalité, de la Musique, de la Mémoire des faits, de la Constructivité, de la Tonalité, de la Configuration et du Coloris. Nous défions qu'on nous montre, dans tout l'art payen, une seule représentation des hautes qualités morales et intellectuelles. Les chefs-d'œuvre antiques, nous le répétons, ne symbolisent que la vie extérieure ; c'est seulement avec la spiritualité chrétienne qu'une nouvelle poésie s'impatronisa dans le monde, et alors la beauté prit un autre caractère. Ce fut une beauté intime, illuminée, qui réfléchit la pensée et les facultés supérieures. La beauté devint l'expression des vertus théologales, de la foi, de l'espérance et de la charité, et non plus de la volupté ou de la force. La beauté du Christ, c'est l'amour et le dévouement. Alors la mythologie fut transformée ; l'art emprunta ses idéalisations, à la pureté, comme dans les anges, à l'abnégation, comme dans les saints, à la chasteté, comme dans les vierges, etc. Il ne se préoccupa de la forme qu'en tant qu'elle était le signe d'une qualité intérieure.

A la Renaissance, l'art tenta de concilier la *beau-*

té *plastique* des Grecs avec la *beauté mystique* du moyen-âge, et l'on vit Raphaël créer ses vierges moitié femme, moitié ange. C'est l'indication de la *beauté moderne*, qui implique en même temps la perfection corporelle et la perfection spirituelle, si l'on peut encore employer cette division abstraite de la dualité corps et âme. Sans doute, l'art de l'avenir réalisera conplètement cette alliance du fond et de la forme, et la beauté sera ainsi l'expression de l'unité humaine, comme la philosophie nouvelle la comprend. (Voyez ART. — PAGANISME, etc.)

BÊTISE. — Voyez IDIOTISME.

BIEN.

On ne saurait nier, sans accuser Dieu, que tout ce qui est a une bonne destination et accomplit son œuvre dans la vie universelle. Quand nous ne découvrons pas le bien d'une chose, nous ne devons nous en prendre qu'à notre inintelligence, où à notre condition d'êtres finis, qui ne nous permet pas de pénétrer les lois de l'infini et de l'éternel. Toutes nos facultés sont bonnes en elles-mêmes, au point de vue général ; et si leur exercice entraîne quelquefois des maux particuliers, c'est que le milieu social ne leur laisse pas toujours la liberté de se développer normalement. Ainsi, l'organe de l'Acquisivité ne conduit au vol, qui est un mal particulier, que dans les cas où l'individu ne trouve pas satisfaction à ses justes besoins. Le peu d'exceptions qu'on pourrait citer à cela, rentre dans la classe des maladies ou des manies. Ainsi de la destructivité. On prouverait facilement par les statistiques, que tous les meurtres humains à peu près ont leur cause dans des froissemens sociaux.

Avec les améliorations politiques, avec l'éducation populaire, avec les maisons de santé, on fera disparaître toutes les anomalies qu'on appelle des crimes. Car la nature n'a mis en nous que des impulsions légitimes; elle a établi dans l'organisation hominale un merveilleux équilibre entre le moi et le non-moi, entre l'égoïsation et le dévouement. Chaque homme porte dans sa tête un code de ses droits personnels et de ses devoirs envers les autres. Chaque penchant individuel est contrebalancé par un penchant qui tient à la généralité. Le clavier cérébral, si l'on peut ainsi parler, est une harmonie où l'homme se trouve relié avec Dieu par la Religiosité, avec le monde supernaturel par la Merveillosité, l'Espérance, l'Idéalité, et les facultés réflectives, avec le globe par l'Habitativité, la Localité et les facultés perceptives, avec l'humanité par la Bienveillance et la justice, avec les individus en particulier par l'Affectionivité, avec les enfans par la Philogéniture, avec l'autre sexe par l'Amativité. C'est bien assez de ces facultés, qu'on pourrait appeler excentriques, pour dominer ou équilibrer les facultés concentriques, ou défensives, ou individuelles, qui se reportent vers la personnalité, comme l'Alimentivité, la Combativité et la Destructivité, la Ruse, l'Acquisivité, la Circonspection, et l'Estime de soi. Disons donc, avec saint Augustin, que tout est bien dans l'ordre de la providence. (Voyez MAL. — MONSTRE. — MORALE.)

BIENVEILLANCE. (n° 13, *Spurz.* 14, *Gall.*)

BONTÉ. — DOUCEUR. — CHARITÉ. — DÉVOUEMENT. — COMPASSION. — SENSIBILITÉ.

Cet excellent docteur Gall, qui avait tant de préjugés à combattre, et qui a été forcé de lutter pied-à-pied pour faire admettre son génie et ses découvertes, a pris une peine inouïe, afin de prouver qu'il y avait chez l'homme une bienveillance naturelle. Il explique la raison providentielle de cette faculté dans un morceau aussi simple de style qu'il est sublime de pensée : « Le créateur, dit-il, a destiné les hommes à vivre en société; il fallait donc les lier étroitement par le moyen d'un principe de sympathie; ils devaient partager leurs plaisirs et leurs peines, et souvent même souffrir plus du malheur d'autrui que de leurs propres maux. La providence se manifeste en cela d'une manière frappante; si les souffrances de nos semblables excitaient en nous de l'aversion, la première chose que nous ferions, à l'aspect d'un malheureux, d'un homme souffrant, serait de l'éloigner de nous, au lieu de courir à son secours. Cette sympathie, ce sentiment de bienveillance. est donc le ciment de la société humaine, de la félicité publique. » Mais, plus loin, Gall confond cette faculté avec le sentiment du juste et de l'injuste et avec la conscience; les observations phrénologiques postérieures ont distingué avec raison ces trois qualités inhérentes à la nature humaine. (Voyez justice et consciensciosité.) La Bienveillance peut s'exercer en dehors du sens de la Justice : c'est quelque chose d'analogue à ce que le langage chrétien appelait la *charité*; c'est cette impulsion pour ainsi dire excentrique et abnégative, qui transporte l'individu dans la vie de son prochain; c'est elle qui a engendré le précepte duquel découle toute la morale humaine : « *Fais aux autres ce que tu voudrais qu'on te fît.* » La Bienveillance, si on l'étudie isolée, ne s'enquiert pas de l'entourage des faits; elle compâtit aux souffrances d'autrui, sans en examiner les causes; le dévouement est un besoin pour elle, mais elle peut se combiner à l'infini avec les autres facultés et produire des manifestations complexes. Ainsi la Circonspection arrête son essor; la Combativité la pousse à l'action; les facultés réflectives l'éclairent, etc.

L'organe de la Bienveillance est une circonvolution allongée du haut en bas, le long de la ligne médiane; elle est bornée en avant par la Comparaison, en arrière par la Religiosité, en côté par la Mimique,

(Voyez le n° 13.)

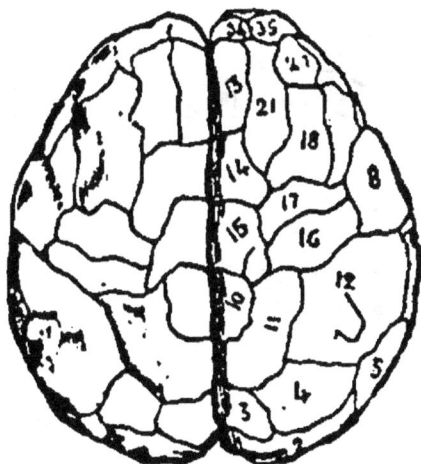

elle se traduit sur le crâne au sommet de l'os frontal.

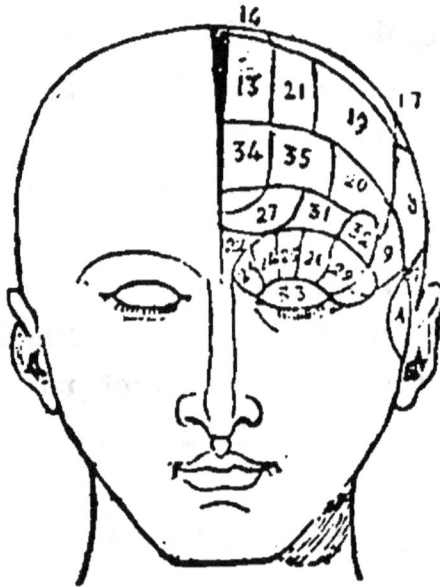

B

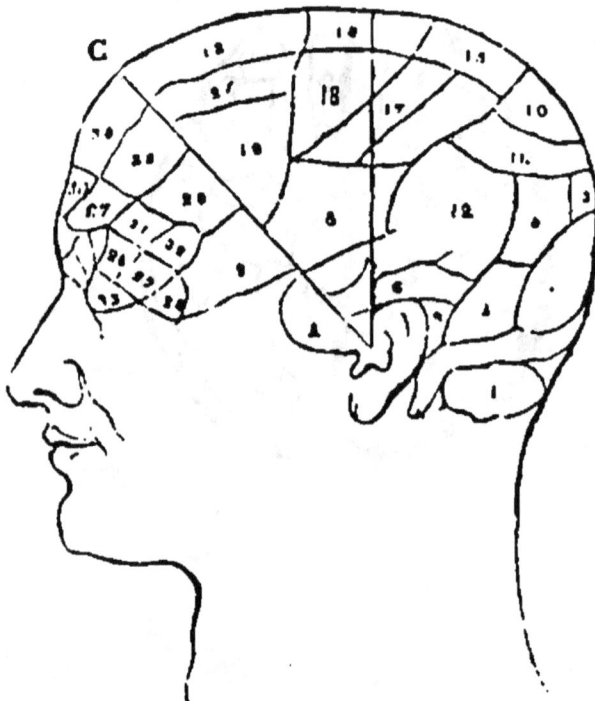

Comme tous les organes situés le long de la ligne médiane, les deux Circonvolutions de la Bienveillance forment tantôt deux proéminences distinctes, tantôt une seule, selon que les deux hémisphères cérébraux sont plus ou moins séparés.

BOITEUX, — voyez JAMBE.

BONTÉ, — voyez BIENVEILLANCE.

BOSSU, — voyez DOS. — MONSTRE.

BOUCHE. — LÈVRES.

Une bouche délicate est peut-être une des plus grandes recommandations. La beauté du portail annonce la dignité de celui qui doit y passer. Ici c'est la voix interprète du cœur et de l'ame, l'expression de la vérité, de l'amitié et des plus tendres sentimens. La lèvre supérieure caractérise le penchant, l'appétit, le sentiment de l'amour. L'orgueil et la colère la courbent; la finesse l'aiguise; la bonté l'arrondit; le libertinage l'énerve et la flétrit. L'amour et le désir s'y attachent par un attrait inexprimable. (*Herder.*)

Une bouche resserrée dont la pente court en ligne droite et où le bord des lèvres ne paraît pas, est l'indice du sang-froid, d'un esprit appliqué, ami de l'ordre, de l'exactitude et de la propreté.

(Le profil d'Erasme justifie cette observation.) Si elle remonte en même tems aux deux extrémités, elle suppose un fond d'affectation, de prétention et de vanité. Une bouche bien close annonce le courage. La bouche est la partie qui, de tout le visage, marque le plus particulièrement les mouvemens du cœur. (*Lebrun.*)

Les lèvres sont le siége du dédain, selon les anciens poètes. (*Winck.*)

Une bouche en avant avec des lèvres très grasses, rondes et renversées en dehors, indique des penchans ignobles. (*Suini.*) Analogie avec le porc.

La bouche ouverte est le signe de la sottise. Aristophanes emploie le mot grec κεχυνοτες (*Ore hiantes*) dans l'acception de sots.

La lèvre supérieure fort avancée est le signe de la prudence.

« Est mutua partium corporis corresponsio, ut oris scissio et labiorum crassities vel tenuitas, mulierum naturæ scissuram et labiorum crassitiem vel tenuitatem indicat. » (*Porta.*)

Une lèvre inférieure qui se porte en avant dénote un homme fanfaron et stupide. (Citation de Lavater.) Nous pourrions dire avec plus de certitude, qu'elle annonce un homme sensuel et gourmand. Nous croyons ce signe infaillible. Quelquefois, combinée avec d'autres signes, elle est l'indice de la bienveillance et de la bonhomie.

Le caractère est d'une trempe analogue aux lèvres; ferme comme elles, mou ou mobile comme elles; de grosses lèvres bien proportionnées répugnent à la fausseté et à la méchanceté, mais elles penchent à la sensualité.

Lorsqu'à la première ouverture des lèvres, les gencives de la rangée supérieure paraissent en plein, on peut pronostiquer beaucoup de froideur et de flegme. Cela se rencontre souvent dans le type anglais.

BRAS.

Le marquis de Mirabeau, le père du grand Honoré Mirabeau, et l'ami du baron d'Holbach, a écrit quelque part dans ses lettres : « Dieu nous a donné les bras pour que nous nous embrassions... »

Suivant plusieurs physionomistes, les bras longs sont signe d'audace et de grandeur d'âme. Alexandre, Darius, Aristote avaient les bras très longs en proportion du corps, Artaxercès aussi, et c'est de là que lui vint le surnom de *longue-main*. (Voyez MAIN.)

BRAVOURE, — VOYEZ COMBATIVITÉ.

BUFFON.

M. de Buffon qui a fait de la science analytique, comme tous les philosophes du XVIIIe siècle, n'a pas envisagé l'homme sous un point de vue unitaire. Préoccupé seulement de décrire les phénomènes nommés par abstraction phénomènes *physiques*, il a reconnu dans l'homme un principe immatériel dont il laisse l'explication aux métaphysiciens : » L'âme, dit-il, n'a point de forme qui puisse être » relative à aucune forme matérielle; on ne peut » pas la juger par la forme du corps. » Il nie donc, *à priori*, tous les travaux des physionomistes. Cependant il donne de nombreux documens sur la *pathognomique*, c'est-à-dire sur les signes des passions : «Lorsque l'âme est agitée, la face humaine » devient un tableau vivant, où chaque mouvement » intérieur est exprimé par un trait. » Suivant lui, et ceci est une contradiction manifeste avec sa doctrine de la division de l'âme et du corps, *le diaphragme est le principal organe du sentiment intérieur.*

Il y a donc de certains rapports entre le physique et le moral. Plus loin, en parlant de la beauté, il ajoute : « Il faut que le front soit d'une juste proportion, ni trop rond, ni trop plat, ni trop étroit, ni trop court, etc. » Comme s'il y avait un moule absolu pour toutes les différentes natures du génie humain! comme si le front du Dante devait ressembler au front de Charlemagne!

C.

CABALISTE. — voyez SECRÉTIVITÉ.

CADAVRE. — voyez MORT. — MOULER.

CALCUL. — voyez NOMBRES.

CAMPER.

Pierre Camper se livra dans sa jeunesse au dessin qu'il étudia avec Charles de Moor le jeune. Reçu médecin en 1746, il fut nommé professeur d'anatomie à Amsterdam. En 1770, il exposa à l'académie de cette ville sa doctrine sur les têtes, et publia, bientôt après, une *dissertation sur les variétés naturelles qui caractérisent la physionomie des hommes des divers climats et des différens âges, suivie de réflexions sur la beauté, particulièrement sur celle de la tête, avec une manière nouvelle de dessiner toutes sortes de têtes avec la plus grande exactitude.* Ce livre a été traduit du hollandais en français et publié par Jansen en 1791.

Camper, passionné pour l'art payen, et amateur fanatique de Winkelmann, professe un profond mépris pour tout ce qui ne tient pas à l'antique et se rapproche du goût gothique. Suivant lui, *Albert Durer a jeté les germes qui ont produit le mauvais goût.* « Pour bien réussir dans la beauté des for- » mes, il faut, dit-il, suivre l'exemple admirable » de Lysippe, rendre les têtes plus petites et les corps » plus sveltes et moins charnus, afin de faire pa- » raître les figures plus longues. Il ne faut pas re- » présenter les hommes tels qu'ils sont, mais tels » que nous les concevons dans notre imagination. » il a donc cherché la tête normale dans le type grec, et son invention de la ligne *faciale* ne détermine justement que le dégré de développement des parties antérieures-inférieures du front, c'est-à-dire des organes des facultés perceptives, qui étaient par-

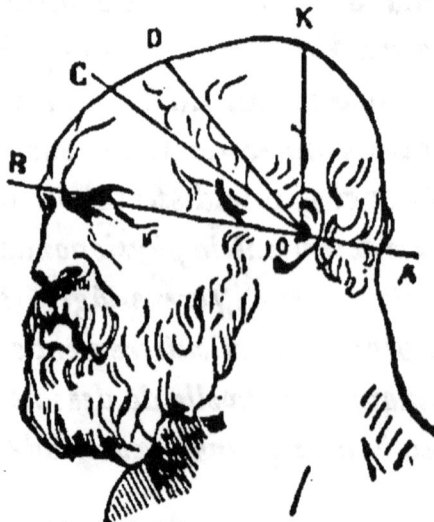

ticulièrement développées chez l'homme payen.
(Voir les mots TÊTE et PAGANISME.) Aussi, dit-il : « Sitôt que je faisais incliner la ligne facéale en avant,
j'obtenais une tête qui tenait de l'antique. » Voici,
du reste, le procédé de Camper : il tire le long du bas
du nez une ligne droite horizontale N D qui passe
par le trou auditif extérieur C ; puis, une autre droite
verticale G M depuis les incisives supérieures jusqu'au point le plus élevé du front.

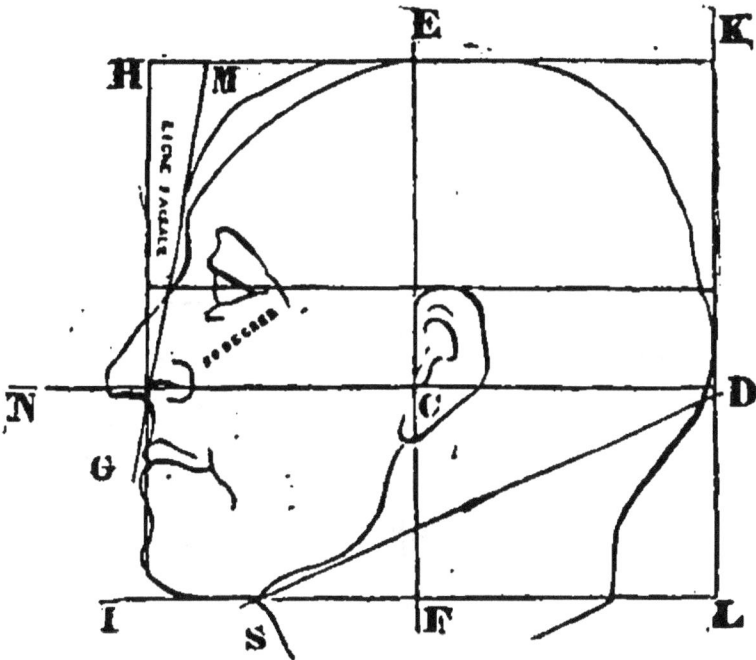

Plus l'angle M N D que font entr'elles les deux
lignes M G et N D est ouvert, plus, selon Camper, l'animal ou l'homme a de facultés intellectuelles ; plus, au contraire, cet angle est aigu, moins
l'animal ou l'homme a d'intelligence.

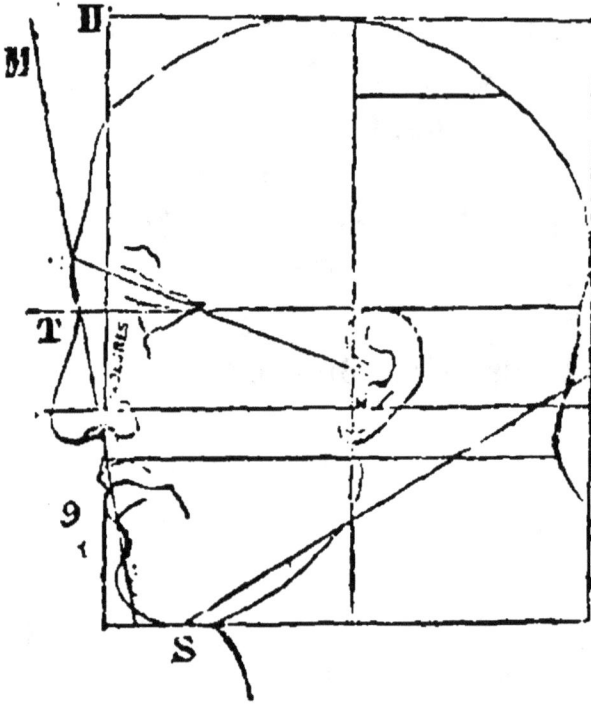

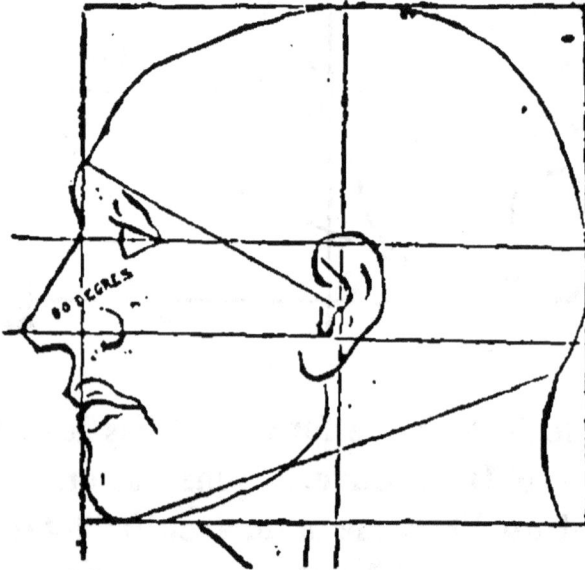

Il est facile de voir que cette ligne facéale de
Camper ne peut aucunement servir à apprécier le

développement des parties supérieures, postérieures et latérales du cerveau, ni même la partie supérieure du front. Il suffit, pour faire sentir combien le procédé de Camper est incomplet, d'avancer, de reculer ou d'élever le sommet du front,
sans changer la partie inférieure et le galbe du visage.

De cette façon, il y a un nombre infini de têtes
avec le même angle facial, qui diffèrent plus ou
moins entr'elles et appartiennent à des hommes ou
à des animaux plus ou moins intelligens.

Le seul résultat que donne la ligne de Camper
est la détermination du développement de la base
du front où siégent les facultés perceptives. Mais il
est plus simple de mesurer l'avancement de cette
partie, en tirant un rayon du conduit auditif,
comme il suit.

CAPACITÉ. — Voyez HIÉRARCHIE.

CARACTÈRE.

Le caractère est la résultante de la combinaison entre les différentes facultés ; c'est l'unité entée sur cette multiplicité, et qui constitue la personnalité individuelle, le moi. Il y a autant de caractères que d'individus ; deux caractères peuvent se rapprocher, mais ils ne sont jamais parfaitement identiques.

Un caractère présente souvent des *contrastes*, un mélange et une alternative d'impulsions, qui paraissent inexplicables à ceux qui ne sont pas familiarisés avec les mobiles intérieurs et souvent contradictoires de nos actions. Il y a des natures plus ou moins unitaires : quelquefois il y a plusieurs *dominantes* qui agissent tour à tour ; c'est ainsi que certains individus passent successivement d'un penchant à un autre. Ces caractères complexes sont assez ordinaires ; on rencontre plus rarement des hommes qui soient toujours sous l'influence d'une même faculté. Cette absorption dans une seule aptitude constitue les *spécialités*. Ces sortes d'organisations ne vibrent qu'à l'endroit de leur dominante : toutes les autres facultés viennent la corroborer ; elles en sont les accessoires et les satellites. Avec une telle concentration de vie, on doit arriver à une compétence remarquable dans sa spécialité ; la plupart des grands talens sont des spécialités de cette sorte ; mais les hommes véritablement forts, appelés à diriger les autres, doivent réunir dans leur nature toutes les natures différentes ; c'est une harmonie de toutes les notes éparses chez leurs intérieurs. (Voyez HIÉRARCHIE.)

On pourrait diviser les caractères, d'une façon générale et abstraite, en caractères *instinctifs*, *intellectuels* et *moraux*, ce qui correspond aux trois ordres de facultés, penchans, idées, sentimens ; nous conseillons, dans l'examen phrénologique des individus, de procéder ainsi du général au particulier, de voir d'abord quelles régions cérébrales dominent ; si ce sont celles de la base et des parties postérieures et latérales, le caractère appartiendra à la première catégorie ; si les parties antérieures sont relativement plus développées que les autres, l'intelligence l'emportera ; si les supérieures, ce sera la moralité. (Voyez GROUPES.) Après avoir pris ainsi une idée générale de l'organisation, on descend aux détails et jusqu'aux nuances les plus fines, qui résultent de la combinaison des diverses virtualités. (Voyez MÉTHODE.)

CARNASSIER. — Voyez DESTRUCTIVITÉ.

CASTRATION.

Les résultats de la castration prouvent la relation

7

du cervelet et des organes génitaux. Chez les cunuques, le cervelet est arrêté dans son développement et n'acquiert pas, à beaucoup près, les dimensions auxquelles il fût parvenu, si la castration n'avait pas été opérée. La place du cervelet paraît moins large et moins profonde dans les crânes d'hommes et d'animaux, qui ont subi jeunes cette mutilation hideuse. Les os crâniens immédiatement contigus, sont plus épais et plus raboteux. Et, à ce propos, Gall auquel nous empruntons ce passage, ajoute : Si Boileau n'avait pas été privé de la virilité par le coup de bec qu'un coq d'inde lui donna dans son enfance, il n'eût certainement pas épanché sa bile caustique sur le beau sexe.

CAUSALITÉ. (n° 35, *Spurz*; n° 21, *Gall.*)

ESPRIT MÉTAPHYSIQUE. — SPÉCULATION. — SYSTÉMATISATION. — PARADOXE. — SOPHISME.

L'homme, indépendamment des facultés perceptives qui le mettent en rapport avec le monde extérieur, est encore doué d'une puissance intérieure au moyen de laquelle il réagit sur ses perceptions. (Voyez GROUPE DE FACULTÉS.) Il devient éminemment actif par la réflexion, tandis que la réceptivité est en quelque sorte passive : c'est surtout cette intelligence créatrice et spontanée qui élève l'homme au-dessus de l'animalité, à laquelle cependant on ne saurait refuser la réflexion dans de certaines limites. Les facultés réflectives combinent les idées; elles les comparent ou les creusent; elles les classent ou les coordonnent; elles en tirent des déductions ou des analogies; elles s'élancent jusqu'aux spéculations les plus ardues. La phrénologie admet deux facultés de cette sorte, la Comparaison et la Causalité : avec ces deux puissances fondamentales, elle explique toutes les manifestations de la pensée qu'on appelait autrefois raison, jugement, entendement, etc. (Voyez COMPARAISON.)

La causalité est, comme son nom l'indique, la faculté de rechercher les causes, de pénétrer l'esprit métaphysique de tout ce qui est. C'est une espèce d'intuition repliée sur elle-même, qui part peut-être du monde tangible et de la réalité extérieure, mais pour en découvrir les lois intimes et les secrets. C'est le principal instrument de la philosophie. Aussi, tous les grands philosophes présentent-ils cette conformation. Gall cite les têtes de M. Fichte et de M. Schelling qu'il eut occasion de voir en Allemagne, ainsi qu'un plâtre moulé sur la tête de Kant. La causalité est démesurement développée dans les bustes de Socrate.

L'organe de cette faculté est situé à la partie antérieure du lobe cérébral antérieur. Il est séparé de la ligne médiane par une petite circonvolution allongée qui est l'organe de la Comparaison.

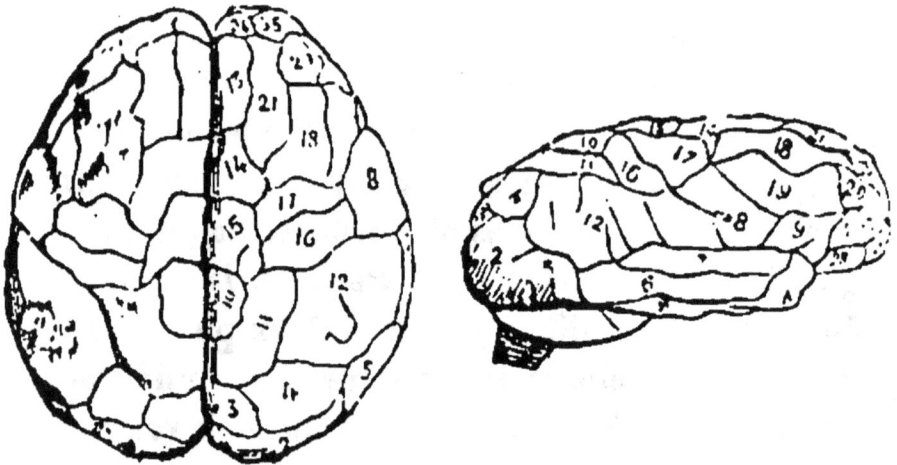

Il se manifeste sur le crâne précisement à l'endroit de la *bosse frontale*, entre l'Imitation et l'Idéalité en haut, la Localité et le Tems en bas, la Comparaison d'un côté et la Gaîté de l'autre.

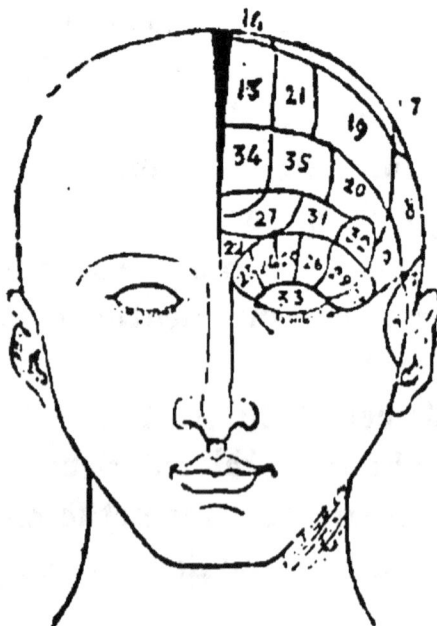

CAUSTICITÉ. — Voyez CAIIÉ.

CERVEAU. — ENCÉPHALE. — HÉMISPHÈRES. — LOBES. — CIRCONVOLUTIONS. — ANFRACTUOSITÉS.

> Le cerveau est comme une ville, où
> les allées et les venues des habi-
> tans ne causent aucune confusion,
> parce que chacun part de son point
> fixe et arrive à un but déterminé.
>
> GRÉGOIRE DE NICE.

La connaissance du cerveau est restée long-tems enveloppée dans l'obscurité. Hippocrate prenait le cerveau pour une éponge qui attirait à elle l'humidité du corps. Aristote le jugeait une masse dépourvue de sang, humide et destinée à tempérer la chaleur du cœur. Gallien pensait que le cerveau sécrète dans ses ventricules les esprits vitaux et les distribue, moyennant les artères du corps. La structure intérieure du cerveau n'était pas mieux connue que sa destination. Les procédés de dissection anatomique n'étaient pas de nature à éclairer sur les rapports et les proportions des parties entr'elles et leur liaison réciproque.

L'étude du cerveau met sous nos yeux l'échelle

graduelle des êtres sensibles. De même que, pour établir un commerce plus étendu avec le monde extérieur, la nature a ajouté des appareils toujours multipliés dans la même proportion que les rapports de l'espèce doivent l'être ; de même, par des additions successives de nouveaux organes proportionnés toujours aux facultés, la nature marche d'échelon en échelon, et n'arrive enfin jusqu'à l'être le plus composé, l'homme, que par des productions cérébrales superposées. A mesure que le système ganglionique se perfectionne, qu'il existe un petit cerveau au-dessus de l'œsophage, nous voyons aussi se manifester quelques instincts. Chez les insectes, le système nerveux se perfectionne ; de degré en degré on arrive aux poissons, aux amphibies, aux oiseaux, dont les hémisphères cérébraux commencent à être beaucoup plus parfaits, enfin aux mammifères dont les cerveaux sont encore de plus en plus composés, selon que leurs penchans et leurs facultés sont plus nombreux et plus énergiques.

Puis au degré supérieur, l'homme.

Chez les enfans nouveaux-nés, les fibrilles nerveuses sont encore tellement noyées dans la substance plus ou moins rougeâtre, gélatineuse, et dans les vaisseaux sanguins, que tout le cerveau a l'apparence d'une pulpe, d'une gélatine. Après quelques mois, les parties du cerveau situées vers la région antérieure supérieure du front prennent un accroi-

sement plus rapide que les autres. Le front, d'aplati qu'il était, se bombe en avant. Successivement,
le cerveau entier se développe de plus en plus, jusque vers l'âge de trente ans, où il a atteint son accroissement relatif à chaque individu. Le cervelet
aussi, qui est d'autant plus petit à proportion du
cerveau que l'homme est plus près de sa naissance,
se développe et se trouve parfaitement formé vers
l'âge de vingt à vingt-cinq ans; de trente à quarante, le cerveau et le cervelet restent dans un
état à peu près stationnaire, jusqu'à l'âge de cin-
quante, soixante-dix ans, selon la constitution individuelle. Enfin, toute la masse cérébrale perd peu
à peu sa turgescence nerveuse; elle diminue,
s'amaigrit, se rapetisse; la consistance de ses deux
substances subit des altérations. Or le développement de nos penchans et de nos facultés suit parallèlement le développement du cerveau. (Voyez
AGE.)

La totalité du cerveau n'est point un organe
unique : c'est un assemblage d'organes particuliers,
qui ont des fonctions différentes à remplir et dont
plusieurs se retrouvent dans les animaux. (Voyez
PLURALITÉ.)

Le cerveau est divisé en deux hémisphères qui
sont mis en rapport par les commissures. On divise chaque hémisphère en lobes antérieur, moyen
et postérieur. Pour l'anatomie du cerveau qui ne
saurait trouver place ici, nous renvoyons à l'arti-

cle CERVEAU du dictionnaire des sciences médicales, qui a été rédigé par MM. Gall et Spurzheim eux-mêmes.

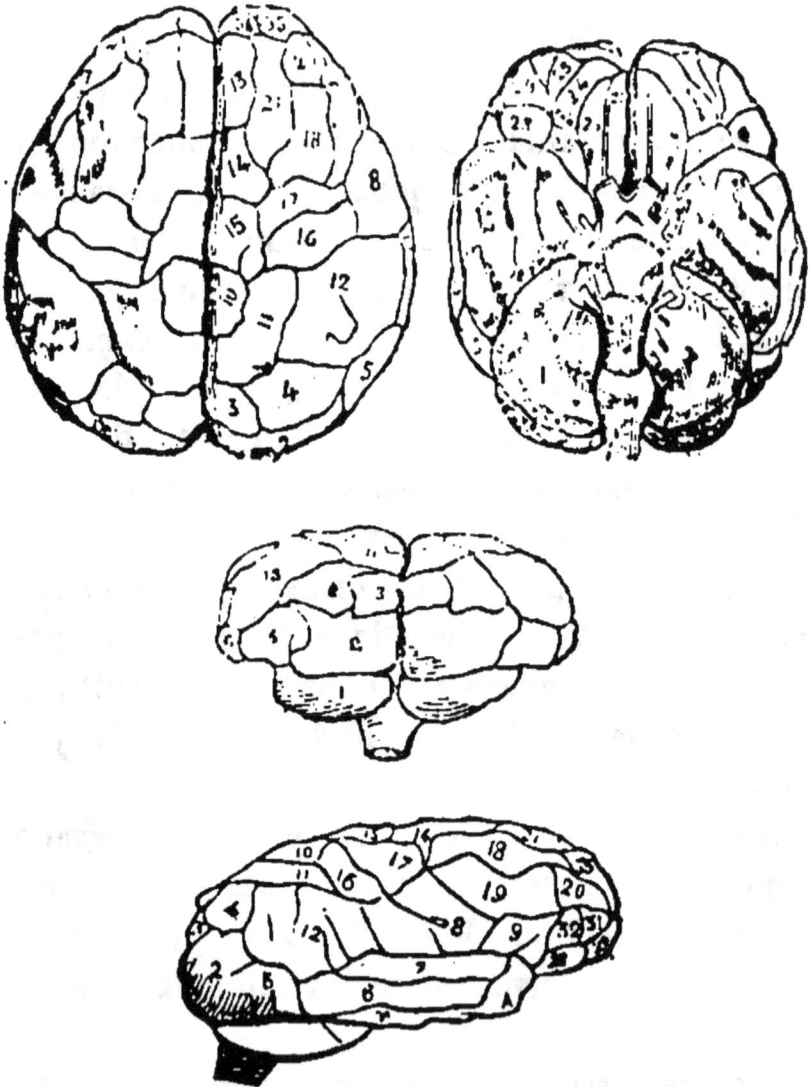

CERVELET.

Le cervelet est placé dans le crâne, dans les

grandes fosses occipitales. Ses lobes touchent sur le
devant au rocher des temporaux et par derrière à la
partie transversale de la *spina cruciata*. Latéralement, il s'étend jusqu'à la pointe de l'angle inférieur
des pariétaux ; il occupe toute la partie inférieure
du crâne, depuis la partie large du procès mastoïdien d'un côté, jusqu'à la partie moyenne de la spina cruciata, où il y a ordinairement à l'extérieur
une saillie, et jusqu'à la partie large du procès mastoïdien de l'autre côté. Dans le sens de sa largeur,
il occupe en entier les grandes fosses occipitales d'un
procès mastoïdien à l'autre.

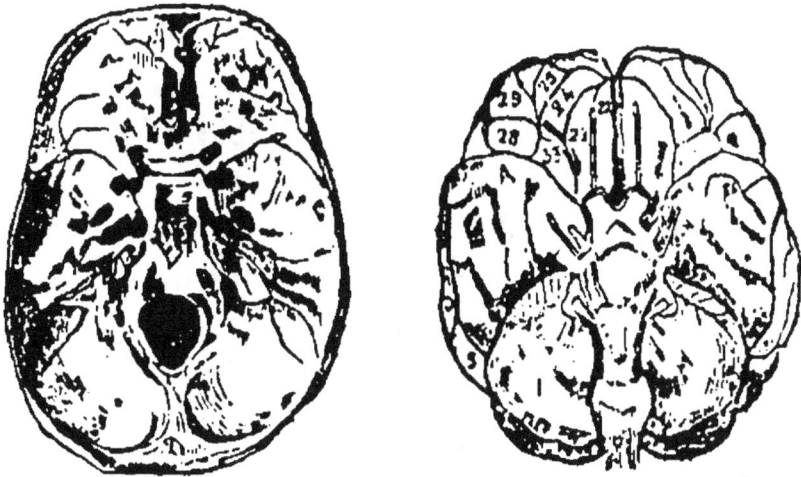

Le cervelet, comparé au cerveau, est ordinairement plus grand chez les hommes que chez les
femmes, sans doute parce que le principe actif ou
la provocation passionnelle appartient aux mâles.
Son volume diffère beaucoup chez les différens sujets du même âge. Chez les adultes, sa largeur est de

quatre à cinq pouces, et son épaisseur de vingt à vingt cinq lignes ; sa longueur de deux à trois pouces et quelques lignes.

CHAMBRE (de la), Médecin de Louis XIV.

Il a publié, entr'autres ouvrages, *les caractères des passions* (1662). Il a presque copié les théories de Scipio Claramontius, mais il les a obscurcies par une métaphysique entortillée, qui amalgame les *esprits* et les *humeurs* avec l'essence de l'âme ; dans une de ses dédicaces, il prie le chancelier Séguier de protéger *la découverte qu'il a faite de certaines parties de l'âme qui ne sont point attachées au corps et qui font seules toutes les opérations intellectuelles.* De la Chambre n'a guère servi la véritable science de l'homme. *Les caractères des passions* renferment seulement des indications pathognomoniques, c'est-à-dire les signes accidentels qui caractérisent les passions en acte, comme les modifications de la voix, du regard, des gestes, sous l'influence des impressions diverses. (Voir CLARAMONTIUS. — PATHOGNOMONIQUE.)

CHEVEUX. — BARBE. — POIL.

Je suis sûr, dit Lavater, que par *l'élasticité des cheveux*, on pourrait juger *l'elasticité* du caractère. Il paraît certain que des cheveux rudes vont ordinairement avec une nature grossière et difficile, des cheveux souples et fins, avec une nature faible et malléable. Les cheveux suivent à peu près les tempéramens. Les individus bilieux ont habituellement les cheveux noirs, et les individus sanguins, les cheveux blonds. Mais nous ne saurions trop répéter que les signes physionomiques, comme les tempéramens, ne sont pas la cause des manifestations extérieures. Le principe gît dans l'organisation encéphalique: seulement les tempéramens et les signes physionomiques concordent avec elle et l'accompagnent harmonieusement.

CHIROMANCIE.

Interprétation des signes de la main, de χειρ main, et de μαντεια divination. Il y a certainement analogie entre la forme de la main et le reste de l'organisation humaine. (Voyez HOMOGÉNÉITÉ.) Par conséquent, la main, comme tout l'extérieur de l'homme, peut servir à deviner les caractères et les inclinations. Mais la science antropologique n'est encore guère avancée, et les indications qu'on peut tirer des différentes parties du corps n'offrent pas encore une grande certitude. A plus forte raison la chiromancie, fort en usage au moyen âge, n'avait-elle pas des principes bien solides et des applications bien justes. Toutefois on

ne saurait nier que les chiromanciens n'aient eu
quelquefois des révélations étonnantes sur les caractères. Sans doute ils s'aidaient aussi de leurs
impressions générales et de ces communications su-
bites, qui dévoilent aux hommes supérieurs la nature intime des individus.

CHRISTIANISME.

Le christianisme, qui avait pour mission d'instal-
ler dans le monde une vie nouvelle de sentimens
et de pensées, une vie plus générale, et qui se
trouvait ainsi forcé de réagir contre les habitudes
de la société payenne, dut subalterniser transitoire-
ment les appétits de la vie instinctive et les impulsions de l'individualité. La morale chrétienne a
donc flétri deux sortes de passions, les passions sen-
suelles et les passions personnelles. Dans la liste
de ses *péchés capitaux*, on trouve, d'une part, l'orgueil, l'avarice, l'envie, la colère, et d'autre part
la luxure, la gourmandise et la paresse. Il est facile de voir que ces *péchés* sont les exagérations de
facultés bonnes en elles-mêmes, quand elles
sont à un degré normal : l'orgueil est une des impulsions les plus nobles et les plus puissantes : c'est
la confiance en la force que Dieu nous a donnée.
C'est l'orgueil qui fait les grands hommes. La modestie ne convient qu'aux hommes médiocres. Il
faut bien s'affirmer, quand on a une grande pensée

et une grande valeur. Napoléon, Byron, Fourier, les trois plus hauts génies du XIXᵉ siècle, dans la science, dans la poésie et dans l'action, ont réhabilité l'*orgueil*. La *luxure* a droit de bourgeoisie reconnu par la loi. Il n'y a guère que la *paresse* et l'*envie* qui soient des vices anti-sociaux. (Voyez MORALE — SPIRITUALISME — BEAUTÉ — TÊTE — ESTIME DE SOI — AMATIVITÉ — ALIMENTIVITÉ, etc.)

CIRCONSPECTION. (*n° 12 Spurzheim; n° 10 Gall.*)

PRUDENCE. — RÉSERVE. — RETENUE. — PRÉVOYANCE.

Il était nécessaire que l'homme et l'animal fussent doués d'une faculté pour prévoir certains événemens, pour pressentir certaines circonstances et pour se prémunir contre les dangers. Sans cette disposition, l'homme et l'animal ne vivraient jamais que dans le présent et seraient incapables de prendre aucune mesure pour l'avenir. Les personnes circonspectes se tiennent constamment sur leurs gardes; elles calculent tous les événemens dans chacune de leurs entreprises; elles demandent conseil à tout le monde, et souvent, après avoir recueilli tous les avis, elles restent encore indécises. Celles, au contraire, qui ne sont pas douées de Circonspection, vivent au jour le jour, s'abandonnent sans réserve à leurs sentimens, se précipitent brusquement dans les aventures hasardeuses et ne calculent point les suites de leurs actes. Gall cite ce

8

curieux exemple d'une prudence arrivée à l'état de manie : J'ai connu, dit-il, un homme fort riche, d'un esprit très distingué, et nullement aliéné du reste, qui s'abandonne au désespoir toutes les fois que dans la conversation on touche ce qui est relatif à sa fortune. Il ne voit que malheur et désastres; il verse souvent des larmes amères, et plusieurs fois déjà il a conçu le projet de se détruire. Lors de l'entrée de Louis **XVIII** à Paris, il brisa toutes les armes qu'il avait chez lui, de peur, s'il arrivait quelqu'attentat contre la vie du roi, qu'on ne vînt à le lui imputer, etc. (Page 327. 4ᵉ vol.)

L'organe de la Circonspection est situé dans le cerveau au-dessus et en arrière du lobe moyen. Il est borné en arrière par l'Affectionivité, en dessous par le prolongement de la Secrétivité et par la Combativité, en avant par l'Acquisivité et une partie de la Consciensciosité, en haut par l'Approbativité. Il forme un faisceau de circonvolutions qui affectent différens aspects.

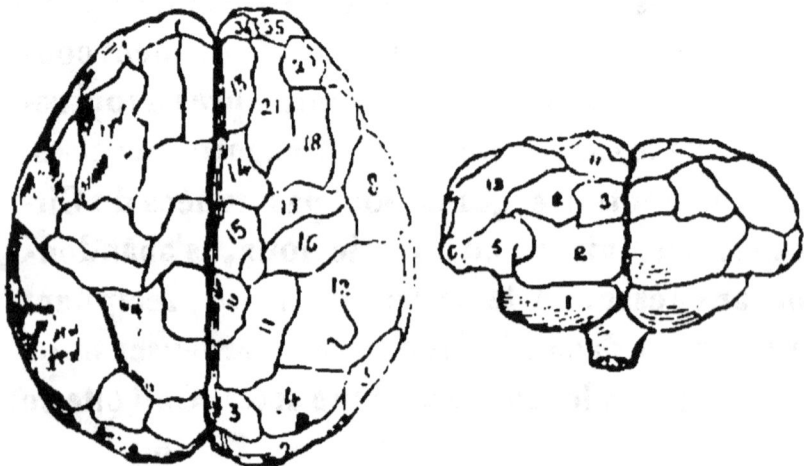

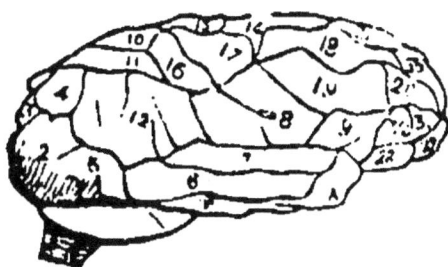

Il se traduit sur le crâne au milieu de l'os pa-
iétal, au point central où commence l'ossification
chez l'enfant; quand il est très développé, il élargit
la tête en cette partie et la rend sensiblement carrée. Si au contraire, il n'a acquis qu'un faible développement, la tête est étroite et s'en va en pointe.

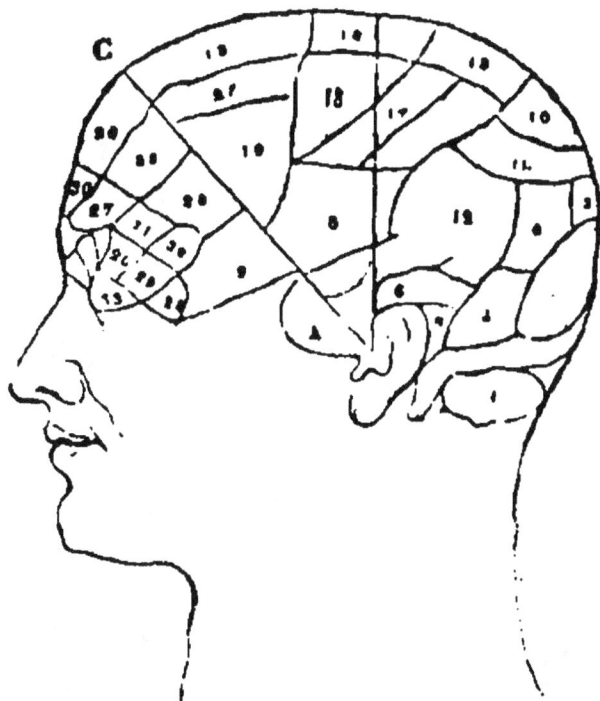

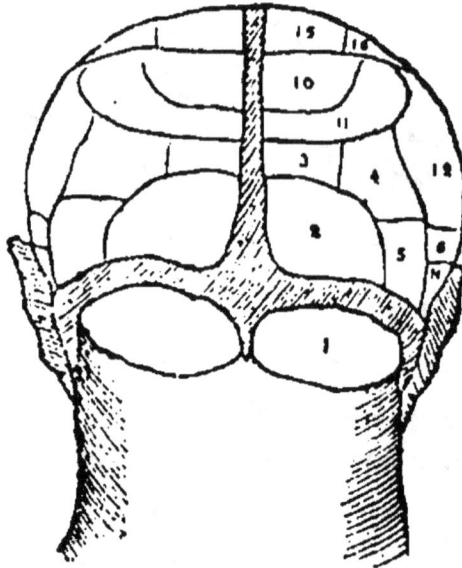

CIRCONVOLUTION.

Les circonvolutions du cerveau ne sont autre chose que l'expansion périphérique des faisceaux dont il se compose ; c'est l'épanouissement des fibres nerveuses, après qu'elles se sont renforcées à différens endroits.

Un petit faisceau nerveux ne peut former qu'un épanouissement peu considérable, et par conséquent que de petits plis, qu'une petite ou plusieurs petites circonvolutions. Un faisceau nerveux considérable, au contraire, forme un épanouissement très ample et très épais, et par conséquent des plis et des circonvolutions bien plus volumineux. Ainsi donc, quoique toutes les parties intégrantes d'un organe cérébral quelconque ne soient pas situées à la surface du cerveau, depuis leur origine jusqu'à leur épanouissement, on peut cependant tirer de la grandeur du pli, ou de la circonvolution, des inductions certaines sur le volume de tout l'organe. Plus les circonvolutions sont longues, profondes et larges, plus elles occupent d'espace, et plus elles s'élèvent au-dessus de celles qui sont moins longues, moins larges et moins profondes; de manière qu'un cerveau dont les parties intégrantes ont acquis un développement inégal, offre à sa surface des enfoncemens, des parties planes et des protubérances.

Les circonvolutions n'affectent pas toutes la même direction; les unes ont une direction droite d'avant en arrière, d'autres se dirigent transversalement d'en haut vers le côté, d'autres encore ont une direction oblique; presque toutes vont un peu en serpentant; quelques-unes forment des pyramides, d'autres se contournent en spirale, etc. Les formes fondamentales de ces circonvolutions sont les mêmes dans tous les cerveaux humains, et elles sont congruentes dans les deux hémisphères du même encéphale; en un mot elles sont symétriques. Dans les petits cerveaux, comme ceux du chien, du cheval, du mouton, cette symétrie est parfaite; chez l'homme, de petites divisions varient dans leur forme.

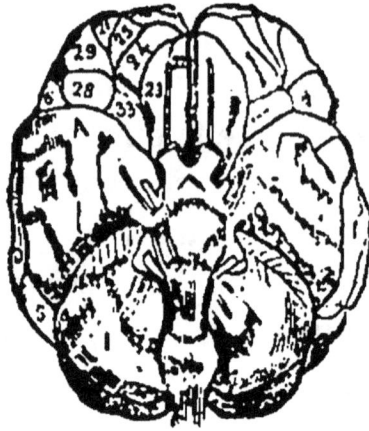

Toutes les formes des divisions principales, lorsque ces dernières ont acquis un grand développement, se prononcent sur le crâne sous le même type. De là, les différentes formes et directions des organes dessinés sur la surface des crânes. GALL. (Voyez CERVEAU et CRANE.)

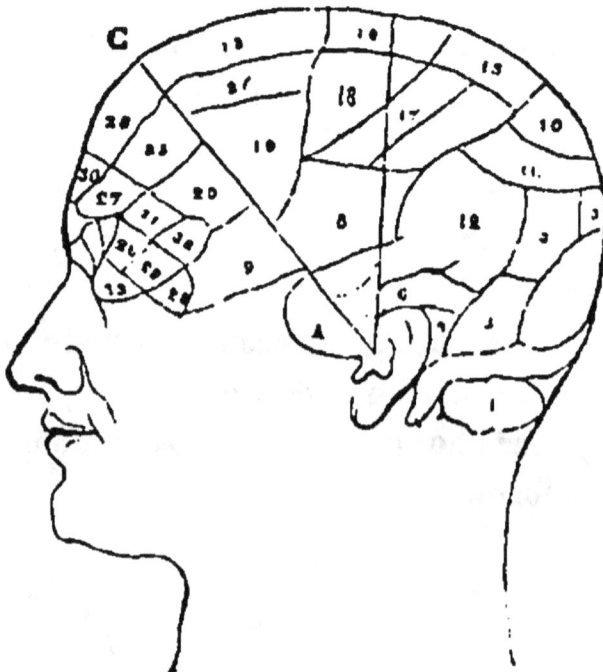

CLARAMONTIUS (Scipio).

Auteur de plusieurs ouvrages très savans et très lucides sur la nature de l'homme et les signes extérieurs des caractères et des facultés. Dans son livre, intitulé *de conjectandis cujuscumque moribus* (1625), il résume et discute les opinions de presque tous ses prédécesseurs, et particulièrement d'Aristote et de Gallien, dont il adopte la plus grande partie. Comme ces naturalistes, il reproduit les théories du *chaud* et du *froid*, du *sec* et de *l'humide, calidum* et *frigidum, siccum* et *humidum*, au moyen de quoi il explique les phénomènes de la vie. Cependant l'ouvrage précité contient une foule d'observations profondes et sagaces, relativement aux penchans et dispositions que l'auteur divise en caractères naturels et caractères acquis. On trouve, du reste, toutes les bases de sa doctrine dans la physiognomonie d'Aristote. (Voir ARISTOTE, GALLIEN, CHAMBRE (de la), PHYSIOGNOMONIE.)

CLIMAT.

Le climat influe sans doute sur l'organisation primitive des individus, c'est-à-dire que la nature éternellement prévoyante a dû harmoniser les diverses races avec les parties du globe qu'elles sont destinées à habiter. Mais une fois cette organisation donnée, les manifestations en découlent logiquement. Le climat ne saurait changer les facultés innées. Il peut tout au plus les modifier suivant les nécessités irrésistibles. Aussi nous voyons que les hommes ou les animaux dépaysés continuent la vie particulière dont ils ont le principe en eux-mêmes. Les tigres transportés dans le Nord, sont destructeurs comme sous le soleil d'Asie. Il faut donc réduire à leur juste valeur les influences extérieures, et chercher toujours dans la constitution native l'explication des caractères. (Voyez INFLUENCES.)

COL.

Un cou fort et nerveux annonce la colère ; un cou gras, la sottise et la gourmandise.

Platon a écrit que les hommes et les animaux qui ont le cou long ont moins de facultés que les autres, parce que chez eux le cerveau étant plus éloigné du cœur, doit éprouver une moindre irritation par le sang. Bichat, Richerand, beaucoup de naturalistes, et M. Balzac, dans son *livre mystique*, ont reproduit cette observation, qui aurait besoin d'être expliquée.

Le col sur lequel la tête est appuyée, montre ce que l'homme veut exprimer. Il désigne la fermeté et la liberté, ou bien la mollesse et la douce flexibilité. Tantôt son attitude noble et dégagée annonce la dignité d'une nature distinguée ; tantôt, en se cour-

bant, il exprime la résignation du martyr, et tantôt c'est une colonne emblème de la force d'Alcide.

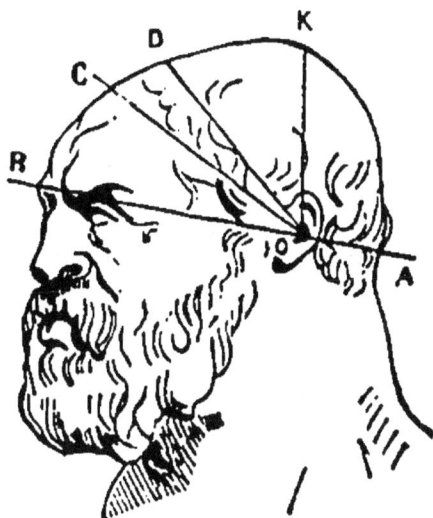

Enfin, ses difformités, son enfoncement dans les
épaules sont encore des signes caractéristiques et
pleins de vérité.— HERDER.

COLÈRE.

La colère n'est point une faculté, c'est le résultat d'une impression; on est plus ou moins prédis-
posé à la colère, suivant qu'on est plus ou moins
facile aux impressions, et en même temps, suivant
qu'on a une puissance de réaction plus ou moins
grande. Le fait de la colère est donc complexe et
très difficile à analyser. On ne peut pas dire qu'elle
suive le développement de la Combativité, car il y
a des poltrons qui sont très colériques, et des

hommes courageux qui ne s'émeuvent jamais; n.
le développement de l'Estime de soi, ou de tout autre organe phrénologique. Elle tient sans doute à l'irritabilité du système nerveux et du tempérament.

COMBATIVITÉ.—(n° 5 *Spurz.* n° 4 *Gall.*)

INSTINCT DE LA DÉFENSE DE SOI-MÊME ET DE SA PROPRIÉTÉ. — PENCHANT AUX RIXES. — BRAVOURE. —COURAGE. —VAILLANCE. —AUDACE. — TÉMÉRITÉ. —GUERRE.—LACHETÉ. — PEUR.—POLTRONNERIE.— TIMIDITÉ.

L'homme, placé au milieu d'une nature sauvage, entre les reptiles et les bêtes féroces, avait besoin d'un instinct qui le portât à repousser l'agression, à défendre sa vie, son gîte, ses enfans, contre les violences du dehors. Cette force fondamentale est appelée maintenant en phrénologie *combativité*, dénomination assez impropre, suivant nous, puisqu'elle exprime l'exagération de la faculté. Le but naturel de cette puissance est la conservation de l'individu par sa *réaction* personnelle. Le mot *réactionnivité* aurait donc été plus juste pour en traduire la destination essentielle. .

On conçoit que chaque faculté porte avec elle une gradation insensible, une sorte d'échelle qui commence au moindre dégré imaginable d'activité pour aboutir à la manie. Qu'on prenne les extrê-

mes dans tout ordre de faits, dans les phénomènes moraux, comme dans les phénomènes physiques, on peut toujours les rapporter à un terme
collectif qui en exprime la qualité générale. Ainsi,
le *chaud* et le *froid* ne sont que des *degrés* de la *température.* C'est le même phénomène à ses deux
bouts, si l'on peut parler de la sorte. De même, il
nous semble qu'on doit rendre raison de la *lâcheté*
et de *l'audace* au moyen d'une seule force fondamentale et primitive dont elles sont les extrêmes.
Il s'est engagé sur cette question une lutte entre
Gall et Spurzheim : Gall soutenant la thèse des *qualités négatives.* Spurzheim, au contraire, prétendait
que l'absence d'une faculté ne pouvait jamais produire une sensation positive, et que la poltronnerie, par exemple, ne devait pas être attribuée au
défaut de courage, mais au développement de la
Circonspection. La doctrine de Gall, bien plus philosophique, en ce point, que celle de Spurzheim, a
réuni les opinions de leurs continuateurs. Il faut
donc chercher, dans le développement plus ou
moins considérable de l'organe appelé Combativité,
la cause de la timidité, de la bravoure, de la témérité, du penchant aux rixes, etc. Cependant il
faut tenir compte aussi de l'action des autres organes qui se combinent avec celui-ci. Sans aucun
doute, la Circonspection modère l'élan du courage, comme la Persévérance et la Destructivité l'af-
fermissent. (Voyez DESTRUCTIVITÉ)

L'organe de la Combativité est situé dans le cerveau à la partie inférieure du lobe postérieur, entre les circonvolutions de la Philogéniture, de la Circonspection et de la Destructivité. Sa base repose sur le cervelet.

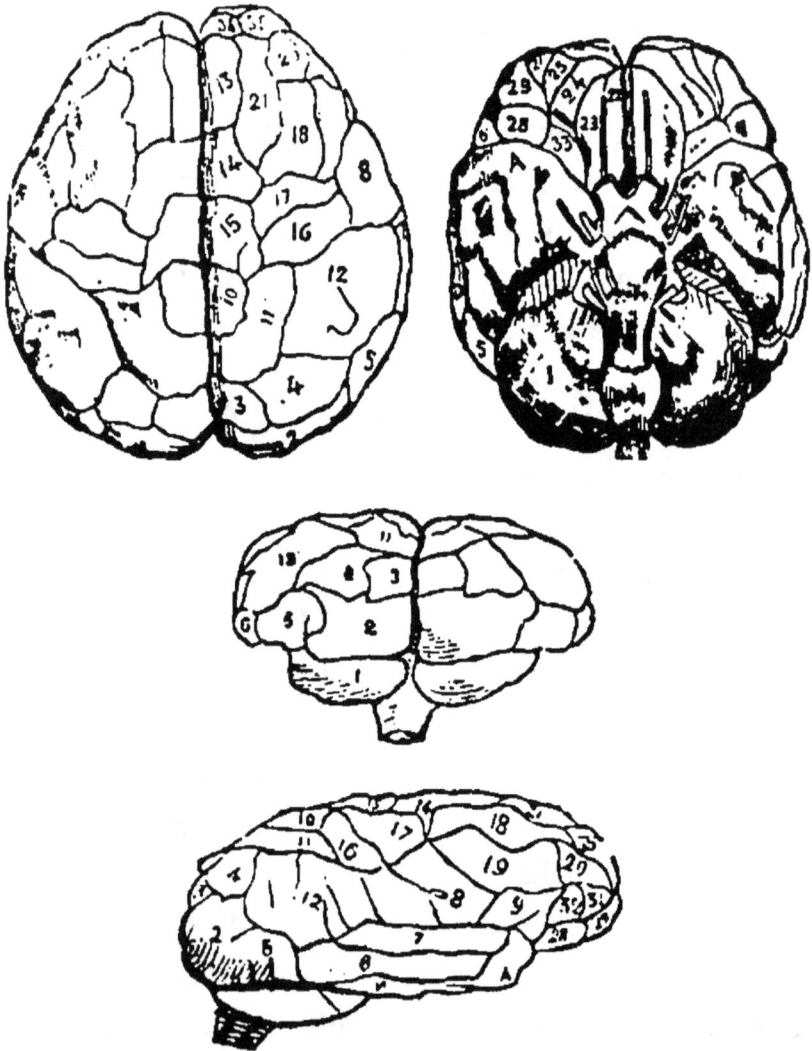

Il correspond sur le crâne à l'angle postérieur inférieur des pariétaux, au-dessus et un peu en arrière du procès mastoïdien, à la hauteur du bord supérieur de l'oreille.

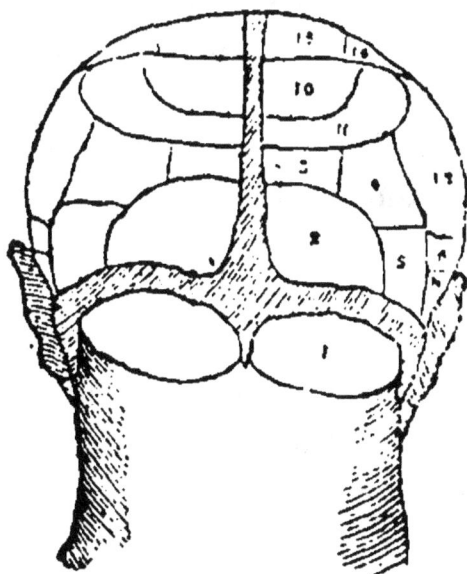

B

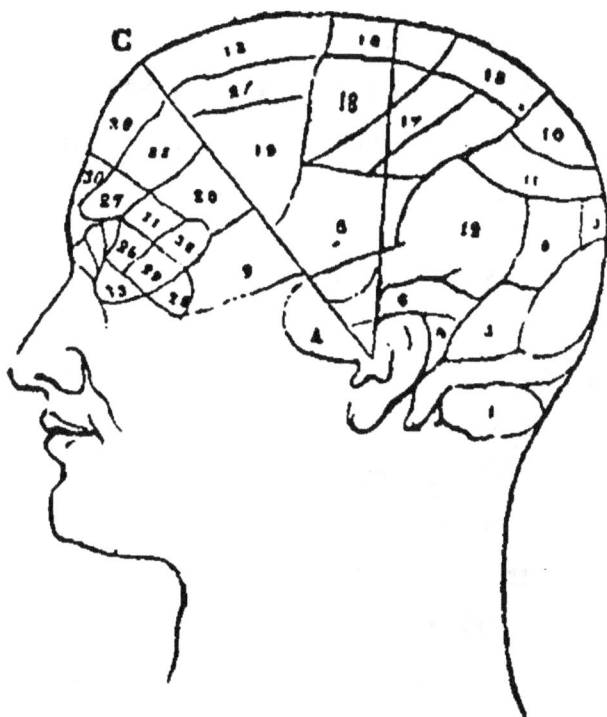

Quand cet organe est développé, il élargit la partie postérieure de la tête, au dessus de la nuque. Cette indication est infaillible. On peut la vérifier sur les guerriers, les duellistes, les querelleurs; jamais on ne rencontre un homme courageux avec la tête étroite dans cette partie.

La place de cet organe exige une étude particulière chez les animaux, parce qu'elle varie suivant la structure de la tête et la manière dont le cerveau y est placé. Les chevaux qui ont les oreilles très rapprochées sont toujours ombrageux et craintifs; ceux au contraire qui ont les oreilles très distantes à leur origine, sont sûrs et courageux. De même pour les chiens. Les amateurs de combats de coqs en Angleterre, distinguent très bien, à la largeur de la tête un peu en avant des oreilles, les coqs intrépides d'avec les mauvais combattans.

COMBE (George).

George Combe est considéré comme le chef de l'école phrénologiste écossaise; il a publié plusieurs ouvrages, où l'on sent l'influence de la philosophie de Reid. Il a poussé avec succès l'élaboration de plusieurs points indiqués par Spurzheim, et il a proposé quelques modifications à certains autres points établis de la doctrine. (Voyez CONCENTRATIVITÉ.)

COMMISSURES.

Toutes les parties cérébrales sont doubles ou paires, mais les systêmes nerveux congénères des deux côtés sont joints ensemble et mis en action réciproque par des fibres nerveuses transversales. Ce sont ces fibres de communication qu'on appelle commissures.

COMPARAISON. (n° 34, *Spurz*; n° 20, *Gall.*)

SAGACITÉ COMPARATIVE. — JUGEMENT. — RAISON. — INTELLIGENCE. — ENTENDEMENT. — ALLÉGORIE.

La Comparaison est un des procédés de l'esprit pour juger les rapports des choses, pour en constater les ressemblances et les différences. Par le moyen de ces comparaisons, les sentimens et les impressions sont convertis, non-seulement en idées, mais aussi en images et en tableaux. C'est cette faculté qui crée les hiéroglyphes, les apologues, les allégories, les fables et les paraboles, comme les métaphores dans le langage. Presque tous les proverbes, toutes les façons de parler populaires ne sont que des comparaisons.

L'organe de cette puissance réflective est situé le long de la ligne médiane, à la partie antérieure du lobe antérieur, entre la Bienveillance en haut, et l'Eventualité en bas.

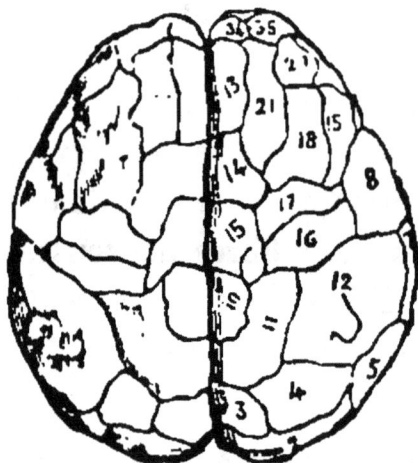

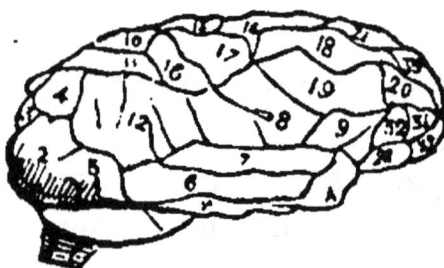

Il se traduit sur le crâne à la partie moyenne antérieure supérieure de l'os frontal.

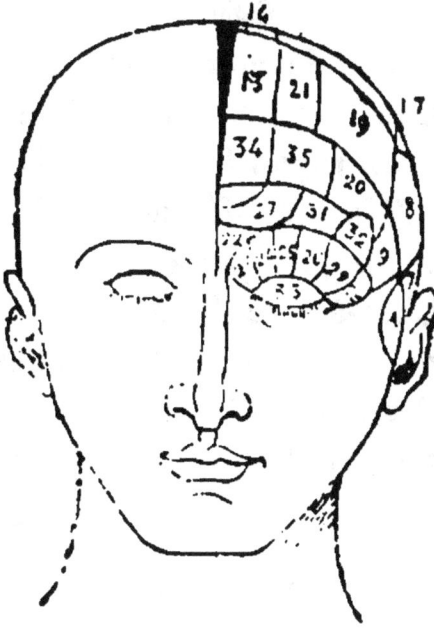

B

C

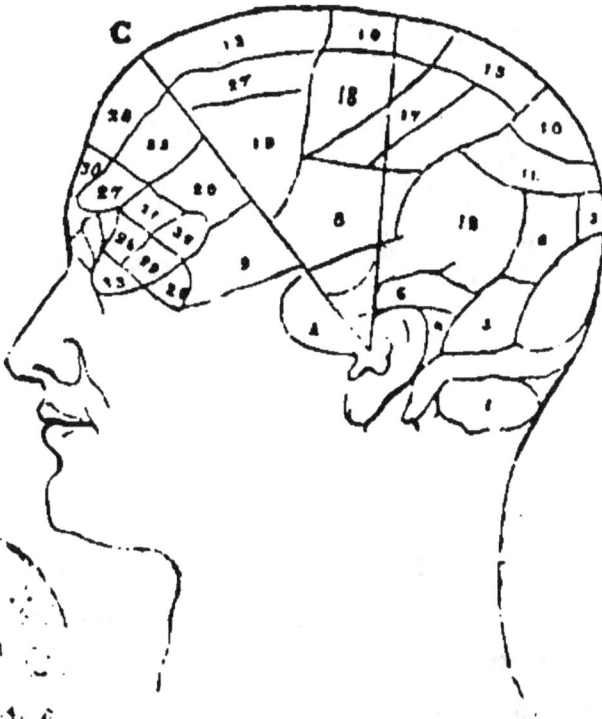

Pour apprécier le développement de cet organe, comme de tous les organes situés à la ligne médiane, il faut tirer un rayon fictif à partir du conduit auditif O, jusqu'à la circonférence C, ainsi que dans la figure ci-dessous qui représente à peu près l'Hercule antique, c'est-à-dire l'homme primitif, et où par conséquent les organes des facultés intellectuelles et morales, situés à la partie antérieure et supérieure de la tête, sont déprimés. (Voyez MESURE.)

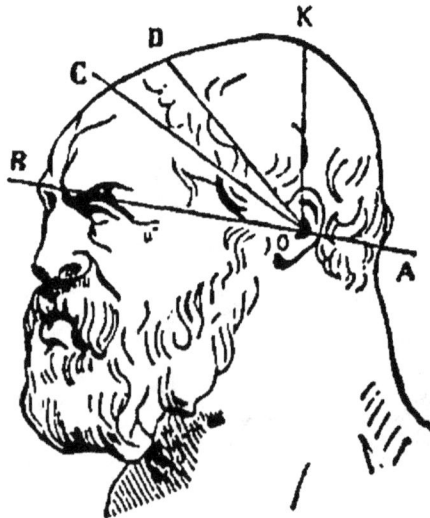

CONCENTRATIVITÉ.

George Combe appelle ainsi l'Habitativité, dont il a changé les attributions; suivant lui, cet organe, placé entre la Philogéniture et l'Approbativité, donne à l'individu une puissance de concentration qui s'applique à toutes les autres facultés. Mais cette innovation que les phrénologistes français n'ont pas acceptée, est contraire aux principes même de la doctrine, puisqu'elle place parmi les facultés un de leurs modes d'exercice, l'attention. (Voyez HABITATIVITÉ. — MÉTAPHYSIQUE.)

CONFIGURATION. (n° 23, *Spurz.* n° 13, *Gall.*)

FORME. — LIGNES. — DESSIN. — GÉOMÉTRIE. — MÉMOIRE DES FIGURES.

Le sens des formes, appelé Configuration, est cette faculté au moyen de laquelle on perçoit la *figure* des êtres et des objets extérieurs ; c'est cette qualité qui donne la *mémoire des personnes* (et Gall l'avait appelée de ce nom) ; elle constitue principalement, chez le peintre, le talent du dessin et l'aptitude à saisir les ressemblances ; aussi trouve-t-on la Configuration développée chez tous les grands portraitistes, comme Titien, Tintoret, Vandyck, etc. ; entre les peintres contemporains, Gigoux est un de ceux qui offre au plus haut degré cette conformation.

Il convient d'attribuer à cet organe, une partie des manifestations que Gall croyait être le résultat de la Constructivité, comme la perception des lignes et l'habileté du dessin. La circonvolution qui préside à cette aptitude, est située à la partie antérieure inférieure du lobe cérébral antérieur ; elle

est séparée de la ligne médiane par l'Individualité;
elle s'appuie sur le plancher orbitaire et s'allonge
en-dessous du lobe antérieur, jusque vers la partie
inférieure du lobe moyen.

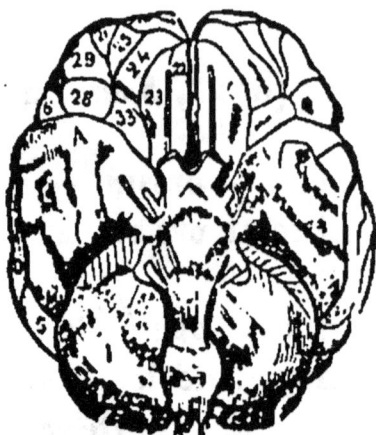

A l'extérieur du crâne, on peut apprécier son développement par la largeur de la racine du nez,
l'écartement des deux yeux, et l'abaissement de
l'arcade orbitaire interne. Quand cette protubérance est très saillante, la partie interne de la
voûte orbitaire est déprimée, ce qui dirige en bas
la partie interne du bulbe oculaire et la commissure
interne des paupières.

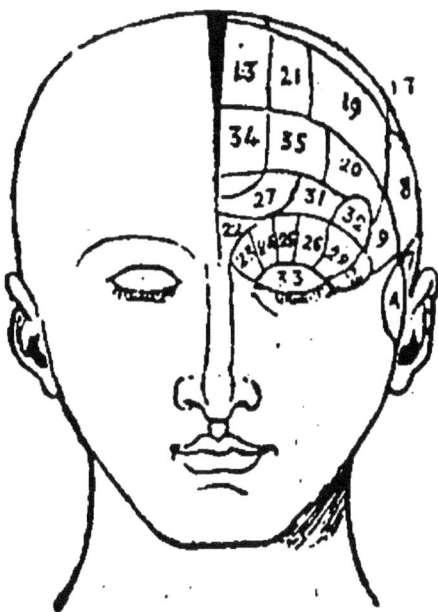

CONSCIENCIOSITÉ. (n° 16, *Spurz.*)

JUSTICE.

Le sentiment du juste et de l'injuste, ou, en
d'autres termes, des relations du moi avec le non-
moi, avait été rapporté par Gall à la Bienveillance.
Le *Sens-Moral*, comme il l'appelait, le principe
du devoir en général, lui semblait la fonction primitive et fondamentale qui devient dans son exagération le dévoûment. Depuis Gall, Spurzheim a
séparé avec raison ces deux qualités humaines. On
peut, en effet, avoir un grand sentiment intérieur
de la Justice, sans être porté à le manifester au dehors par des actes, de même, qu'on peut avoir une

grande bienveillance, sans qu'elle soit éclairée par une appréciation **exacte de la Justice.**

La **Conscienciosité** est ce juge intime que chacun porte en lui-même de ses actions ou des actions d'autrui. Sans doute la valeur des faits varie selon le degré d'ignorance ou de connaissance, selon les divers intérêts, selon les habitudes et les mœurs d'un temps et d'un pays. Mais il n'y en a pas moins toujours une voix mystérieuse qui crie du fond de l'organisation et qui est pour chacun la règle de sa conduite avec les autres.

L'organe de cette faculté est situé à la partie supérieure moyenne du cerveau. C'est une circonvolution allongée de bas en haut, parallèlement à la circonvolution de l'Espérance. Elle est bornée en avant par ce dernier organe, en arrière par la Circonspection et l'Approbativité, en haut par la Fermeté, en bas par l'Acquisivité.

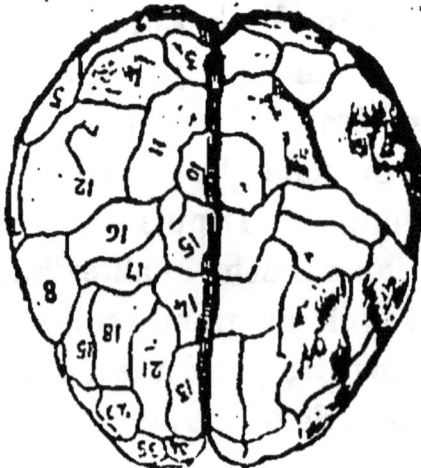

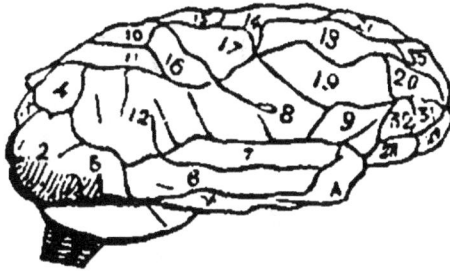

Elle se traduit sur le crâne à la partie moyenne supérieure antérieure du pariétal, à trois pouces environ au-dessus du conduit auditif; son extrémité supérieure arrive à un pouce de la ligne médiane.

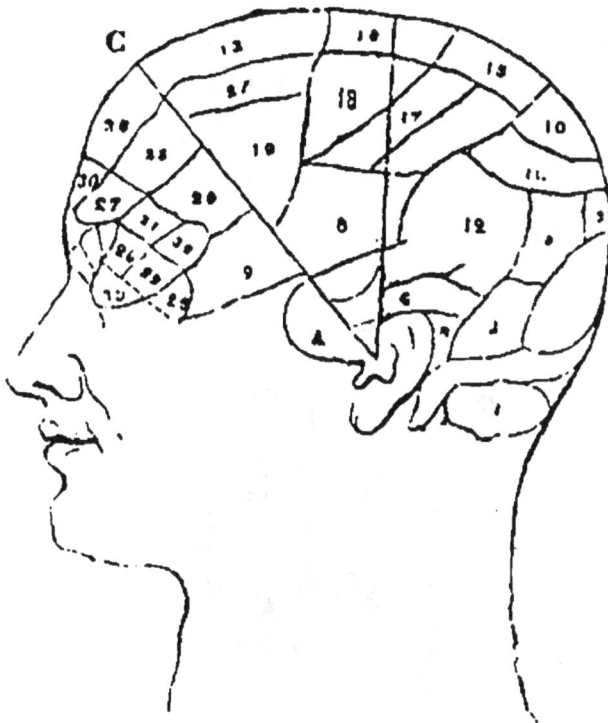

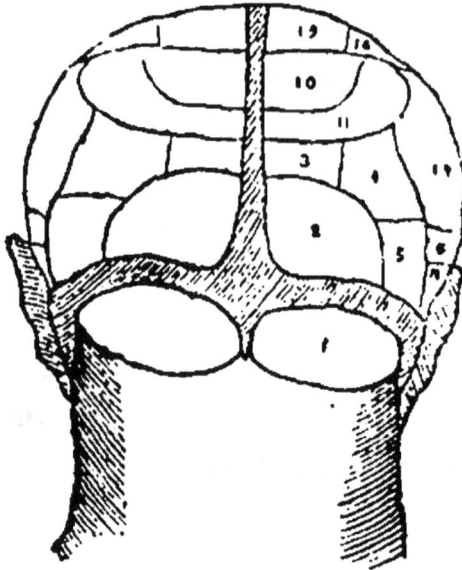

Lorsque la Conscienciosité, l'Espérance et la Merveillosité sont peu développées et qu'il y a une certaine élévation des organes placés au sommet du cerveau, le long de la ligne médiane, la tête considérée de face paraît s'appointir au vertex; c'est ce qu'on appelle les têtes en toit : la figure ci-dessous en offre un exemple.

CONSTRUCTIVITÉ. (n° 9 *Spurz.* et *Gall.*)

ARCHITECTURE. — ADRESSE. — MÉCANIQUE. — SENS DES ARTS.

L'aptitude aux constructions et à la mécanique est propre à l'homme et à la plupart des animaux. C'est bien une impulsion intérieure et native, absolument indépendante de toute autre impulsion, et calculée exprès sur les rapports particuliers dans lesquels l'animal se trouve avec le monde extérieur, qui pousse la chenille à faire son tissu, l'araignée sa toile, l'abeille ses cellules hexagones, la fourmi, la taupe, le lapin, leurs galeries souterraines, les oiseaux leurs nids, les castors leurs cabanes. Il fallait que l'organisation de ces êtres fût d'accord avec leurs besoins et recélât le type primordial des ouvrages qu'ils devaient exécuter en dehors. Cette harmonie entre les aptitudes industrielles des animaux et les objets du monde extérieur, les met en état d'assurer leur existence contre les dangers qui les menacent. *Gall.*

L'homme manifeste à un plus haut degré que tous les animaux cette faculté de construction : il combine des machines pour augmenter la force de son bras ; il confectionne des vêtemens pour s'en couvrir ; il élève des maisons ; il bâtit des temples pour adorer un dieu en commun. Gall cite plusieurs exemples de la précocité de cette aptitude.

A peine le jeune Vaucanson a-t-il regardé le mouvement d'une pendule à travers une fente de son étui, qu'il fait une pendule en bois, sans autre outil qu'un mauvais couteau. Christophe Wren, le grand architecte anglais, construisit, à l'âge de treize ans, une machine ingénieuse pour représenter le cours des astres.

L'organe de la Constructivité est situé dans le cerveau au-dessus et en avant du lobe moyen, entre l'Acquisivité, l'Idéalité, la Tonalité et les Nombres.

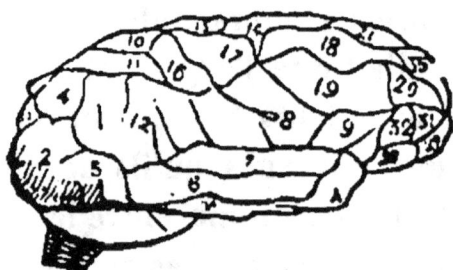

Il se trouve sur le crâne en arrière de l'angle orbitaire externe, derrière l'organe de la musique. Cette protubérance donne aux tempes une saillie égale à celle des régions zygomatiques. Si l'organe est peu développé, la région temporale est étroite et resserrée.

(Voyez le n. 9 ci-contre.)

B

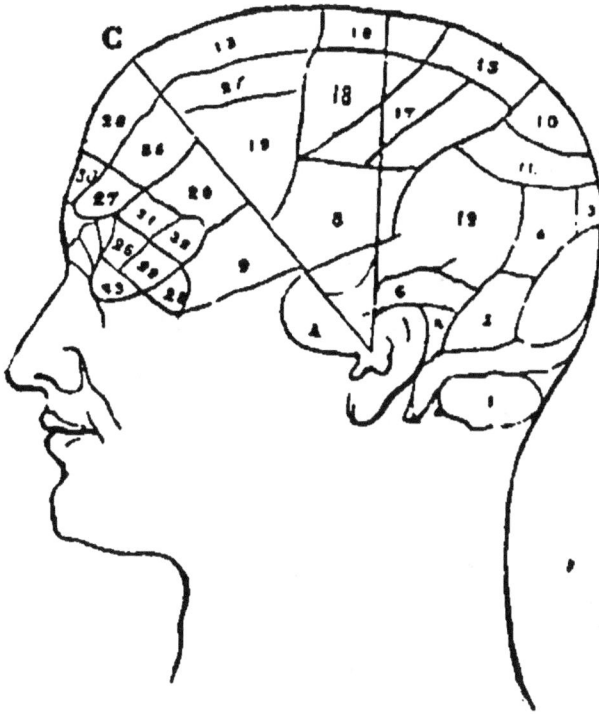

C

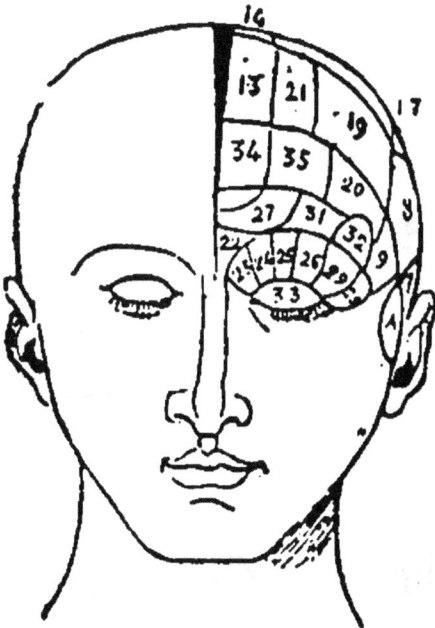

Gall appelait la Constructivité *sens des arts*, et lui attribuait toutes les créations des peintres et des sculpteurs: aussi, s'appuie-t-il sur le prétendu crâne de Raphaël, et il cite Charles Lebrun qui dessinait à l'âge de trois ans. Nous avons vu au mot Configuration, l'organe véritable qui préside au dessin, au sens de la forme. Il faut ajouter cependant que ces organes se combinent souvent ensemble et que la Constructivité est fort utile aux peintres et aux sculpteurs, puisqu'elle leur donne l'adresse manuelle pour l'exécution.

CONTRASTES. — Voyez CARACTÈRES.

CORONAL. — Voyez CRANE. — OS.

COULEUR. — (*Physionomie.*)

On trouve dans beaucoup d'auteurs du moyen-âge, et surtout chez les écrivains Espagnols des seizième et dix-septième siècles, de curieuses théories sur la signification des couleurs. Le père Siguenza, entr'autres, développe, au moyen de la théologie, une explication des couleurs, dans son précieux ouvrage sur l'Escurial.

La couleur blanche plaît généralement aux yeux. Le noir, au contraire, réveille des idées fâcheuses et lugubres. Cette différence d'impressions provient de la répugnance naturelle que nous avons pour les ténèbres , et de notre prédilection pour tout ce qui tient à la lumière, prédilection qui se retrouve même dans les animaux, dont plusieurs se laissent attirer par l'éclat de la lumière et du feu. C'est la lumière qui nous procure une connaissance exacte des choses ; c'est elle qui fournit des alimens à notre esprit toujours avide de savoir. Il y a donc une physionomie des couleurs. (Citation de LAVATER.) (Voyez ARISTOTE)

COULEUR. (*Phrénologie.* — n° 26 *Spurz.* n° 16 *Gall.*)

SENS DU COLORIS.

Les rapports des couleurs, les lois de leurs proportions n'ont point été inventés par l'homme ; ils existent dans la nature et chaque individu a été doué, à des degrés différens, d'un organe au moyen duquel il reconnait ces lois. On a cru longtemps que l'appréciation des couleurs dépendait de l'œil. Mais il arrive quelquefois qu'on est très mauvais coloriste avec une vue excellente, et vice versâ. Il faut donc chercher dans le cerveau une virtualité intérieure qui perçoit et réfléchit l'impression transmise par le sens de la vue.

L'organe du coloris est situé dans la région perceptive, à la partie antérieure inférieure et mitoyenne du lobe antérieur, entre les circonvolutions de l'Ordre et de la Pesanteur. Il s'allonge en dessous du cerveau et repose sur le plancher orbitaire.

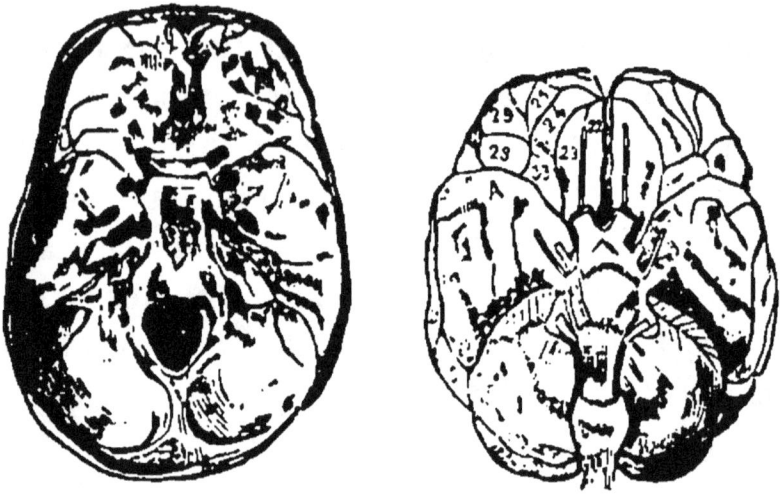

Il correspond sur le crâne au milieu de l'arc orbitaire et le rend plus ou moins proéminent, suivant qu'il est plus ou moins développé.

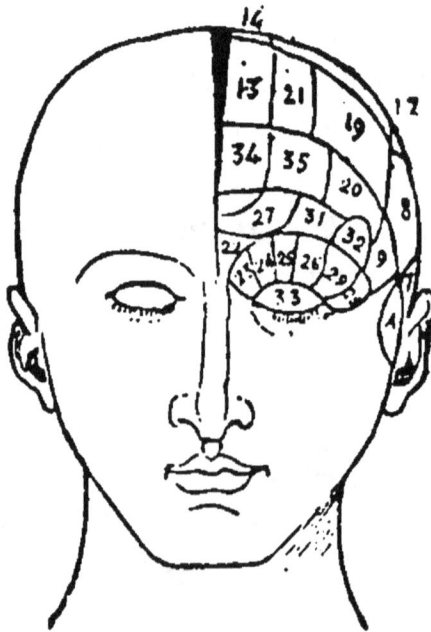

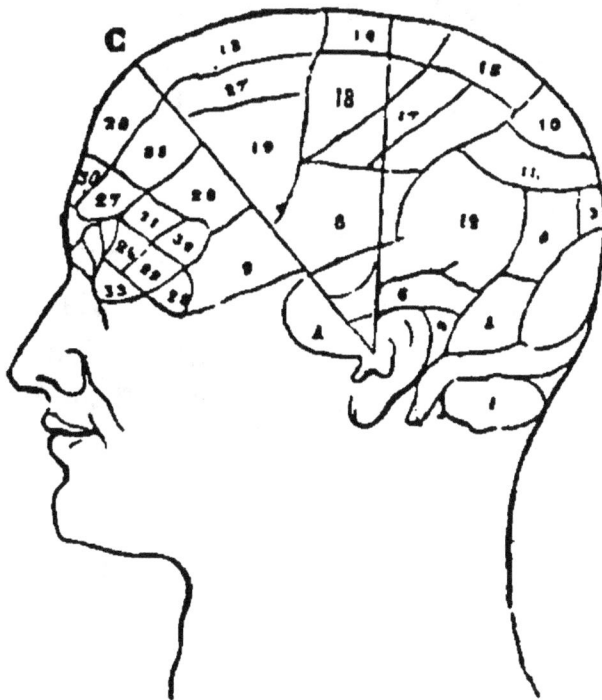

On cite de curieux exemples du défaut de cette
faculté. M. Spurzheim a vu à Dublin un homme qui
ne pouvait pas distinguer le rouge d'avec le vert.
Il a vu aussi, à Édimbourg, trois frères et le cou-
sin germain, qui ne font pas de différence entre le
vert et le brun.

Le grand développement de cet organe produit
les coloristes éminens qui discernent les nuances les
plus délicates et qui ont le sentiment de *l'harmonie
des tons*. Peut-être, dit Gall, parviendra-t-on un
jour à rendre par des signes ces lois des proportions
des couleurs, comme on rend celles des proportions des tons en musique; peut-être parviendra-t-

on à noter un tableau du Titien comme un morceau de Mozart, et à conserver ainsi les chefs-d'œuvre de la peinture, comme ceux de la composition
musicale.

MM. Delacroix et Decamps, nos deux plus grands
coloristes, ont le sourcil très proéminent à l'endroit
de cet organe. Presque tous les portraits des peintres qui ont eu le talent de la couleur, Titien, Rubens, Paul Véronèse, Rembrandt, offrent la même
conformation.

COURAGE. — Voyez COMBATIVITÉ.

CRANE.

En admettant que le cerveau soit l'organe multiple de toutes les facultés, il faut encore qu'il soit
possible d'apprécier sa forme et son développement,
à l'extérieur, c'est-à-dire sur le crâne. Or, Gall a
merveilleusement prouvé, ce qui avait déjà été
enseigné par Galien et autres naturalistes, que le
crâne se moule sur le cerveau. La surface externe,
aussi bien que la surface interne du crâne, offre
l'empreinte fidèle de la surface extérieure du cerveau.

La boîte osseuse de l'encéphale est composée de
huit os, savoir: du basilaire; du frontal ou coronal, qui, au moment de la naissance, est encore divisé en deux parties, lesquelles se fondent par la
suite et ne font plus qu'un chez l'adulte; des deux

temporaux; de l'occipital; des deux pariétaux, et enfin de l'os criblé. Ces os sont engrenés les uns dans les autres, de manière à former cette grande cavité qui renferme le cerveau.

Les os du crâne sont composés de deux lames osseuses solides; l'une de ces lames revêt toute sa surface externe, l'autre forme toute sa surface interne; l'intervalle entre les deux lames est rempli par une substance celluleuse qui n'est pas également épaisse partout, de façon que les deux tables se trouvent moins rapprochées dans certains endroits que dans d'autres. La forme des os diffère d'un individu à l'autre, suivant que les parties cérébrales placées contre eux, ont entr'elles des proportions différentes. C'est là précisément ce qui donne lieu aux formes si variées des têtes.

Voici la description des os du crâne, **extraite de l'ouvrage du docteur Gall :**

Le basilaire est en contact avec une petite portion des lobes moyens, mais on ne peut reconnaître sa forme qu'après la mort. Une petite portion de cet os est placée contre la partie postérieure externe des orbites, et contribue pour quelque chose à déterminer leur forme. Une portion de ses ailes touche le bord postérieur du frontal, ainsi que le bord antérieur du temporal et l'angle antérieur inférieur du pariétal.

Les temporaux s'étendent depuis le bord postérieur des ailes du basilaire, jusqu'au bord inférieur

des pariétaux, et jusqu'à une partie du bord antérieur et latéral de l'occipital. Les temporaux renferment l'appareil auditif. Derrière le méat auditif,
se trouve le procès mastoïdien qui est rempli de
cellules.

des pariétaux, et jusqu'à une partie du bord anté-

L'occipital commence derrière le basilaire à la
base du cerveau ; il forme le trou occipital qui donne
passage à la moëlle épinière, et s'étend vers le bas
en descendant en arrière, et vers le haut en remontant ; là, il touche les bords postérieurs des pariétaux.

Les pariétaux se touchent dans la partie supérieure de la ligne médiane ; ils s'étendent latéralement en descendant jusqu'aux temporaux, en arrière jusqu'à l'occipital, et en avant jusqu'au frontal.

Le frontal s'étend, en remontant, depuis la racine du nez et la partie supérieure des orbites jusqu'au bord supérieur antérieur des pariétaux, et latéralement jusqu'au basilaire.

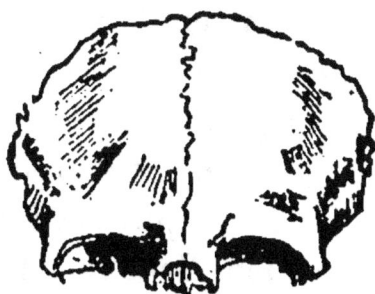

Les crânes des animaux demandent une étude particulière, non seulement selon la diversité des espèces, mais encore selon l'âge des individus. chez quelques espèces, on peut déterminer la forme du cerveau, d'après la surface extérieure du crâne, à peu près de la même manière que chez l'homme ; chez d'autres au contraire, la table externe du crâne est dans tout son contour, ou bien seulement dans quelques régions, si éloignée d'être parallèle avec la table interne que la forme extérieure de la tête et du crâne, ne ressemble pas à la forme du cerveau.

CRANIOMÈTRE.

Plusieurs phrénologistes se sont tourmentés pour inventer une machine, au moyen de laquelle on pût mesurer mathématiquement le développement des organes cérébraux. Le craniomètre le plus simple et le plus commode est une sorte de compas dont les branches concaves s'écartent suivant le besoin. Mais, outre que cette matérialisation complète de la science a quelque chose d'étroit et de répulsif, il nous semble que les personnes forcées de recourir à un pareil procédé pour se rendre compte d'une organisation, ne sont pas destinées à pénétrer les mystères de Dieu. Sans nier l'observation purement physique et l'expérience tangible, nous sommes convaincus, quant à nous, que l'intelligence des sciences, même naturelles, arrive autant par l'intuition que par l'analyse matérielle.

Nous avouerons même, au risque de compromettre notre orthodoxie chez les puritains de la doctrine phrénologique, que la phrénologie nous paraît, plus que toutes les autres connaissances humaines, exiger le *don de grâce*, c'est-à-dire une aptitude innée qui procède soudainement par une espèce de divination. Ceux qui ont besoin de calculer avec des chiffres positifs et des instrumens mathématiques, ne seront jamais des phrénologistes profonds.

CRANIOSCOPIE. — CRANIOLOGIE.

Du tems de Gall, on appelait cranioscopie, ou craniologie, la science qui explique les manifestations humaines par l'appréciation extérieure du développement cérébral. C'est sous ce nom qu'on l'a critiquée dans le *dictionnaire des sciences médicales;* c'est sous ce nom qu'elle a commencé sa fortune dans le monde. Cependant, Gall n'employait pas volontiers cette dénomination: il appelait *physiologie du cerveau* ses découvertes sur les fonctions encéphaliques, et en particulier *organologie*, la partie spéciale qui traite des organes, de leur localisation et de leurs apparences au dehors. (Voyez PHRÉNOLOGIE. — PHYSIOLOGIE. — ORGANOLOGIE.)

CRIME. — Voyez MAL.

CRUAUTÉ. — Voyez DESTRUCTIVITÉ.

CUISSE. — Voyez JAMBE.

CUVIER.

Cuvier a long-temps fait de l'opposition aux découvertes du docteur Gall; mais peu à peu il s'est rapproché de la nouvelle physiologie du cerveau qu'il avait d'abord vertement critiquée dans plusieurs rapports à l'académie des sciences. L'illustre naturaliste qui a tant avancé l'étude de l'anatomie comparée et qui reconstruisait un animal avec la moindre de ses parties, ne pouvait pas repousser toujours la science de l'harmonie humaine. La hiérarchie des animaux devait le convaincre de l'unité de l'organisation et des manifestations. Du reste, il est arrivé à Gall ce qui arrive à tous les novateurs. Une fois l'homme disparu, on s'est partagé ses dépouilles, et sa pensée s'est répandue dans le monde.

D.

DAUBENTON.

Daubenton mène une base par le bord inférieur des orbites et le bord inférieur du trou occipital; puis, une autre droite par les condiles, laquelle coupe tranversalement la base. M. Blumenbach a déjà

observé que chez toutes les espèces d'animaux,
sans en excepter aucune, l'intersection de ces lignes forme un angle de quatre-vingts, quatre-vingt
dix degrés. La ligne occipitale n'indique donc pas
même les différences les plus frappantes qui existent
dans les cerveaux des espèces les plus disparates, et
elle ne tient aucun compte ni des parties supérieures
ni des parties antérieures, ni latérales; par conséquent, elle n'est d'aucun usage. — Gall.

DÉMARCHE. — ALLURE. — TOURNURE.

> » Incessu patuit dea. »
> » La déesse se révéla par sa démarche. »

La démarche est la physionomie du corps. On
peut donc connaître les caractères et les facultés
des individus par leur allure extérieure. Les tournures sont aussi distinctes que les visages, et,
comme les traits, elles annoncent chaque personnalité; elles sont, en quelque sorte, le geste général, qui trahit les habitudes et les dispositions.
Elles sont harmoniques avec les autres signes puisés dans la phrénologie ou la physionomie; elles
leur viennent en aide et les corroborent. Un homme
doué d'un certain caractère, a nécessairement une
certaine allure qui correspond à son organisation
cérébrale. L'homme orgueilleux ne marche pas
comme l'homme modeste, ni le savant comme le

stupide. Cette curieuse *théorie de la démarche* a été essayée par M. de Balzac, dans une série d'articles de l'ancienne *Europe littéraire*, où il a réuni une foule d'observations fines et de spirituels paradoxes. Lavater avait déjà, dans ses *fragmens*, appuyé sur les signes révélés par la démarche. Mais il est fort difficile de les résumer en système et de poser des règles fixes, à cause de leur combinaison infinie. Cette partie de la physionomie humaine exige donc, comme toutes les autres parties, une grande subtilité de tact.

Une démarche *balançante* indique un homme paresseux et suffisant, surtout s'il branle en même tems la tête.

Les hommes qui marchent habituellement vite, doivent avoir généralement la tête pointue et le front déprimé. — *Balzac.* Voyez PHYSIONOMIE. — CESTE. — MIMIQUE.

DÉMENCE. — Voyez FOLIE.

DENTS.

Les dents canines avancées indiquent le caractère le plus difficile. Analogie avec les chiens.

Les dents petites et courtes que les anciens physionomistes regardaient comme le signe d'une constitution faible, sont, suivant Lavater, l'attribut d'une force de corps extraordinaire.

De longues dents sont un indice certain de faiblesse et de timidité.

DESSIN. — Voyez CONFIGURATION. — FORME.

DESTRUCTIVITÉ. *n° 6. Spurz.*

INSTINCT CARNASSIER. — MEURTRE. — ASSASSINAT. —
CRUAUTÉ. — SUICIDE.

> « Nature a, ce crains-je, elle-même
> » attaché à l'homme quelque pen-
> » chant à l'inhumanité. »
>
> MONTAIGNE.

La nature travaille éternellement dans le temps
et dans l'espace : elle change de forme et se renou-
velle sans cesse : c'est une vaste métempsycose,
une succession continue de mouvement. C'est la
vie. Autrement, vous n'auriez que l'immobilité,
le néant. Ce que nous appelons destruction, n'est
que cette transformation de tous les instans, et,
pour employer une expression du dix-huitième
siècle, rien ne se perd dans le grand creuset de la
nature. Les petits animaux mangent les insectes et
sont mangés à leur tour ; l'homme s'assimile
continuellement la nature ambiante. Pour vivre,
il est obligé de modifier, de changer les substances autour de lui. Il lui fallait un organe qui diri-
geât la force destinée à cet échange de tous les êtres

entr'eux. C'est ce que Gall appela d'abord *instinct carnassier* et Spurzheim *destructirité*.

Il est certain, dit Gall, que le penchant à la destruction, et par une exagération anormale, à l'homicide, exerce un épouvantable empire sur certains individus. Prochaska raconte qu'une femme de Milan amenait chez elle de petits enfans en les flattant, puis les tuait, salait leur chair et en mangeait tous les jours. Une femme enceinte fut saisie d'un penchant irrésistible à tuer son mari et à le manger; elle le sala, afin de pouvoir s'en nourrir plusieurs mois. Un garçon apothicaire éprouvait une inclination si violente à tuer, qu'il se fit bourreau. On rapporte de la Condamine, que faisant un jour des efforts pour percer la foule rassemblée sur la place des exécutions, et les soldats l'ayant repoussé en arrière, le bourreau leur dit : « Laissez passer monsieur, c'est un amateur. » M. Bruggmanus cite un ecclésiastique qui s'était fait aumônier d'un régiment pour avoir occasion de voir tuer des hommes. Cet ecclésiastique élevait chez lui des femelles de différens animaux domestiques, et quand elles mettaient bas, son occupation favorite était de couper le col aux petits. Il correspondait avec les bourreaux du pays, et faisait des courses de plusieurs jours à pied pour assister aux exécutions; aussi, les bourreaux lui faisaient toujours l'honneur de le placer auprès d'eux. Au commencement du siècle dernier, plusieurs meurtres furent commis en

Hollande et l'auteur de ces homicides restait inconnu. Enfin, un vieux ménétrier qui avait coutume d'aller jouer du violon à toutes les noces des
environs, fut soupçonné et traduit devant le magistrat. Il avoua trente-quatre meurtres et assura qu'il les avait commis sans aucune cause d'i-
nimitié, sans intention de voler, mais seulement
parce qu'il y trouvait un plaisir extraordinaire. Il
y a des meurtriers qui, au moment de leur exécution, en repassant dans leur mémoire toutes les
jouissances dont ils s'étaient assouvis pendant leur
vie, se sont vantés qu'aucune n'égalait celles que
leur avait causées la cruauté. Le comte de Charo-
lais, frère du duc de Bourbon-Condé, aimait à en-
sanglanter ses débauches. Il commettait des meurtres sans intérêt, sans vengeance, sans colère. Il
tirait sur des couvreurs, afin d'avoir le barbare
plaisir de les voir précipités du haut des toits.

Nous avons reproduit ces passages de Gall,
comme de malheureux exemples des anomalies
résultant de la Destructivité. Nous pourrions ajouter les délires sanguinaires de l'auteur de Justine *
et mille autres faits puisés dans l'histoire, dans les

---

* M. Dumoutier possède le crâne du marquis de Sade, sur lequel on remarque un développement extraordinaire de la Destructivité, de l'Amour physique et des facultés réflectives. Singulière combinaison qui devait enfanter un livre monstrueux.

annales des tribunaux et des maisons d'aliénés. Il n'en faut pas conclure que la destination naturelle de cette faculté soit l'homicide. Le penchant au meurtre est une véritable aliénation qui rentre dans la classe des maladies et dans la compétence des médecins (Voyez PÉNALITÉ). Le but essentiel de cette puissance est, nous le répétons, la transformation incessante du monde extérieur.

Une autre dégénérescence anormale de la Destructivité est le penchant au suicide (voyez SUICIDE), quand l'organe de l'Amour de la vie n'est pas assez développé pour en contrebalancer l'impulsion.

L'organe de la Destructivité est situé dans la partie inférieure du lobe moyen. C'est une circonvolution allongée, qui s'étend en haut et en arrière jusqu'à la Combativité.

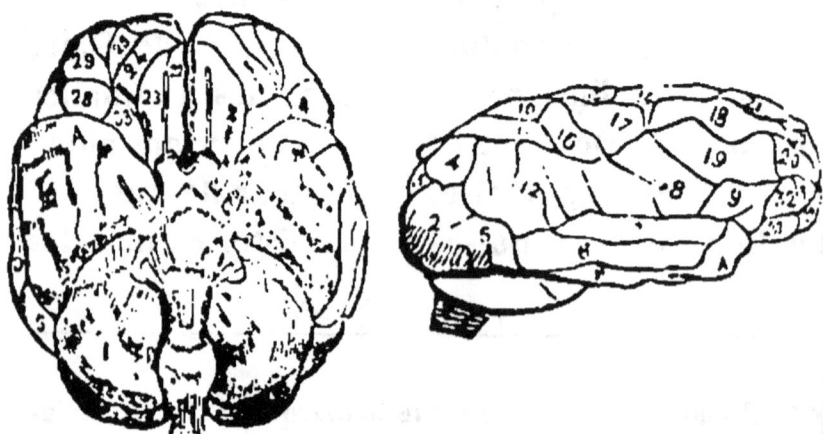

Il se manifeste sur le crâne dans la région temporale postérieure, immédiatement au dessus des oreilles, par une protubérance allongée presqu'horizontalement. Il élargit donc sensiblement le diamètre bi-temporal.

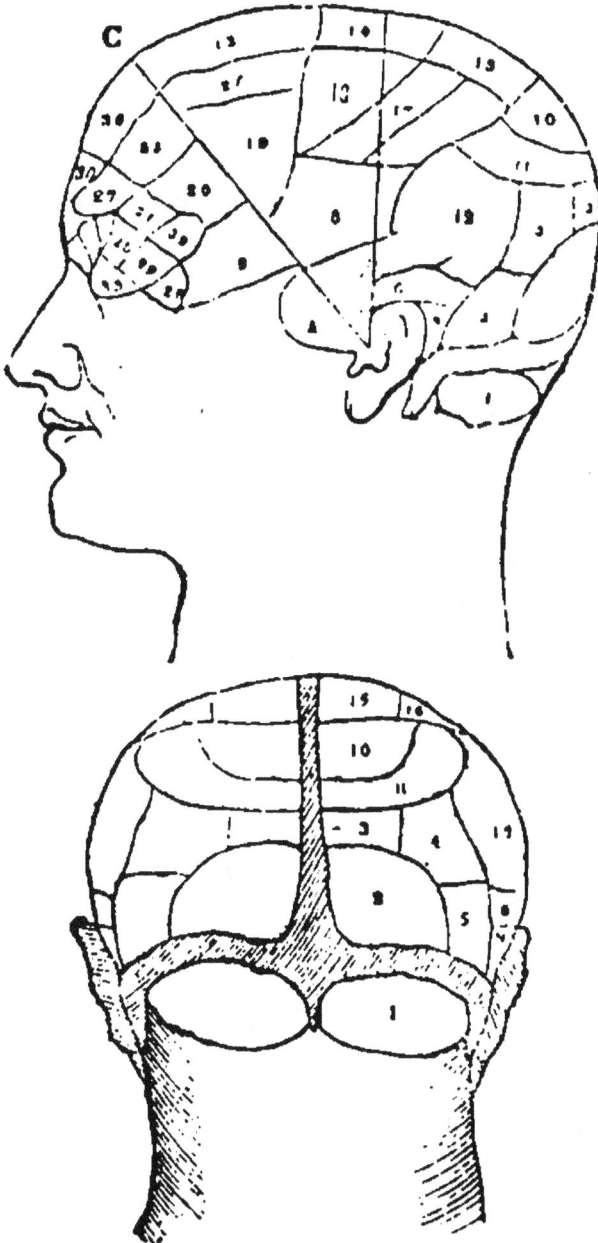

Cet organe est très facilement appréciable à l'extérieur, parce que la partie de l'os temporal qui le recouvre est très mince et presque transparente dans cette partie.

Le type de la tête romaine offre, en général, un grand développement de la Destructivité, et, en effet, la mission des Romains a été la guerre. La guerre, ce fait universel jusqu'ici, qui a été traduit dans toutes les théogonies par un symbole du *Dieu des batailles*, et qui a été, dans le passé, un des principaux moyens de civilisation et d'unité, la guerre repose sur la Destructivité.

Les bustes de Caligula, de Néron, de Septime-Sévère ; de Charles IX, de Catherine de Médicis, etc. présentent une saillie remarquable à l'endroit de cet organe ; nous possédons nous-même une collection de crânes de meurtriers, dont plusieurs ont une véritable *bosse* au dessus du conduit auditif.

L'observation de l'animalité confirme pleinement l'existence de la Destructivité. Tous les animaux féroces et carnassiers, les oiseaux de proie, ont la tête élargie dans son diamètre bi-temporal. Les analogies physionomiques sont encore une preuve à l'appui. Charles IX a beaucoup de ressemblance avec le tigre.

La combinaison de la Destructivité avec d'autres organes du clavier humain produit quelquefois de singuliers et déplorables résultats. M. Pinel cite des cas de manie, où les idées religieuses sont mêlées avec l'inclination au meurtre : un vigneron croyait être condamné aux brasiers éternels, et ne pouvoir empêcher sa famille de subir le même sort que par ce qu'il appelait le *baptême du sang*, ou le martyre ; il essaya donc de tuer sa femme qui parvint à s'échapper de ses mains ; bientôt après, il égorgea de sang-froid deux de ses enfans en bas âge, pour leur procurer la vie éternelle ; et durant l'instruction de son procès, il tua encore un criminel enfermé avec lui dans le même cachot, toujours en vue de faire une œuvre expiatoire. Renfermé à Bicêtre comme aliéné, il s'imagina qu'il était la *quatrième personne de la sainte trinité*, et que sa mission spéciale était de sauver le monde par le baptême du sang, etc.

Beaucoup de meurtriers ont des hallucinations et des visions qui sont toujours en rapport avec leur malheureuse propension à l'homicide.

L'affaire récente de l'abbé Lacollonge, qui se

complique de circonstances sociales, est un grave
sujet de méditation pour les législateurs et les philosophes comme pour les naturalistes.

DIAMÈTRE. — Voyez MESURE.

DIEU.

Gall a dit (*page* 229 1*er vol.*): « rien dans l'univers n'est isolé ; tous les mondes ont été mis dans
une corrélation réciproque ; la nature inanimée l'est
avec la nature vivante ; tous les êtres vivans le sont
les uns avec les autres. Qui peut donc méconnaître
une cause de toutes les causes, une loi suprême de
toutes les lois, une intelligence de toutes les intelligences, un ordonnateur de tous les ordres, en un
mot, Dieu ? »

On n'en est plus, dans ce tems-ci, à *démontrer l'existence de Dieu*, comme on disait au dix-huitième
siècle. Le sentiment de l'unité est rentré dans le
monde. Seulement, le Dieu de l'avenir ne sera sans
doute pas le Dieu du passé, car la notion Dieu est
progressive, comme toutes les notions humaines;
l'histoire nous prouve qu'elle a subi de nombreuses
transfigurations parallèles au développement intellectuel et moral de l'humanité. Les religions successives qui ont gouverné le monde, présentent une
chaîne de symboles dans lesquels la divinité est
personnifiée. Il est très curieux d'observer que l'a-

doration religieuse a passé de la minéralité à la végétalité, à l'animalité, à l'humanité et enfin à la surnaturalité : les pierres carrées des anciens Arabes,
les plantes et les ibis des Egyptiens, le Bacchus Indien et l'Hercule Grec, enfin le Dieu *pur esprit* des
chrétiens. Le sentiment religieux semble donc destiné à s'agrandir encore et à embrasser dans son
culte tout ce qui est , comme la manifestation multiple de l'unité. (Voyez RELIGIOSITÉ. — HOMME. —
TÊTE, etc.)

DIGNITÉ PERSONNELLE. — Voyez ESTIME DE SOI.

DISCRÉTION — Voyez SECRÉTIVITÉ.

DOIGTS. — Voyez MAIN.

DOS.

Un dos vouté annonce la souffrance morale. Un
dos plat est le signe de l'insensibilité.

DOUCEUR. — Voyez BIENVEILLANCE.

DUMOUTIER.

Le véritable continuateur de Gall et de Spurzheim est sans contredit M. Dumoutier, qui a passé
avec eux une grande partie de sa vie, et qui a contribué plus que personne à l'éclat que la phrénolo-

gie a jetté dans ces dernières années. Après la
mort de Gall, pendant que l'étude physiologique
du cerveau à son point de vue était presqu'abandonnée en France, M. Dumoutier continua de recueillir des faits et des observations, avec une persévérance et un dévouement qu'on ne saurait trop
louer. Il ramassa des crânes, moula des têtes sur
le vivant et sur le mort, dépensa tout le fruit d'un
travail honorable et opiniâtre en acquisitions de
momies et d'objets d'histoire naturelle de toute sorte, si bien qu'aujourd'hui il possède la collection
phrénologique la plus curieuse et la plus complète. M. Dumoutier est lui-même une encyclopédie
vivante de tous les faits qui intéressent la science;
il vous dira l'histoire et la mort de tous les suppli-
ciés *illustres*; il a causé avec eux, il a sondé leurs
caractères, il a été leur prêtre avant l'échafaud. Il
a confessé Lacenaire et Fieschi. Tous les galériens
quelque peu notables sont de sa connaissance; il a
assisté à tous les départs de la chaîne de Bicêtre. Il
sait le pourquoi de tous les suicides; il a palpé toutes les fortes têtes de France et d'Europe; il a pris
des empreintes de tous les hommes de génie, de
toutes les spécialités marquantes, comme aussi des
pauvres idiots, des hydrocéphales et des fous curieux. Il sait, à une ligne près, les circonférences,
les diamètres, les rayons de tous les crânes qui en
valent la peine. M. Dumoutier est un dictionnaire
qui porte à chaque mot une réponse et une explica-

tion; il n'est jamais embarrassé de quoi que ce soit, et, entr'autres qualités inestimables, il est doué d'une foi robuste que rien ne saurait ébranler.

Mais cette foi même, à laquelle M. Dumoutier a dû son abnégation et son courage, et la science ses précieuses observations, cette foi lui a coupé les ailes. Cuirassé contre les hérésies, défiant de toutes les novations, concentré par la lutte, M. Dumoutier est resté purement et simplement dans le domaine stérile du fait et de l'analyse; il a conservé les préventions de Gall et de toute l'école naturaliste contre les métaphysiciens, les généralisateurs, les hommes d'abstraction et de synthèse, les rêveurs et les *utopistes*, comme ils les appellent. Il n'a pas osé s'élever aux spéculations philosophiques qui sont la consécration et la contre-preuve de l'expérimentation par voie d'analyse ; il a craint d'accepter toutes les conséquences logiques de la phrénologie, en ce qu'elles heurtent et renversent presque toute la vieille société catholique. Quand il a été forcé d'aborder les relations de sa doctrine avec le dogme ou la morale chrétienne, il a cherché à concilier ces deux tendances contradictoires. Il n'a pas compris enfin que la phrénologie est une branche (rien qu'une branche) de la philosophie nouvelle qui transformera toutes les solutions du passé. Avec plus de radicalisme, M. Dumoutier serait arrivé à ces déductions irrésistibles de la phrénologie, savoir : en religion ou en philosophie, l'unité de l'être humain,

au lieu de la dualité âme et corps ; en politique, la
solidarité de l'être humanité, au lieu de la division
en peuples, le classement hiérarchique suivant la
capacité personnelle au lieu du classement par le
hasard de la naissance, la propriété du travail au
lieu de la propriété héréditaire ; en morale, l'expansion au lieu de la compression, et la légitimité
de toutes les passions normales ; car tout est bien
dans sa destination providentielle ; et comme conséquences, la transformation du mariage et l'abolition de toute pénalité, etc. M. Dumoutier a reculé devant ces questions, les seules vivaces de notre tems, puisqu'elles intéressent les relations de
l'homme et de la femme, des travailleurs et des
oisifs, des peuples entr'eux, et enfin de l'homme
avec l'univers extérieur et avec Dieu.

Nous n'en reconnaissons pas moins les immenses
services que M. Dumoutier a rendus à l'étude de
l'homme. En se renfermant dans l'analyse, il aura
préparé les matériaux aux philosophes, qui vien-
dront approprier la phrénologie à la philosophie
générale de l'avenir.

DUPLICITÉ. — Voyez SECRÉTIVITÉ.

DURE-MÈRE.

Membrane assez consistante qui enveloppe le cerveau. (Voyez MÉNINGES.)

E.

ÉCRITURE.

L'Écriture est le geste de la pensée. Elle sert donc à manifester le caractère des individus. Certainement un homme méthodique et compassé n'écrit pas comme un homme ardent et spontané. Celui dont la pensée est vive, doit avoir le geste prompt. Aussi, Huart dit-il qu'il est rare que les gens de beaucoup d'esprit aient une belle écriture. Lavater a reproduit, dans ses fragmens, plusieurs fac-simile de lettres écrites par des hommes de différentes capacités. Sans doute la manie des autographes qui a pris notre époque amènera à des observations comparées, au moyen desquelles on pourra peut-être déterminer quelques formules, et consolider la science de la physionomie des écritures.

ÉDUCABILITÉ. Voyez ÉVENTUALITÉ.

ÉDUCATION.

« L'éducation, dit Herder, ne peut avoir lieu que par l'imitation, par conséquent par le passage de l'original à la copie, ce qui suppose que l'imitateur doit avoir la faculté de recevoir ce qui lui

est communiqué, et de le transformer dans sa nature, comme les mets dont il se nourrit. Mais la
manière dont il le reçoit, dont il se l'approprie et
dont il l'emploie, voilà ce qui ne peut se déterminer que par les facultés de celui qui reçoit ; d'où il
suit que l'éducation de notre espèce est en quelque sorte le produit d'une action double, savoir:
De celui qui la donne et de celui qui la reçoit.
Ainsi, quand nous voyons que les hommes prennent la forme qu'on veut leur donner, il n'est pas
permis d'en conclure qu'on ait créé les formes
en eux ; ils les ont empruntées à d'autres hommes
doués des mêmes dispositions. »

L'hypothèse de *table rase*, d'égalité native de toutes les intelligences, de la puissance *créatrice* de l'é-
ducation, est complétement détruite par l'étude
philosophique de l'homme. Chaque individu humain, comme chaque animal, a reçu de la nature,
en vertu de son organisation, des penchans, des
aptitudes, des talens propres déterminés, une vocation et une mission à remplir. Le pouvoir des
choses extérieures, de l'institution et de l'éducation, est borné à y apporter des modifications plus
ou moins profondes.

L'éducation a donc pour but de développer tous
les élémens que Dieu a déposés dans chaque organisation particulière, et de les approprier aux nécessités générales de la société. Il y a donc deux
éducations : l'une, morale et solidaire, qui doit

harmoniser les hommes et les diriger vers leur destination collective; l'autre, personnelle, qui tend à élever l'individu dans la hiérarchie sociale par la puissance de ses sentimens, de ses idées, ou de ses actes. L'éducation doit surtout se proposer d'équilibrer en quelque sorte chaque individualité. Quand elle aura bien sérieusement étudié l'enfant, elle devra exalter chez lui les qualités naturelles qui sont en moins, et, au contraire, comprimer dans les limites normales certains penchans qui tendent quelquefois à absorber les autres. L'éducation doit continuer ainsi sa tutelle, sa direction et son appui à tous les hommes, et les conduire pendant toute leur vie. On peut dire, en ce sens, que l'éducation sociale est destinée à remplacer la pénalité.

L'éducation, prise au point de vue phrénologique, est donc la plus populaire, la plus équitable, la plus rationelle, et, disons-le, la plus révolutionnaire en politique, puisqu'elle tend à pousser tous les hommes dans la voie de leur génie, et qu'elle aura pour résultat de substituer la valeur personnelle au classement aveugle de la naissance, le droit de l'intelligence et de la moralité au droit de l'héritage.—(Voyez INNÉITÉ.)

ÉGALITÉ. — Voyez HIÉRARCHIE. — POLITIQUE.

ÉLÉVATION —Voyez ESTIME DE SOI. — APPROBATIVITÉ.

ÉLOQUENCE. — Voyez LANGUE.

ENCÉPHALE. — Voyez CERVEAU.

ÉNERGIE. — Voyez PERSÉVÉRANCE.

ENNUI. — Voyez GAITÉ.

ENTÊTEMENT. — Voyez PERSÉVÉRANCE.

ENVIES.

Lavater appelle ainsi les défectuosités ou les marques que les enfans apportent quelquefois au monde et qui sont peut-être la suite d'une impression forte et subite reçue par la mère pendant la grossesse. On a bâti sur les envies un système de relations et de concordances, qui n'a pas plus de fondement que d'utilité.

ESPACE.

L'Espace et le Temps sont les deux expressions humaines correspondant à l'Infini et à l'Éternel, à Partout et à Toujours, ces notions essentielles de Dieu, qui ne sont qu'imparfaitement compréhensibles pour l'homme. L'Espace est la fraction finie du grand Tout, fraction avec laquelle l'homme et les animaux ont été mis en rapport au moyen d'organes de perception. — Voyez LOCALITÉ et ÉTENDUE.

ESPÉRANCE. (*n.* 17, *Spurz.*)

PROJETS. — SENTIMENT DE L'AVENIR.

L'homme vit dans les trois termes du tems. Les souvenirs de son passé, les espérances de son avenir, lui sont aussi inhérens et essentiels que sa réalité présente. En cela. il se rapproche de Dieu pour lequel il n'y a point de succession, mais l'éternité. Seulement, l'homme n'embrasse pas de la même vue ce qui est, ce qui a été, et ce qui sera. Sa faiblesse divise pour percevoir. Il a donc été doué de facultés qui le font regarder devant lui, qui le continuent au-delà du présent, et qui le transportent au sein des choses futures. L'Espérance a été attachée à son organisation par le moyen d'un organe cérébral. Cette merveilleuse faculté est la mère des projets, des rêveries, des châteaux en Espagne, comme on dit. Combinée avec l'Idéalité et la Merveillosité, elle conduit aux exaltations et quelquefois à l'Extase. C'est elle qui a inventé le paradis. Elle est un des principaux mobiles des actions humaines. Aussi le christianisme l'avait-il placée dans la trinité des vertus théologales, entre la Charité et la Foi. Sans l'Espérance, on ne saurait concevoir l'initiative humaine, puisqu'il n'y aurait plus de raison d'activité.

L'organe de l'Espérance est situé dans le cerveau, entre la fermeté qui le sépare de la ligne médiane, la Religiosité et la Merveillosité, qui le

bornent en avant, et la Conscien-ciosité qui s'allonge parallèlement en arrière.

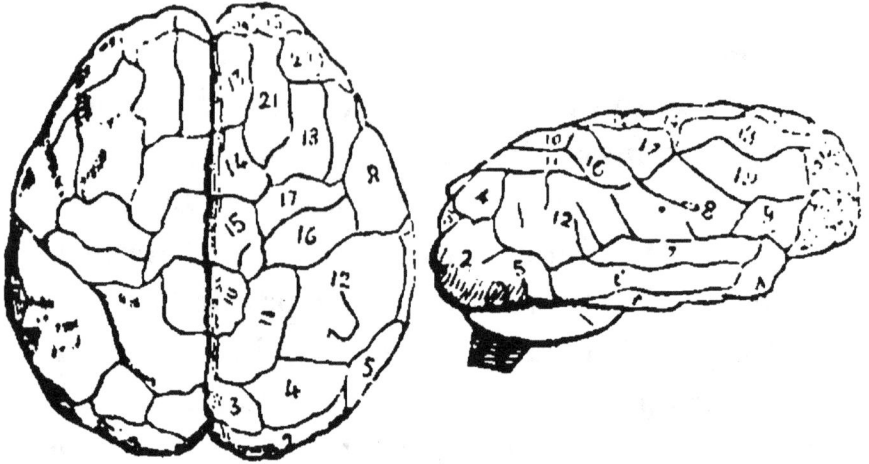

Il se traduit sur le crâne vers l'angle supérieur
antérieur du pariétal, presque directement au-dessus du conduit auditif, à environ trois pouces.

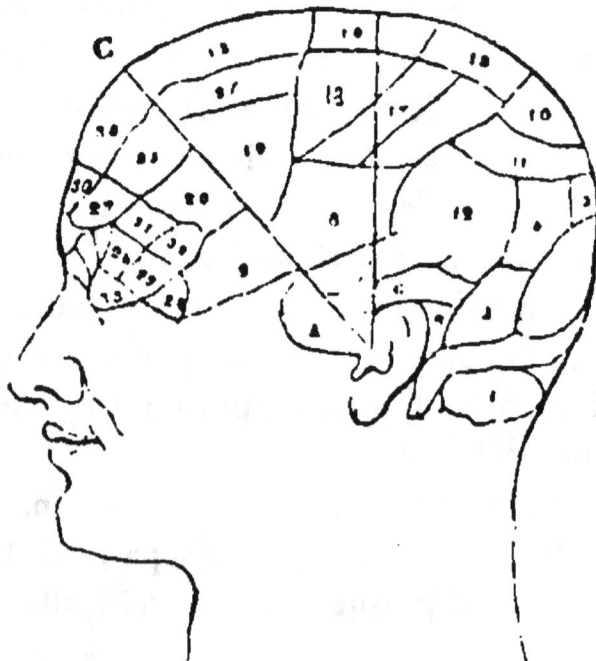

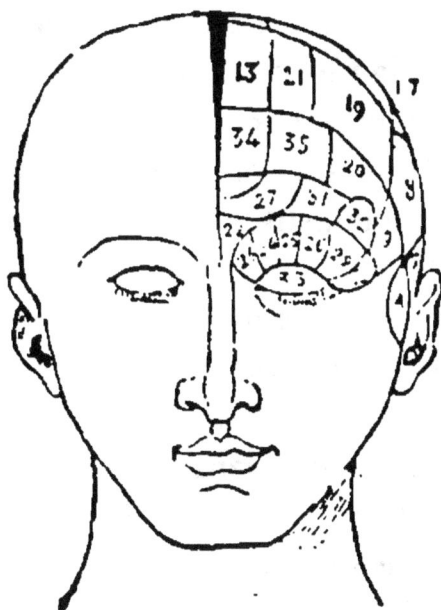

Pour apprécier facilement le développement de l'Espérance, il faut, autant que possible, regarder la tête de haut en bas. Si les parties latérales semblent fuir à partir de la ligne médiane, on doit s'attendre à de faibles manifestations de l'Espérance et des autres organes qui occupent cette région, comme la Conscienciosité et la Merveillosité.

ESTIME DE SOI. (n. 8 *Gall*; n. 10, *Spurz.*)

ÉLÉVATION. — ORGUEIL. — FIERTÉ. — AMBITION. — DIGNITÉ PERSONNELLE. — MODESTIE. — HUMILITÉ.

Le christianisme qui devait étouffer la personnalité et développer les sentimens généraux ou généreux, ce qui est une même chose, le christianisme avait placé l'orgueil en tête de tous les vices capitaux. Mais notre tems auquel une autre œuvre est échue, a levé la réprobation qui pesait sur le sentiment de la dignité personnelle.

La juste Estime de soi, le sentiment de sa valeur, est ce qui constitue la personnalité. C'est un des ressorts les plus puissans de toutes les grandes choses; combinée avec la Religiosité et la Bienveillance, c'est-à-dire avec l'amour de Dieu et des hommes, elle forme les caractères les plus sublimes et les plus utiles dans le monde. L'absence de cette noble faculté explique la nullité de certaines organisations qui n'ont jamais rien réalisé de grand, quoiqu'elles eussent en elles-mêmes beaucoup d'instrumens et de moyens. Quand vous rencontrerez de ces têtes qui annoncent une capacité plus qu'ordinaire, et dont les manifestations restent en arrière de ce qu'on en pouvait attendre, regardez à l'organe de l'Élévation, de l'Ambition, vous le trouverez toujours peu développé. Au contraire, le secret de certains succès assez inexplicables dans la politique, dans les lettres, ou dans les autres branches sociales, doit être rapporté à l'activité de cette puissance. Quand l'ambition se combine avec les facultés intellectuelles, en l'absence des facultés morales, elle donne le spectacle de ces œuvres fortes et peut-être nécessaires, qui s'accomplissent en dehors des sympathies du plus grand nombre. Le temps présent nous en offre des exemples que nous nous dispenserons de citer.

L'organe de l'Estime de soi est situé au sommet du cerveau, un peu en arrière, le long de la ligne médiane. Il est presqu'entouré par la circonvolution de l'Approbativité et borné en avant par la Persévérance.

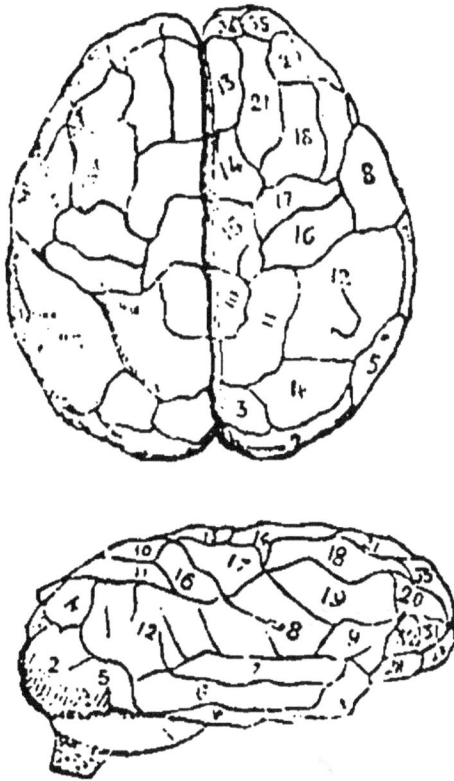

Il correspond sur le crâne, non loin de l'angle postérieur supérieur du pariétal, où il se manifeste quelquefois par une seule protubérance, quand les deux hémisphères cérébraux sont très rapprochés, quelquefois par deux protubérances distinctes, lorsque les hémisphères sont plus séparés. Nous avons eu déjà occasion de signaler

13

cette double manifestation, à propos de tous les organes qui sont situés le long de la ligne médiane.

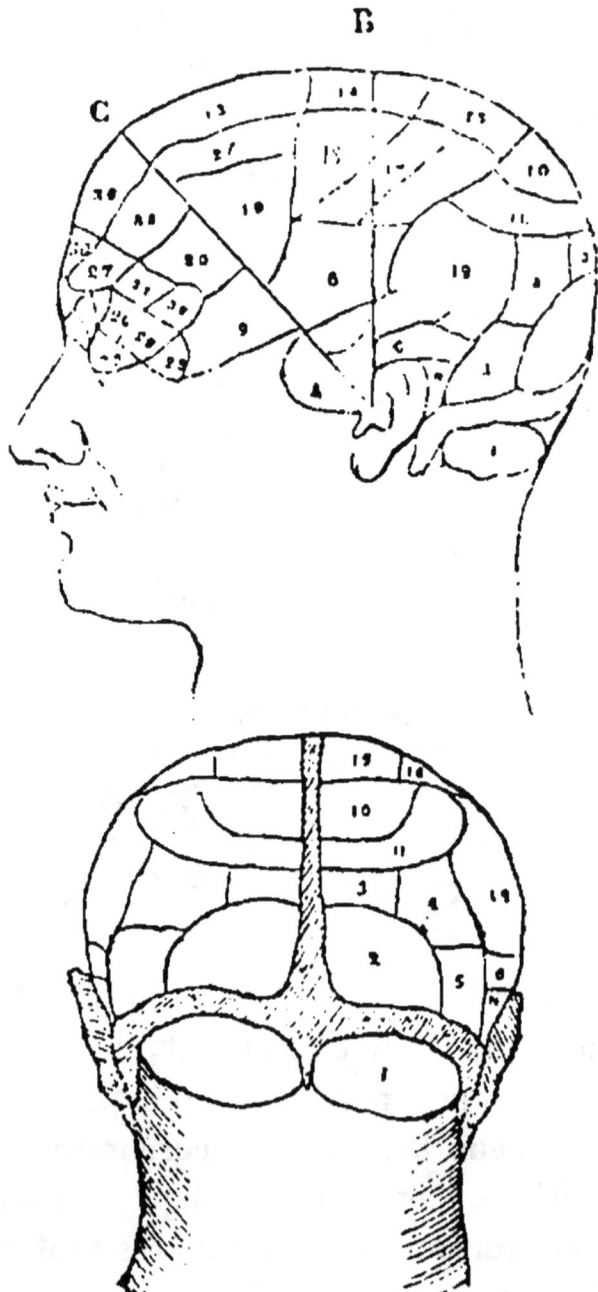

Pour apprécier le développement de l'Estime de soi, il faut tirer un rayon depuis le conduit auditif jusqu'à la circonférence du profil de la tête. (Voyez MESURE.) Plus le rayon est long relativement aux autres rayons, plus l'organe est virtuel. M. Thiers présente cette conformation à un degré remarquable.

Gall pensait que le sentiment de l'orgueil chez l'homme devait être attribué à un organe analogue à celui qui, chez les animaux, détermine le choix de leurs demeures. Trompé par une ingénieuse interprétation du mot *hauteur* qui a été transporté de sa signification physique primitive à une signification morale, il a confondu l'Estime de soi avec l'habitativité admise aujourd'hui par les phrénologistes. Mais ses études en ce point, quoiqu'elles portassent sur une erreur, ont servi sans doute à la découverte de l'Habitativité. (Voyez HABITATIVITÉ.)

ETENDUE. (*n.* 24, *Spurzheim.*)

Les continuateurs de Gall ont établi par l'observation qu'il y avait, entre les facultés perceptives, un certain sens qui rend compte de la pesanteur et de la résistance des corps. Plus tard, ils ont séparé cette aptitude en deux facultés distinctes, celle de la Pesanteur et celle de l'Etendue. On rencontre en effet des individus qui apprécient au premier coup d'œil la superficie des objets. Peut-être devrait-on

rapporter cette disposition naturelle au sens des
Localités (voyez ESPACE et LOCALITÉ.) Quoiqu'il en
soit, les phrénologistes désignent comme l'organe
de l'Etendue une circonvolution allongée entre les
circonvolutions de la Configuration et de la Pesanteur, à la partie antérieure inférieure du lobe antérieur; il aboutit en haut à la ligne médiane et
repose sur le plancher orbitaire.

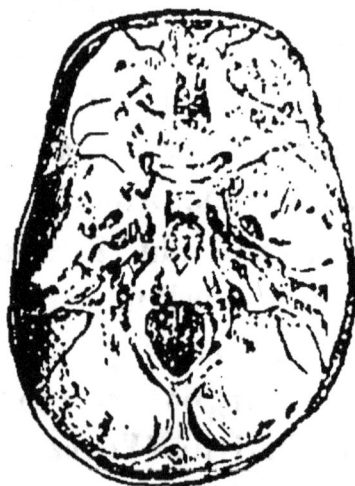

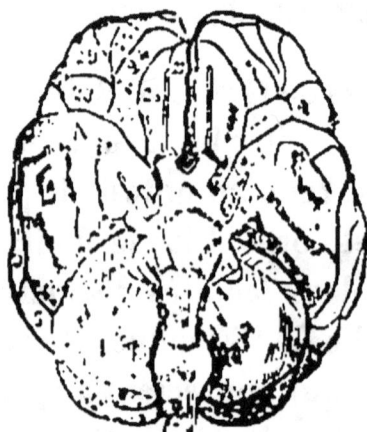

Il se traduit sur le crâne, vers le tiers intérieur de l'arcade sourcillaire, et, quand il est développé, il rend le sourcil proéminent en cette partie.

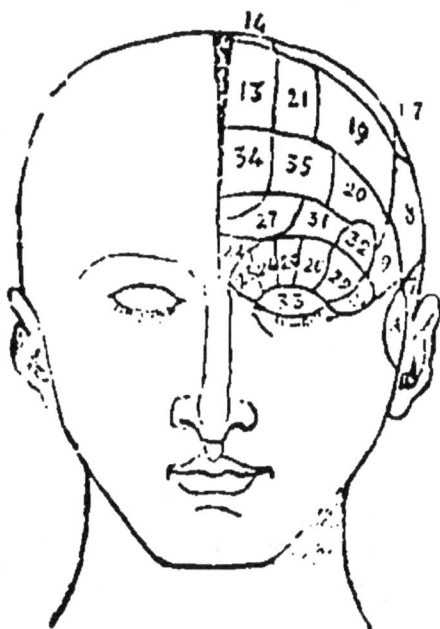

ÈVE. — Voyez FEMME — SEXUALITÉ.

ÉVENTUALITÉ. (*n.* 30, *Spurzheim. n.* 11, *Gall.*)

ÉDUCABILITÉ — MÉMOIRE DES FAITS — ANALYSE.

L'Éventualité est la faculté d'être instruit au moyen des objets extérieurs, de retenir le souvenir des faits et des événemens. Gall a très bien démontré qu'il y avait plusieurs espèces de mémoire (voyez MÉMOIRE), et il distingua particulièrement celle des choses, qui nous occupe ici. Mais, étendant les attributions de cette faculté, il en fit dépendre la *perfectibilité* de l'homme et des animaux. Plusieurs critiques de la doctrine, entr'autres M. Demangeon, lui reprochèrent, avec justesse suivant nous, de généraliser en une seule abstraction le résultat de toutes les facultés réunies, ce qui est contraire à sa méthode habituelle. On comprend, en effet, que la perfectibilité résulte de l'organisation toute entière; qu'on est plus ou moins perfectible, selon qu'on est doué d'aptitudes et de sentimens plus ou moins actifs; qu'en ce qui touche la perfectibilité relative de certaines facultés, elle est le résultat du plus ou moins grand développement des organes qui leur correspondent. Il ne saurait donc absolument y avoir un organe de perfectibilité; l'Éventualité en est seulement un instrument, comme les autres mémoires et les autres aptitudes.

Les individus qui possèdent cette faculté à un degré éminent, sont très propres à la science en tant qu'analyse, et aux travaux historiques en tant que mémoire des événemens. Mais, pour faire de la science élevée ou de l'histoire philosophique, il faut en outre expliquer, juger et systématiser; ce qui exige les facultés intellectuelles proprement dites, la Comparaison et la Causalité. L'Éventualité dispose à recueillir une foule de matériaux et se trouve ainsi un des élémens de l'éducabilité, mais elle n'implique pas qu'on les coordonne, sans la lumière de la réflexion. Les hommes ainsi organisés, dit Gall, sont les abeilles des productions des autres. Les enfans qui apprennent tant de choses du monde extérieur, ont proportionnellement l'Eventualité très développée et le front bombé.

Cet organe est situé à la partie antérieure inférieure moyenne du lobe antérieur, le long de la ligne médiane, au-dessous des facultés réflectives et au-dessus de la Localité.

Il se traduit extérieurement, juste au milieu du front, à l'endroit où passe la ligne II C dans la figure ci dessous.

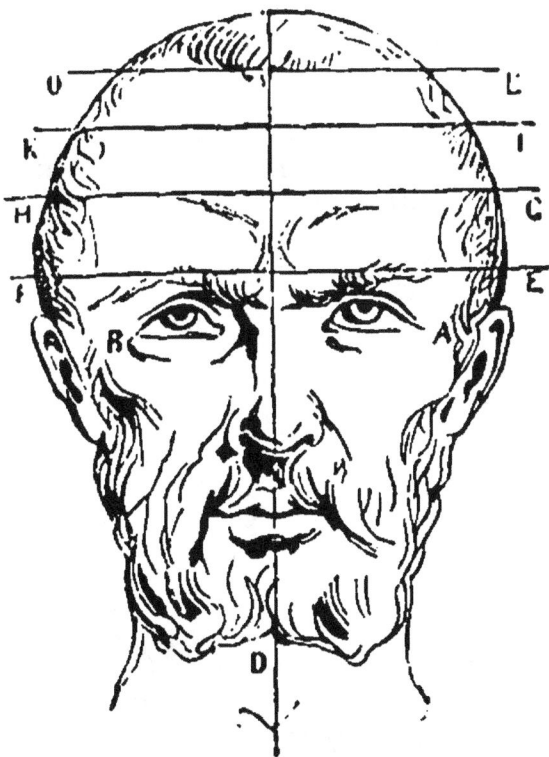

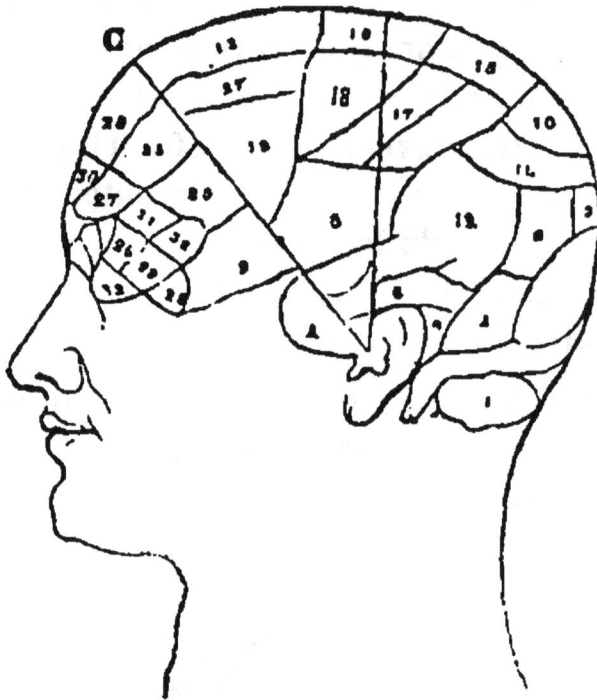

C'est le quart de cercle tracé entre l'organe 27 et l'organe 34 de la figure ci-dessous, mais le graveur a oublié le chiffre 30.

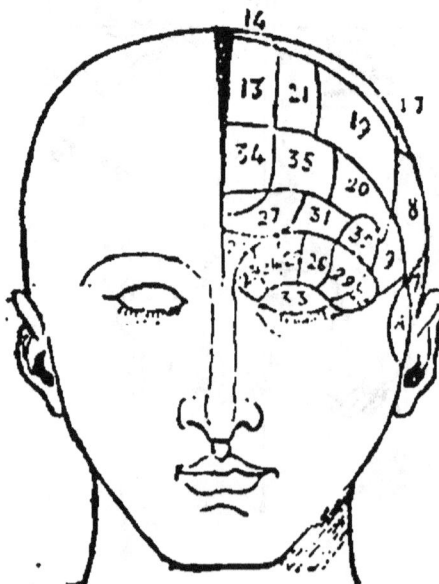

EXALTATION. — Voyez IDÉALITÉ.

EXCITATION. — Voyez INFLUENCE.

EXTASE.

A notre sens, la phrénologie a négligé d'éclairer plusieurs phénomènes qui rentrent pourtant
dans le domaine de la science hominale. Sa tendance quelque peu matérialiste ne lui a pas permis de s'arrêter convenablement sur certaines manifestations mystérieuses dont l'existence ne saurait être révoquée en doute. L'Extase est un de ces
phénomènes. L'histoire des religions en présente
de nombreux exemples. M. Bertrand, mort en ces
dernières années, a publié des travaux remarquables sur l'Extase. Il rapporte à l'état extatique toutes ces merveilleuses concentrations de la vie, si
l'on peut ainsi parler, pendant lesquelles l'homme
replié en lui-même s'affranchit en quelque sorte du
monde extérieur et communique avec le monde
surnaturel. Il explique ainsi les mystiques et les
illuminés, comme sainte Thérèse et Swedenborg,
le magnétisme, et jusqu'aux miracles. Peut-être la
phrénologie est-elle à même de rendre raison de
ces phénomènes. Il me semble que l'activité combinée de plusieurs organes et poussée jusqu'à l'extrême, pourrait bien neutraliser certaines autres
virtualités de l'organisation. Si l'on suppose une

surexcitation extraordinaire de l'Idéalité, de la Merveillosité, de la Religiosité et de l'Espérance qui sont contigues et forment un groupe, et en même temps le repos momentané des facultés perceptives, on comprend aussitôt les hallucinations, les visions et les extases, où l'homme dépouille sa forme finie pour plonger dans l'infini. Il est remarquable que tous les mystiques ont été très poètes.

Ces courtes réflexions que nous ne pouvons poursuivre ici, montrent que la phrénologie touche à tous les problêmes de la vie et qu'elle est destinée à jeter de vives lumières, quand elle sera transportée sur le terrain d'une philosophie compréhensive.

F.

FACULTÉ.

PROPRIÉTÉ. — QUALITÉ. — INSTINCT. — APTITUDE. — PENCHANT. — PRÉDILECTION. — SENTIMENT. — PASSION, etc.

Le mot faculté est le terme générique pour exprimer les diverses forces qui constituent la vie de

l'homme et des animaux. Isolées et dispersées dans
les diverses espèces d'animaux, elles se trouvent
réunies dans l'homme. La faculté fondamentale est
commune à tous les individus de l'espèce, mais les
degrés de la manifestation varient d'un individu à
l'autre, selon que l'organe est plus ou moins développé. Si l'on néglige toutes les modifications accidentelles, et si l'on ne fait attention qu'à ce qu'il y
a de commun de cette qualité dans tous les individus, on aura trouvé la qualité ou la faculté fondamentale. Suivant les degrés d'énergie d'une faculté, il en résulte ce qu'on désigne par les noms
de dispositions, d'inclination, de penchant, de
désir, de besoin, de passion ; c'est-à-dire que chaque qualité fondamentale est susceptible de ces différens degrés de manifestation. Par conséquent, il
faut admettre autant de dispositions, d'inclinations,
de penchans, de désirs, de besoins, de passions,
qu'il y a de facultés primitives ; il s'ensuit en même
temps, que l'on chercherait en vain d'autres organes pour les inclinations, que ceux qui président aux qualités fondamentales. Ces considéra-
tions, dit Gall, détruisent entièrement toutes les
rêveries des philosophes et des physiologistes sur les
instincts, les penchans et les passions. Sans partager l'animosité que l'ancienne métaphysique inspirait au docteur Gall, il nous semble que la phrénologie est destinée à refaire toute une métaphysique
ou une psycologie nouvelle, en transformant les

solutions abstraites de la psycologie chrétienne.

Certaines facultés sont communes à l'homme et aux animaux; d'autres sont particulières à l'homme seul. (Voyez GROUPES DE FACULTÉS.) Toutes sont innées, et leur exercice dépend de l'organisation.

FAMILISME.

M. Charles Fourier, auquel l'étude de l'homme doit tant de curieuses révélations, a imaginé le mot familisme pour exprimer tous les sentimens qui se rapportent à la famille, aux relations de père et d'enfans. Cette expression, qui a le mérite de résumer plusieurs rapports, a été transportée et adoptée dans la langue phrénologique. Il convenait en effet de réunir sous un même nom ce faisceau de circonvolutions placées à la partie postérieure de la tête et présidant aux liens de famille. (Voyez GROUPES.) On en est encore à chercher si l'organe de la philogéniture n'est pas multiple, s'il n'est pas composé de plusieurs organes distincts, l'amour paternel, l'amour filial, etc., etc.; car on observe que l'amour des enfans n'implique pas l'amour des parens, et vice versâ. Quoiqu'il en soit, le mot familisme est une dénomination très bien appropriée à ce groupe de sentimens qui unit tous les membres de la famille. (Voyez PHILOGÉNITURE.)

FATALITÉ. — Voyez PROVIDENCE.

FAUSSETÉ. — Voyez secrétivité.

FEMME.

L'antiquité a fort maltraité la femme : Homère dit que la femme est colérique ; Horace, rusée ; Apulée, trompeuse, impudente, chaude, (*callidam*) ; Catulle, volage (*multivolam*).

Dans les analogies animales, les anciens, Aristote et autres, et après eux les naturalistes du moyen âge, comparent la femme à la panthère (*pardalis*) ; car toutes leurs parties sont semblables. Dans les oiseaux, l'analogue de la femme est la perdrix ; dans les reptiles, la vipère.

Les femmes sont méchantes, pétulantes, serviles, faibles, timides, et injustes (toujours suivant les anciens). Et, ajoute *Polemon*, les hommes qui se rapprochent de la forme féminine sont efféminés, téméraires, impudens, rusés, perfides, trompeurs, etc.

Les femmes se sont bien réhabilitées depuis l'époque moderne, et, à cette heure, la *question de la femme*, comme on dit, est une des préoccupations les plus ardentes. Quels sont les *droits* de la femme au point de vue de l'humanité, de la nation, de la famille ? en d'autres termes, quelle est sa nature ? Quelles sont ses analogies et ses dissemblances avec l'homme ? Est-elle égale ou pareille à l'homme, supérieure ou inférieure à l'homme ? A-t-elle sa place

dans la cité et dans la politique? Est-elle propre
aux travaux intellectuels et aux arts? en un mot,
quelle est la mission de la femme au sein de la société?

Physiologiquement, la première réponse est que
la femme doit obéir, comme tous les êtres, aux
impulsions de son essence et de son organisation.
Quels sont donc les élémens qui constituent la
femme? A-t-elle dans son cerveau les mêmes organes phrénologiques que l'homme? Sans aucun
doute. Elle doit donc participer, à certain degré,
à toute la vie sociale de l'homme. Mais il est certain aussi que les facultés sont généralement combinées chez la femme d'une autre façon que chez
l'homme, et que la nature leur a ainsi assigné des
œuvres diverses, quoique solidaires et parallèles. Le
plus souvent, le type féminin présente un grand
développement du familisme et de tous les sentimens affectueux et moraux. Aussi remarque-t-on
l'allongement des têtes féminines à la partie postérieure et l'élévation à la partie supérieure. Au
contraire, les parties antérieures du front, où réside
l'intelligence, sont ordinairement moins bombées,
et les femmes se trouvent moins propres aux spéculations métaphysiques. Leur mission semble
donc être une mission toute religieuse entre les individus. La femme est une sorte de prêtre qui représente la faculté volitive, l'inspiration, suivant
le beau symbole de la Genèse dans l'histoire d'Ève

et d'Adam. Mais il arrive quelquefois que des femmes se rapprochent beaucoup de l'organisation
masculine, et sont douées au plus haut point de la
réflexion philosophique, ou des autres qualités
plus particulières au sexe masculin. Alors la société
doit être assez élastique pour laisser épanouir ces
magnifiques natures; car la morale de l'avenir aura pour premier article de son dogme : « Tous les
individus ont droit au développement des élémens
que Dieu a déposés en eux. » (Voyez SEXUALITÉ —
HOMME. — MORALE.)

FERMETÉ. — Voyez PERSÉVÉRANCE.

FIERTÉ. — Voyez ESTIME DE SOI.

FOLIE.

ALIÉNATION MENTALE. — MANIE. — IMBÉCILLITÉ. —
DÉMENCE. — IDIOTISME.

Il y a aliénation mentale, lorsque les idées ou
les sensations, soit généralement, soit partiellement, ne s'accordent pas avec les lois des fonctions
d'une organisation régulière, ni avec l'état réel
des choses extérieures.

Les dissections anatomiques montrent, chez la
plupart des sujets morts en état de folie, différentes
altérations dans la couleur, dans la consistance
et dans toutes les apparences sensibles du cerveau.
La folie a donc son siége immédiat dans le cerveau.

C'est une véritable maladie encéphalique, dont il
faut chercher la cause dans le dérangement anormal des organes phrénologiques. Déjà la phrénologie a jeté d'éclatantes lumières sur la plupart des
aliénations mentales. Elle seule est dans la voie
qui pourra faire découvrir des remèdes physiques
ou moraux pour combattre et détruire ces malheureux écarts de la nature humaine. D'autre part, la
folie étudiée avec intelligence, offre des indications
précieuses sur la physiologie et la philosophie antropologique.

Les causes existantes de la folie n'agissent brusquement que lorsque les sujets sont fortement disposés. Presque tous les aliénés ont offert, avant
leur maladie, quelques altérations dans leur fonctions.

La démence ne peut être confondue avec l'imbécillité ou l'idiotisme. L'imbécile n'a jamais eu
les facultés de l'entendement assez développées ni
assez énergiques pour raisonner juste. Celui qui
est en démence, a *perdu* une grande partie de ces
facultés.

D'un autre côté, la démence diffère aussi essentiellement de la manie. Dans celle-ci, les facultés
de l'entendement sont lésées en plus; les maniaques déraisonnent par excitation; leur délire semble dépendre ou d'un état convulsif, ou d'une aug-
mentation d'énergie du système nerveux et cérébral. Dans la manie, tout annonce la force, la

puissance et l'effort; dans la démence, le cerveau est affaissé; tout trahit le relâchement, l'impuissance et la faiblesse.

Toutes les facultés sont susceptibles d'arriver à l'état de manie par la surexcitation des organes, et, dans certains cas d'une prédominance native anormale d'une faculté, on peut dire que la manie est innée.

FORME.

Tous les êtres qui s'offrent à nos regards nous apparaissent sous quelque Forme, sous quelque surface. Nous les voyons terminés par des lignes. La Forme est la condition de manifestation du fini. Il n'y a point de forme qui renferme autant de facultés, autant d'espèces de vie, autant de force, autant de mouvement que la forme humaine. Toute la science physiognomonique repose sur cette hypothèse que la forme est analogue au fond, c'est-à-dire que chaque essence comporte une certaine forme harmonique avec elle. Il n'y a point d'art sans la forme comme expression du fond; car la forme est une des faces nécessaires de l'Être.

FRONT.

Les signes que les anciens physionomistes ont tiré du front sont fort obscurs (Voir métoroscopie).

nous donnerons donc peu d'attention à ces pronostics, puisque d'ailleurs la phrénologie est venue rendre raison de ce que les naturalistes d'autrefois avaient seulement entrevu. Porta semble avoir deviné les fonctions du cerveau, quand il dit, à propos des petits fronts comme indice de stupidité : « La cause naturelle parait être, parce qu'un petit front contient de petits ventricules du cerveau, où les esprits sont réfléchis. » Il ajoute d'après ses prédécesseurs: « Un front avancé en longueur indique les plus hautes facultés. Tel était le front de Platon.

Winkelmann, avec sa manie de l'art antique, est un des écrivains modernes qui aient avancé le plus d'indications fausses sur le front. « Le front, pour qu'il soit beau, dit-il, doit être court.» (Voyez WINKELMANN — BEAUTÉ — ART.) Il critique à tort le Bernin, qui élevait les fronts, parce que le Bernin avait observé que les fronts s'étaient développés depuis le paganisme.

Lorsque la veine frontale, où l'Y bleuâtre, parait bien distinctement au milieu d'un front ouvert, exempt de rides et régulièrement voûté, je compte toujours sur des talens extraordinaires et sur un caractère passionné pour l'amour du bien. *Lavater.*

FRONTAL. — Voyez CRANE.

G.

GAIETÉ. (n° 22 *Gall*, n° 20 *Spurz.*)

SAILLIE. — CAUSTICITÉ.

L'esprit de saillie, qui prend toutes les formes pour produire la gaieté, l'ironie, la raillerie, le ridicule, la plaisanterie, le calembourg, le persifflage, la bouffonnerie, la satyre, le grotesque, la caricature, enfin cet esprit qui joue avec toutes choses, qui saisit des rapports particuliers, paraît être une faculté distincte et fondamentale. Les Allemands expriment cette causticité par le mot *Witz*, et les Anglais par le mot *Wit*. Aristophanes chez les Grecs, Cervantes en Espagne, Rabelais, Voltaire, Piron, en France, offrent des exemples de cet esprit mordant et satirique, toujours taillé en pointe, si l'on peut ainsi parler. Le baron Grimm dit de Piron : « ce poëte était une machine à saillies, à traits, à épigrammes ; en l'examinant de près, on voyait que ces traits s'entrechoquaient dans sa tête, partaient involontairement, se poussaient pêle-mêle sur ses lèvres, et qu'il ne lui était pas plus possible de ne pas dire de bons mots, de ne

pas faire des épigrammes par douzaine, que de ne
pas respirer. »

Suivant les phrénologistes, l'organe qui préside
à cette faculté, est situé à la partie antérieure supérieure latérale du lobe antérieur, en dehors de la
Causalité. Il est borné en haut par l'Idéalité, en bas
par la Tonalité et le Temps.

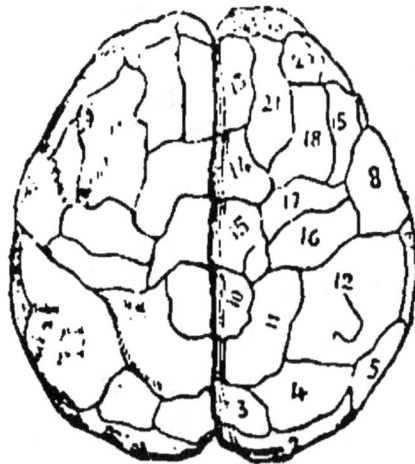

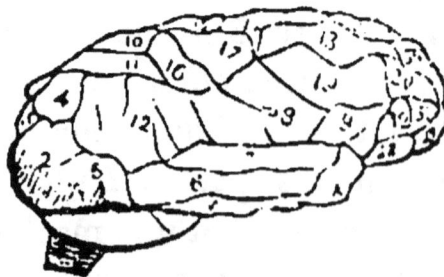

Il se traduit sur le crâne au-dessus de l'angle orbitaire externe, à la partie supérieure latérale du
front, en avant du muscle temporal.

(Voyez le n° 20 des deux planches ci-dessous.)

B

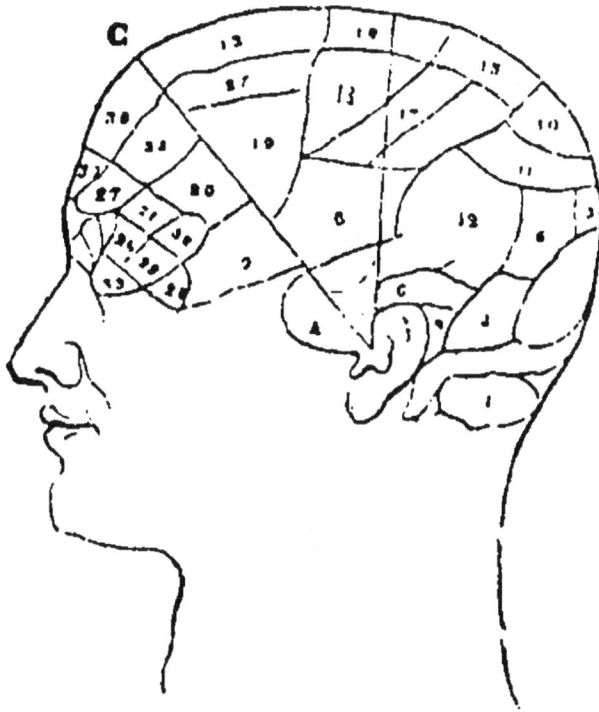

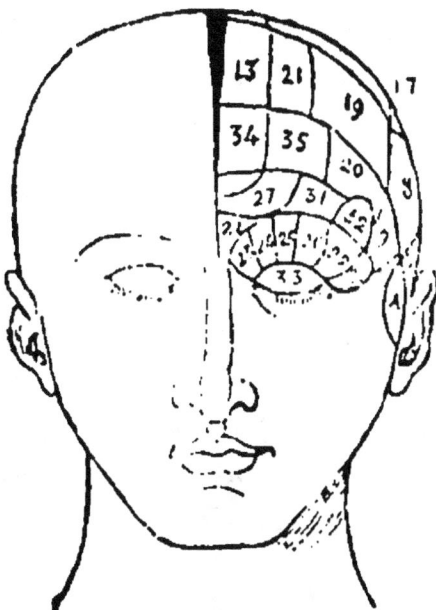

L'absence de cette faculté dispose à la tristesse;
on est porté à envisager toutes les choses sérieusement; quelquefois on arrive jusqu'au spleen. Il est
remarquable que le développement du front à l'endroit de cet organe donne à la physionomie un air
ouvert et rayonnant; généralement aussi cette indication phrénologique est accompagnée de signes
physionomiques en harmonie avec elle, comme le
coin des yeux plissés, la narine mobile et les extrémités de la bouche relevées.

GALEE. — Voyez PROFIL.

GALL.

La vie du docteur Gall est tout entière dans ses
travaux et ses découvertes, comme il arrive à propos de tous les hommes de génie; et nous ne crai-
gnons pas de qualifier ainsi l'inventeur de l'Antropologie nouvelle. En effet, si l'on apprécie la valeur des hommes à l'influence de la pensée qu'ils
représentent, Gall doit être considéré comme un
des initiateurs du XIXe siècle. L'Europe a été ini-
tiée par Gall à une nouvelle vie scientifique, comme
à une nouvelle vie politique par Napoléon, à une
nouvelle vie religieuse par Saint-Simon, à une
nouvelle vie industrielle par M. C. Fourier.

Nous n'avons donc point intention de raconter
ici les événemens de la vie extérieure de Gall.

puisqu'aussi bien ils ont toujours été dominés par sa vocation. Sa vie entière a été consacrée à élaborer et à vulgariser sa doctrine nouvelle. Voilà toute son histoire. Tout le monde sait que Gall a commencé ses observations en quelque sorte dès son enfance; que ses premières remarques sur l'Antropologie furent faites dans sa maison paternelle, entre ses frères et sœurs, et dans son collége entre ses camarades, ainsi qu'il l'a rapporté lui-même. Dès lors son esprit se tourna vers l'étude de la nature et surtout vers la comparaison des manifestations de l'homme et des animaux avec leur organisation physiologique. Il était doué des sens les plus parfaits, d'une aptitude merveilleuse à saisir les rapports des choses, d'un grand esprit d'analyse et d'une sagacité profonde. « Il n'y a guère d'homme, dit-il, dont la vision s'opère d'une manière plus déterminée que la mienne: dans tous les temps, j'ai pu distinguer les uns des autres, à des distances considérables, les oiseaux ou d'autres animaux, et les plantes, à leur seul *habitus*. Quoique je ne sache ni peindre, ni dessiner, j'ai toujours saisi avec une grande facilité les formes nombreuses de la tête; et s'il était question de diriger un peintre, je serais certainement en état de lui indiquer les traits les plus caractéristiques de la personne dont il s'agirait de faire le portrait. »

Avec ces dispositions, Gall ne tarda pas à retirer des fruits immenses de ses études sur l'homme et les animaux. Vivement frappé de l'analogie des facultés avec l'organisation cérébrale des différens êtres, il n'hésita pas à conclure que le cerveau est le centre et le siége des affections et des pensées. Alors il se mit à recueillir des faits, à comparer les degrés de l'échelle animale, et surtout à anatomiser le cerveau et les nerfs. Jusqu'à lui, les anatomistes s'étaient contenté de signaler les parties tout-à-fait distinctes de l'encéphale, comme les hémisphères, les lobes, etc, sans en chercher la génération et la liaison. Gall devina la division des faisceaux nerveux; il suivit les fibres depuis leur origine jusqu'à leur épanouissement, et découvrit la structure intime du cerveau.

De cette façon, il arriva bientôt à une conception générale qui peut être formulée ainsi : le degré des facultés de l'homme et des animaux est en raison directe de leur constitution cérébrale. Ce premier pas fait, il vérifia sa thèse par mille procédés ingénieux et par une multitude infinie d'observations. Ce n'est pas une chose médiocrement curieuse que l'historique de ses découvertes, et je ne puis m'empêcher de rapporter ici quelques passages où il raconte ses tâtonnemens et ses essais. Ces citations donneront une idée de sa persévérance et de sa perspicacité : voici comment il constata le sens des Localités :

« Le goût que j'avais pour l'histoire naturelle me portait à aller souvent dans les bois prendre des

oiseaux avec des filets, ou à chercher leurs nids ;
j'étais très heureux dans cette dernière recherche,
parce que j'avais observé dans la direction du quel
des points cardinaux chaque espèce d'oiseaux a
coutume de faire son nid ; je réussissais également
bien à disposer convenablement les filets, parce
que j'avais l'habitude de deviner le canton de l'oiseau par son chant et par ses mouvemens. Mais
lorsque je voulais aller chercher les oiseaux qui
s'étaient pris, ou m'emparer d'un nid après huit
ou quinze jours, il m'était impossible le plus souvent de retrouver l'arbre que j'avais marqué, ou
les filets que j'avais placés. Cependant, après avoir
posé mes filets, avant de les quitter, je m'en étais
rapproché par différens chemins qui avaient diverses directions ; j'avais planté en terre des branches, et fait des incisions dans les arbres, le tout
en vain. Ceci me forçait d'amener toujours avec
moi l'un de mes condisciples ; ce jeune homme,
sans faire le moindre effort d'attention, allait toujours droit à l'endroit où était un filet, quoique
nous en eussions souvent placé dix à quinze dans
une contrée qui ne nous était pas du tout familière.
Comme ce jeune homme n'avait que des talens
très médiocres, je fut d'autant plus frappé de sa
facilité à se retrouver. Je lui demandai souvent comment il s'y prenait pour s'orienter si sûrement : il
répondait à ma question en me demandant comment je faisais moi-même pour m'égarer partout.

15

« Dans l'espoir d'acquérir un jour plus de lumières sur cette matière, je moulai sa tête. Je
pris des informations pour découvrir des personnes
qui se distinguaient par la même faculté. Le grand
paysagiste Schœnberger me raconta que dans ses
voyages il avait l'habitude de ne faire qu'un croquis
très peu circonstancié des contrées qui l'intéres-
saient, et que plus tard, lorsqu'il entreprenait de
faire de ce paysage un dessin plus détaillé, chaque
arbre, chaque bouquet de broussailles, chaque
pierre un peu considérable se retraçait à son imagination. Je moulai ce peintre, et je plaçai son plâtre à côté de celui de mon condisciple Scheidler.
A cette époque, je fis connaissance avec M. Meyer,
auteur du roman de *Dia-na-Sore*; cet homme ne
trouve de jouissance que dans une vie errante. Tantôt il va d'une maison de campagne à l'autre,
tantôt il s'attache à quelque homme riche, pour
faire avec lui des voyages de long cours; il a une
facilité étonnante pour se rappeler les différens endroits qu'il a vus. Je le moulai également, et je
plaçai son plâtre à côté des deux autres. Je com-
parai alors ces trois têtes avec beaucoup d'attention; elles offraient de grandes différences sous
beaucoup de rapports; mais je fus frappé de la singulière forme qu'avait, dans toutes les trois, la
région immédiatement au-dessus des yeux, près
de l'organe de l'Educabilité. Toutes les trois offraient deux grandes proéminences qui commen-

caient au côté externe de la racine du nez, et s'é-
levaient obliquement, et en s'écartant. jusque vers
le milieu du front.

« Dès-lors, l'idée dut me venir involontairement, que la faculté de se rappeler les lieux pourrait bien être aussi une faculté fondamentale qui
aurait son organe dans la région du cerveau dont
je viens de parler. Dans cette hypothèse, tout ce
que l'on dit de la mémoire locale s'explique parfaitement. Matière abondante à de nouvelles réflexions. »

Historique de la découverte du courage.

« Incertain si je trouverais dans la langue des
expressions pour désigner toutes les qualités et toutes les facultés fondamentales, je fus curieux de
voir à la manifestation de quelles qualités ou de
quelles facultés le peuple est attentif. Je rassemblai
donc dans ma maison un certain nombre d'individus, pris dans les plus basses classes, et se livrant
à différentes occupations : des cochers de fiacre,
des commissionnaires, etc. J'acquis leur confiance,
et je les disposai à la franchise en leur donnant
quelque argent, et leur faisant distribuer du vin et
de la bierre. Lorsque je les vis dans une disposition
d'esprit favorable, je les engageai à me dire tout
ce qu'ils savaient réciproquement, tant de leurs
bonnes que de leurs mauvaises qualités, enfin tout

ce qu'il y avait de saillant dans le caractère de chacun d'eux.

« Dans les diverses révélations qu'ils me firent,
ils parurent donner surtout leur attention à ceux
qui provoquaient partout des disputes et des rixes;
ils connaissaient très bien les individus pacifiques
dont ils parlaient avec mépris, et qu'ils appelaient
des poltrons. Comme les plus querelleurs trouvaient
grand plaisir à me faire des récits très circonstan-
ciés de leurs exploits, je fus curieux de voir si
dans la tête de ces *braves* il se trouvait quelque
chose qui la distinguât de celle des poltrons.

« Je rangeai d'un côté tous les querelleurs, et
de l'autre tous les pacifiques, et j'examinai soi-
gneusement les têtes des uns et des autres. Je trouvai que tous les querelleurs avaient la tête, immédiatement derrière et au niveau des oreilles, beaucoup plus large que les poltrons. Je fis venir à une
autre séance, seulement ceux qui étaient les plus
distingués par leur *bravoure*, et ceux qui l'étaient
le plus par leur poltronnerie; je renouvelai mes
recherches, et je trouvai mes premières observations confirmées.

« Je ne pus point être dérouté par les fausses
idées que se font les philosophes sur l'origine de
nos qualités et de nos facultés. Chez les individus
auxquels j'avais à faire, il ne pouvait pas être question d'éducation; et la manière dont leur caractère se prononçait ne pouvait nullement être confon-

duc avec l'influence des circonstances extérieures. Des hommes semblables sont les enfans de la nature; dans cette classe, chaque individu s'abandonne sans réserve à ses penchans, toutes ses actions portent l'empreinte de son organisation.

«Je commençai donc à présumer que le penchant aux rixes pouvait bien être le résultat d'un organe particulier. Je tâchai de découvrir d'un côté des hommes reconnus pour très braves, et de l'autre, des hommes reconnus pour très poltrons. Dans le *combat d'animaux*, alors encore existant à Vienne, se trouvait un *premier garçon* extrêmement intrépide, qui se présentait souvent dans l'arène pour soutenir tout seul le combat contre le sanglier ou le taureau le plus furieux, ou contre un animal féroce quelconque. Je trouvai chez lui la région de la tête que je viens d'indiquer, très large et très bombée. Je moulai sa tête ainsi que celles de quelques autres *braves*, pour ne pas être en danger d'oublier ce que leur conformation avait de particulier. »

Historique de la découverte de l'orgueil.

« Un mendiant fixa mon attention par ses manières distinguées. A cette époque, je réfléchissais aux causes qui, indépendamment d'une conformation absolument vicieuse ou des coups de la fortune, peuvent réduire un homme à la mendicité. Je croyais avoir trouvé une des causes principales dans l'imprévoyance et la légèreté. La forme de la tête de ce mendiant me confirma dans mon opinion ; car il était jeune et de bonne mine, et la région de sa tête dont le développement considérable indique la Circonspection, était très étroite. Je moulai sa tête, et en l'examinant avec attention, je remarquai dans la partie supérieure-postérieure de la ligne médiane, c'est-à-dire au-dessous et derrière le sommet de la tête, une proéminence allongée de haut en bas qui ne pouvait provenir que du développement des parties cérébrales placées sous cette région du crâne. Jusque-là, je n'avais jamais remarqué cette proéminence dans d'autres têtes ; et par cette raison je fus très impatient d'en connaître la signification. Après mille questions que j'adressai au mendiant pour tâcher de découvrir les traits saillans de son caractère, je le priai de me raconter son histoire. Sa tête, du reste, était petite et n'annonçait ni penchans bien prononcés, ni facultés bien distinguées.

« Il me dit qu'il était fils d'un riche négociant dont il avait hérité une fortune considérable, mais qu'il avait toujours été fier au point de ne pas pouvoir se résoudre à travailler, ni pour conserver sa fortune, ni pour en acquérir une nouvelle, et que ce malheureux orgueil était l'unique cause de sa misère. Ceci me fit souvenir des personnes qui ne se coupent jamais les ongles, afin de réveiller l'idée qu'elles n'ont aucun besoin de travailler. Je lui fis cependant plusieurs observations, et je lui témoignai que je doutais de sa véracité ; mais il revenait toujours à sa fierté, et m'assura que même maintenant il ne pourrait se résoudre à aucune espèce de travail. Quoique j'eusse peine à concevoir comment par orgueil un homme peut aimer mieux mendier que de travailler, sa persévérance à revenir toujours à la même cause m'engagea à réfléchir sérieusement sur l'orgueil et la fierté.

« Je me rappelai vivement le geste grave et hautain avec lequel l'un de mes cousins tirait son mouchoir, le ployait et le remettait dans sa poche ; il avait l'âge de sept ans, et quoique j'en *avais* tout au plus six, j'étais choqué par ses airs de fatuité et d'orgueil. Ce garçon dédaignait aussi toutes les occupations auxquelles on avait coutume de se livrer dans ma famille, et ne voulait rien apprendre de ce qui s'y rapportait : il voulait être militaire. A Vienne, un prince se faisait remarquer par son orgueil ridicule, par sa démarche guindée, par son habitude de citer à tout propos ses aïeux avec emphase. Heureusement, il était chauve dans la même région de la tête où j'avais remarqué la proéminence dans celle du mendiant, et je pus m'assurer qu'il avait la même conformation »

Historique de la découverte de la vanité.

« Pendant que je m'occupais à vérifier dans les hospices pour les aliénés ma découverte sur l'organe de l'orgueil, je rencontrai une aliénée qui s'imaginait être reine de France. Je m'attendais à lui trouver l'organe de la fierté ; mais au lieu de la proéminence ovale allongée à la partie moyenne supérieure-postérieure de la tête, j'y trouvai un enfoncement très sensible, et de chaque côté une proéminence ronde et assez grosse. Cette circonstance m'embarrassa d'abord.

« Cependant je m'aperçus bientôt que le genre d'aliénation de cette femme différait absolument de celle des hommes fous par orgueil. Ceux-ci sont sérieux, calmes, impérieux, élevés, arrogans, affectent une majesté mâle. Même dans la fureur la plus prononcée, tous leurs mouvemens, toutes leurs expressions portent l'empreinte du sentiment de la puissance et de la domination qu'ils pensent exercer sur les autres. Chez les aliénés par vanité, tout porte un caractère différent, qui se manifeste par une frivolité inquiète, un babil intarissable, les prévenances les plus affectueuses, l'empressement d'annoncer une haute naissance et d'inépuisables richesses, des promesses de faveur et d'honneur, en un mot un mélange d'affectation et de ridicule.

« Dès ce moment j'ai rectifié mes idées, relativement à l'orgueil et à la vanité. »

Appuyé sur cette foi dans son idée fixe, Gall prêcha publiquement sa nouvelle physiologie du cerveau. Il transporta ses enseignemens de ville en ville, et l'Allemagne retentit bientôt de son nom. Ce fut à l'occasion d'une lettre de son père qu'il commença ses voyages : « Le premier jour de l'an 1805, mon père, qui demeurait à Tiefenbrunn, dans le grand-duché de Bade, m'écrivit ces mots : « Il est tard, et la nuit pourrait n'être pas loin : te verrai-je encore ? » Il n'y avait qu'une pareille invitation, jointe au desir ardent que je nourrissais dans mon cœur depuis long-temps de revoir des parens chéris, après une absence de vingt-cinq ans, qui pouvait seule me décider à abandonner pour quelques mois mes amis et mes malades. Je voulus profiter de cette circonstance pour faire connaître aux savans du nord de l'Allemagne mes découvertes. Pour que mes entretiens avec eux ne se bornassent pas à des propositions et à des discussions sans appui, je pris avec moi une partie de ma collection. J'étais toujours convaincu que, sans ces preuves visibles et palpables, il serait à jamais impossible de militer victorieusement contre tant de préventions, de préjugés et d'opinions contraires, que je devais nécessairement rencontrer. »

» Je reçus partout l'accueil le plus flatteur ; les souverains, les ministres, les savans, les administrateurs, les artistes, secondèrent dans toutes les occasions mon dessein, en augmentant ma collection, et en me fournissant de nouvelles observations. Les circonstances étaient trop favorables pour qu'il me fût possible de résister aux invitations qui me venaient de la plupart des universités. Par là, mon voyage s'est prolongé bien au-delà du terme que j'avais d'abord fixé ; mais aussi il en est résulté tant de discussions privées et publiques sur ma doctrine, qu'elle est parvenue à un degré de maturité que peu de fondateurs de doctrines nouvelles ont pu atteindre de leur vivant.

«Ce voyage m'a donné la facilité d'étudier l'organisation d'un grand nombre d'hommes à talens éminens et d'hommes extrêmement bornés, pour mieux saisir, par ce rapprochement, la différence de l'une à l'autre. J'ai recueilli des faits innombrables dans les écoles et dans les grands établissemens d'éducation, dans les maisons d'orphelins et d'enfans trouvés, dans les hospices des fous, dans les maisons de correction et dans les prisons, dans les interrogatoires judiciaires, et même sur les places d'exécution ; les recherches multipliées sur les suicides, sur les imbéciles et sur les aliénés, ont puissamment contribué à rectifier et à fixer mes opinions. J'ai mis à contribution beaucoup de cabinets anatomiques et physiologiques ; j'ai soumis les statues et les bustes antiques à mes expériences, et je les ai confrontés aux récits de l'histoire.»

La France, ce foyer de la civilisation européenne sous l'empire, comme elle l'est encore aujour-

d'hui. ne pouvait manquer d'attirer l'ardent nova-
teur de l'Allemagne. Gall vint à Paris, où il fut
d'abord reçu avec un grand enthousiasme, mais
bientôt la jalousie des vieux naturalistes lui suscita
une foule d'obstacles. Napoléon qui n'aimait pas les
rêveurs allemands, comme il l'a prouvé aussi à l'é-
gard de madame de Staël, n'appuya pas beaucoup
le système révolutionnaire du docteur Gall. L'empereur n'était pas très poète dans le sens d'*idéaliste*,
quoique les phrénologistes modernes se soient dis-
puté mal-à-propos pour constater sur sa tête l'organe de l'Idéalité. Dans sa magnifique vie d'action,
il n'a eu que deux éclairs d'idéalité, sa campagne
d'Égypte et son amour avec Joséphine. Le docteur
Antommarchi rapporte dans ses mémoires la conversation suivante qu'il eut à Sainte-Hélène avec
Napoléon :

« Milady Holland avait fait un envoi de livres
dans lesquels se trouvait une cassette renfermant
un buste en plâtre, dont la tête était couverte de
divisions, de chiffres qui se rapportaient au système crâniologique de Gall : « Voilà, docteur, qui
»est de votre domaine; prenez, étudiez cela, vous
»m'en rendrez compte. Je serais bien aise de sa-
»voir ce que dirait Gall s'il me tâtait la tête. » Je
me mis à l'œuvre; mais les divisions étaient inexac-
tes, les chiffres mal placés; je ne les avais pas ré-
tablis que Napoléon me fit appeler. J'allai, je le
trouvai, au milieu d'un amas de volumes épars, qui

lisait Polybe. Il ne me dit rien d'abord, continua
de parcourir l'ouvrage qu'il avait dans les mains,
le jeta, vint à moi, me regarda fixement, et me
prenant par les oreilles : « Eh bien! dottoraccio di
» capo Corso, vous avez vu la cassette? — Oui,
» Sire. — Médité le système de Gall? — A peu près.
» — Saisi? — Je le crois. — Vous êtes à même d'en
» rendre compte? — Votre majesté en jugera. —
» De connaître mes goûts, d'apprécier mes facultés
» en palpant ma tête? — Et même sans la toucher.
» (Il se mit à rire.) — Vous êtes au courant. —
» Oui, Sire. — Eh bien! nous en causerons plus
» tard quand nous n'aurons rien de mieux à faire.
» C'est un pis-aller qui en vaut bien un autre; on
» s'amuse quelquefois à considérer jusqu'où peut
» aller la sottise. » Il se promena, fit un tour et
reprit : « Que pensait Mascagni de ces rêveries
» germaniques? Allons, franchement, comme si vous
» vous entreteniez avec un de vos confrères. — Mas-
» cagni aimait beaucoup la manière dont Gall et
» Spurzheim développent et rendent sensibles les
» diverses parties de la cervelle; il avait lui-même
» adopté cette méthode; il la jugeait éminemment
» propre à faire bien connaître ce viscère intéres-
» sant. Quant à la prétention de juger sur les pro-
» tubérances, des vices, des goûts et des vertus des
» hommes, il la regardait comme une fable ingé-
» nieuse, qui pouvait séduire les gens du monde,
» et ne soutenait pas l'examen de l'anatomiste. —

«Voilà un homme sage ; un homme qui sait appré-
»cier le mérite d'une conception, l'isoler du faux
»dont la surcharge le charlatanisme : je regrette de
»ne l'avoir pas connu. Corvisart était grand parti-
»san de Gall ; il le vantait, le protégeait, fit l'impos-
»sible pour le pousser jusqu'à moi ; mais il n'y
»avait pas sympathie entre nous. Lavater, Caglios-
»tro, Mesmer, n'ont jamais été mon fait ; j'éprou-
»vais je ne sais quelle espèce d'aversion pour eux ;
»je n'avais garde d'admettre celui qui les conti-
»nuait parmi nous. Tous ces messieurs sont adroits,
»parlent bien, exploitent ce besoin du merveilleux
»qu'éprouve le commun des hommes, et donnent
»l'apparence du vrai aux théories les plus fausses.
»La nature ne se trahit pas par ses formes extérieu-
»res. Elle cache, elle ne livre pas ses secrets. Vou-
»loir saisir, pénétrer les hommes par des indices
»aussi légers, est d'une dupe ou d'un imposteur,
»ce qu'est au reste toute cette tourbe à inspirations
»merveilleuses, qui pullule au sein des grandes
»capitales. Le seul moyen de connaître ses sem-
»blables est de les voir, de les hanter, de les sou-
»mettre à des épreuves. Il faut les étudier long-
»temps si on ne veut pas se méprendre. Il faut les
»juger par leurs actions ; encore cette règle n'est-
»elle pas infaillible, et a-t-elle besoin de se res-
»treindre au moment où ils agissent, car nous n'o-
»béissons presque jamais à notre caractère, nous
»cédons au transport, nous sommes emportés par

» la passion; voilà ce que c'est, les vices et les ver-
» tus, la perversité et l'héroïsme. Telle est mon opi-
» nion, tel a été long-temps mon guide. Ce n'est
» pas que je prétende exclure l'influence du naturel
» et de l'éducation; je pense au contraire qu'elle
» est immense; mais hors de là tout est système,
» tout est sottise. »

Paroles étranges dans la bouche de Napoléon, qui
possédait un sens si miraculeux des hommes, et
qui les jugeait au premier coup d'œil.

On trouve aussi dans le *Mémorial de Sainte-Hé-*
lène par le comte de Las-Cases, le passage suivant:

« J'ai beaucoup contribué à perdre Gall. Corvi-
» sart était son grand sectateur: lui et ses sembla-
» bles ont un grand penchant pour le matérialisme;
» il accroîtrait leur science et leur domaine. Mais
» la nature n'est pas si pauvre. Si elle était si gros-
» sière que de s'annoncer par des formes extérieu-
» res, nous irions plus vite en besogne et nous se-
» rions plus savans. Ses secrets sont plus fins et plus
» délicats, plus fugitifs. Jusqu'ici ils échappent à
» tout. Un petit bossu se trouve un grand génie;
» un grand bel homme n'est qu'un sot. Une large
» tête à grosse cervelle n'a parfois pas une idée,
» tandis qu'un petit cerveau se trouvera d'une vaste
» intelligence. Et voyez l'imbécillité de Gall: il at-
» tribue à certaines bosses des penchans et des cri-
» mes qui ne sont pas dans la nature, qui ne vien-
» nent que de la société et de la convention des

« hommes : que deviendrait la bosse du vol s'il n'y avait pas de propriétés ? la bosse de l'ivrognerie s'il n'existait pas de liqueurs fermentées ? celle de l'ambition s'il n'existait pas de société ? »

Toutefois la doctrine de Gall jetait de profondes racines en France. Pendant que le public s'emparait de la partie qui explique l'homme à l'extérieur, sous le nom de cranioscopie, les savans ne pouvaient se refuser à admettre la nouvelle anatomie du cerveau. De là à la physiologie, il n'y avait qu'un pas, qui a été franchi en ces derniers temps. Et il arriva ainsi que la vulgarisation de la science se fit à l'inverse de l'invention, car Gall déclare qu'il parvint à acquérir une idée plus juste sur le cerveau en s'attachant d'abord aux phénomènes physiologiques. « Il m'a fallu, dit-il, recueillir un grand nombre de faits physiologiques et pathologiques, avant de parvenir à quelqu'induction raisonnable sur les lois de l'organisation cérébrale ; je dois presque toutes mes découvertes anatomiques à mes conceptions physiologiques et pathologiques ; et ce n'est que d'après celles-ci, que j'ai pu me convaincre de la concordance parfaite des phénomènes moraux et intellectuels avec les conditions matérielles de leur manifestation. »

Gall poursuivit ses études jusqu'à sa mort, avec une foi et une ténacité inaltérables, et son caractère en ce point est aussi admirable que son esprit. Il

donne lui-même la mesure de son assurance, dans
le passage suivant:

«Je suis l'homme le plus modeste, le plus humble, quand je me vois vis-à-vis de l'immensité des
choses que je suis condamné à ignorer, et qui
pourtant se rattachent immédiatement à mon état
de médecin observateur et praticien. Mais lorsqu'il
s'agit de la découverte de la structure et des fonctions du cerveau, je me crois, avec une impertur-
bable suffisance, au-dessus de tous mes devanciers,
et au-dessus de tous mes contemporains. Oui, je
suis le premier qui ait établi des principes physiologiques, d'après lesquels la structure du cerveau
et ses fonctions doivent être étudiées; je suis le
premier qui ait franchi la barrière que la superstition et la philosophie opposaient, depuis des milliers d'années, au progrès de la physiologie du système nerveux; qui ait conçu l'idée de distinguer
les attributs généraux d'avec les véritables qualités
et facultés fondamentales; le premier qui ait déterminé les instincts, les penchans, les sentimens
et les talens qui sont affectés à certaines parties cérébrales; je suis le premier qui ait eu le courage,
la patience, la persévérance d'examiner et de fixer
les rapports qui existent entre l'énergie des qualités
morales, des facultés intellectuelles et des divers
développemens des parties du cerveau; je suis le
premier qui ait étendu ces mêmes recherches sur
tout le règne animal; qui ait étudié des milliers

d'animaux, sous le rapport de leurs instincts, de leurs penchans, de leurs facultés, les plus saillans, et de la configuration de leur cerveau, soit d'individu à individu, soit d'espèce à espèce; je suis le seul qui ait trouvé et indiqué les seuls moyens capables de faire découvrir le siège de chaque instinct, de chaque penchant, de chaque sentiment et de chaque talent intellectuel: je suis le seul qui ait découvert ces siéges, et qui les démontre par de nombreux faits physiologiques irréfragables, et par une infinité de recherches d'anatomie et de physiologie comparées de toutes les espèces d'animaux.

» Toutes ces conceptions et toutes ces vérités fondamentales étaient déjà, avant notre voyage entrepris l'an 1805, répandues par mes nombreux auditeurs, dans toutes les parties du monde savant; et si plus tard l'anatomie et la physiologie du cerveau ont été perfectionnées, c'est encore ou à nos propres travaux, à ceux de M. Spurzheim et aux miens, ou à la seule véritable direction que nous avons imprimée aux travaux d'autres anatomistes, qu'on doit ce degré de perfectionnement. Où est l'auteur qui, sur quelque partie essentielle de ma doctrine, ait jamais manifesté autre chose que des soupçons vagues, conçus avec autant de légèreté que dissipés avec rapidité! Tous se sont arrêtés à des généralités plus ou moins plausibles en apparence; et tous se sont rétractés dès qu'il s'agissait de fixer un principe, une proposition immuable.

Vous me citez, et moi je cite moi-même les Mayer,
les Haller, les Van Swieten, les Hunder, les Vicq-
d'Azyr, les Cabanis, les Prochaska, Sœmmerring,
etc.; eh bien, tous ont désespéré de la possibilité
de découvrir un organe quelconque; tous se sont
traînés sur la route de la philosophie stérile de Platon, de Leibnitz, de Wolf, de Descartes, de Locke,
de Condillac, etc; aucun n'a eu le plus léger pres-
sentiment de la nullité de toutes ces doctrines; aucun n'a songé à analyser l'économie morale et intellectuelle de l'homme et des animaux; à déterminer les instincts, les penchans, les sentimens,
les facultés! Vous me citez le plus célèbre de vos
naturalistes, et je le cite aussi, M. le baron Cuvier;
mais lisez ses ouvrages d'un bout à l'autre, lisez
son rapport sur notre mémoire présenté, en 1808,
à l'Institut; lisez le Dictionnaire des Sciences naturelles; lisez ce que, dans son *règne animal*, il dit
sur l'impossibilité de reconnaître les instincts par
la forme de leur cerveau: quelle vacillation, quelle
tergiversation, quelle incertitude, quels démentis
de ses propres opinions d'une page à l'autre! Et ce
naturaliste si distingué a-t-il réussi à faire une
seule application vraie de toutes ses connaissances
d'anatomie comparée à la physiologie du système
nerveux en général, et surtout du cerveau en particulier?

»Qu'on lise avec bonne foi l'histoire de la philosophie, des progrès de l'anatomie et de la physiolo-

gie comparées du système nerveux; qu'on lise ce qu'encore aujourd'hui on objecte à la pluralité des organes; combien on hésite encore à admettre les qualités et les facultés fondamentales et les siéges de leurs organes, sans quoi la physiologie du cerveau se réduit à une pure chimère. Et qu'on avance encore qu'avant moi des médecins, des philosophes, des physiologistes, des naturalistes aient conçu et enseigné une idée claire et exacte sur les fonctions du cerveau et de ses parties constituantes!

» Oui, encore une fois, je suis le premier et le seul à qui la physiologie du cerveau doit son existence. Je l'ai trouvée sans l'aide de qui que ce soit; l'historique de chacune de mes découvertes vous le prouve. Il en est de la physiologie du cerveau comme de sa structure. Pour débrouiller ce qui par hasard aurait pu se trouver dispersé dans les auteurs, il aurait fallu infiniment plus de perspicacité qu'il n'en fallait pour deviner, par le moyen de l'observation, les mystères de la nature. J'ai commencé, continué et presque achevé toutes mes découvertes, sans aucune érudition préalable; et si plus tard, j'ai compilé des citations, c'était plutôt pour signaler mon point de départ que pour fortifier mes idées par celles de mes devanciers et de mes contemporains. »

M. Hufeland qui a connu personnellement le

docteur Gall en a fait un portrait auquel nous croyons une grande justesse :

« Il faut le voir et l'entendre, pour apprendre à connaître l'homme tout-à-fait exempt de préjugés, de charlatanisme, de fausseté et de rêverie métaphysique. Doué d'un esprit d'observation rare, de beaucoup de pénétration et d'un raisonnement juste, identifié pour ainsi dire avec la nature, devenu son confident par un commerce constant avec elle, il a rassemblé, dans le règne des êtres organisés, une multitude d'indices, de phénomènes, qu'on n'avait point remarqués jusqu'à présent, ou que l'on n'avait observés que superficiellement. Il les a rapprochés d'une manière ingénieuse, a trouvé les rapports qui établissaient entr'eux de l'analogie ; a appris ce qu'ils signifiaient, a tiré des conséquences et a établi des vérités d'autant plus précieuses qu'étant uniquement basées sur l'expérience, elles émanent de la nature elle-même. C'est à ce travail qu'est due sa manière d'envisager la nature, les rapports et les fonctions du système nerveux. Lui-même n'attribue ses découvertes qu'à ce qu'il s'est abandonné ingénûment et sans réserve à la nature, la suivant toujours dans toutes ses gradations, depuis les résultats les plus simples de sa vertu formatrice jusqu'aux plus parfaits.»

Nous renvoyons pour exposer succinctement la doctrine de Gall au mot PHRÉNOLOGIE où nous serons à même d'ajouter les développemens qu'elle a pris jusqu'à ce jour.

Si maintenant nous voulons apprécier, non pas la valeur des travaux de Gall, qui est évidente pour tous, mais la nature de son génie, nous allons en trouver bientôt la circonscription. Après avoir admiré cette subtilité d'observation et cette puissance de logique, nous serons forcés de reconnaître combien l'habitude des sciences positives l'avait rendu étranger aux choses de poésie et de sentimens; combien sa *raison* l'avait rendu hostile à la théologie et à la métaphysique. Contraint, par son système même, de réagir contre les spéculations abstraites de la philosophie antérieure, il enveloppa dans son animosité toutes les théories qui ne reposent pas directement sur l'analyse et sur les faits. Il nia en quelque sorte l'intuition, la révélation, l'idéalité humaine, lui qui venait révéler aux hommes la loi des phénomènes de la pensée! Disons-le, il fut injuste, ou mieux, inintelligent, en ce qui touche les religions et les philosophies. Pourtant, la religion ou la philosophie (c'est une même chose), est la grande synthèse à laquelle toutes les sciences viennent aboutir, celle de Gall aussi bien que les autres. Le docteur Gall aurait été bien surpris si on lui eût dit que sa doctrine devait être tout simplement une des branches fragmentaires de la philosophie nouvelle, qui est destinée à transformer l'ancienne philosophie chrétienne !

Pour justifier cette imputation d'étroitesse que
nous nous permettons envers Gall, nous devons
citer encore quelques fragmens de son grand ouvrage, où il saisit toutes les occasions d'attaquer
les penseurs qui ne se fondent pas sur l'observation extérieure de la nature. Après avoir parlé du
développement isolé des diverses parties cérébrales antérieures supérieures, il ajoute : « Ces développemens partiels n'embrassent pas encore toute
l'étendue de l'intelligence humaine. Les vues, quoique profondes, sont également encore partielles ; toujours encore certains rapports des choses
échappent à ces génies intellectuels incomplets. Ce
sont les Pythagore, les Héraclite, les Anaxagore,
les Pyrrhon, les Démocrite, les Porta, les Spinosa, les Locke, les Mallebranche, les Berkeley,
les Helvétius, etc ; et, en général, les *auteurs des
égaremens les plus célèbres de l'esprit humain.* Mais
la nature n'a pas voulu que notre espèce fut toujours, et tout entière, livrée à l'*erreur,* etc. »

Et ailleurs : « Pour ce qui est de Kant, j'en ai
toujours entendu parler, en Allemagne, avec enthousiasme. Mais, par une fatalité singulière, je
n'ai jamais eu un esprit assez transcendant pour
rien comprendre à sa philosophie. Les livres,
soit de jurisprudence, soit de médecine, soit de
métaphysique, écrit dans l'esprit de Kant, de
Fichté, de Schelling, etc, m'ont toujours révolté
par leur style guindé, inintelligible, corrompu,

etc. Jamais l'intelligence la plus sublime ne pourra découvrir dans un cabinet ce qui ne se trouve que dans le vaste champ de la nature. »

Il faut convenir que la proscription du naturaliste s'adresse à une belle collection de génies, Pythagore, Spinosa, Mallebranche et Kant. Mais Gall, malgré cet aveuglement exclusif sur les plus hauts représentans de l'esprit humain, n'en a pas moins été lui-même une des lumières éclatantes de notre époque.

GALLIEN.

Suivant Gallien, le corps est l'organe de l'âme. Quatre qualités de l'âme partent de quatre parties du corps, la colère du cœur, l'intelligence du cerveau, la joie du foie, la luxure des parties génitales. Du reste, il a presque copié Aristote comme philosophie.

GÉANT. — Voyez TAILLE — MONSTRE.

GENCIVES. — Voyez BOUCHE.

GÉNIE.

Il y a bien des sortes de génie: il y a les génies spéciaux et ceux qui embrassent tout. Il y a autant de génies spéciaux qu'il y a de facultés spéciales fondamentales. Raphaël, Mozart, Watt sont des hommes de génie, à titre différent. Il y a des génies complexes; il y a quelques génies universels. On ne saurait donc demander à la phrénologie: Qu'est-ce qui constitue le génie? car le mot génie est un terme générique qui s'applique à diverses choses et à des degrés divers.

GENOUX. — Voyez JAMBE.

GESTE. — Voyez MIMIQUE.

GLOBE.

L'homme est, en quelque sorte, le résumé et la synthèse du globe. Dieu l'a mis sur cette planète, afin qu'il présidât à la vie de tous les êtres qui l'habitent. L'homme est le représentant de Dieu sur la terre. Aussi, porte-t-il en soi tous les élémens épars dans les autres manifestations du créateur. Il semble que les divers modes de la vie attribués partiellement à la minéralité, à la végétalité, à l'animalité, viennent s'harmoniser dans l'homme. L'homme se trouve, au moyen de son cerveau, en contact direct avec toutes les qualités de la matière, espace, temps, forme, couleur, son, etc., comme il est en rapport avec les phénomènes surnaturels, par la Religiosité, l'Idéalité, la Merveillosité, etc., comme il est en rapport avec sa propre race par l'Amativité, la Philogéniture, la Bienveillance, etc. L'homme est donc destiné à modifier sans cesse par son action le globe et tout ce qui est attaché au globe. C'est son devoir et son penchant.

Le globe et l'homme sont tellement liés l'un à l'autre, qu'on pourrait deviner le globe par l'homme et expliquer l'homme par le globe.

GOURMANDISE. — Voyez ALIMENTIVITÉ.

GROUPES DE FACULTÉS.

Ce qu'il y a de plus admirable dans la phrénologie, ce qui en est la plus irrécusable preuve, suivant nous, c'est l'arrangement et l'ordre successif des organes. Il se trouve qu'ils sont disposés d'après la hiérarchie la plus philosophique et la plus providentielle. Ainsi, sans nous arrêter à ces divisions assez arbitraires de facultés propres à l'homme et de facultés propres à l'homme et aux animaux, ou bien d'instinct, d'intelligence et de sentiment, on voit d'abord, en suivant l'échelle de la vie, les facultés directement nécessaires à la conservation de l'individu, et à la conservation de l'espèce, puis les facultés perceptives ou de communication avec le monde extérieur, puis les facultés réflectives, et enfin les facultés morales. Or, plus les qualités sont indispensables, plus leurs organes sont rapprochés de la base du cerveau ou de la ligne médiane. Tels sont l'Alimentivité, l'Amour

de la vie, la Destructivité, la Combativité, l'Amativité, la Philogéniture, qui tendent à conserver l'individu et à perpétuer l'espèce; puis viennent les
facultés perceptives, en bas et en avant; puis les
réflectives à la partie antérieure, et les morales au
sommet. Chaque organe est placé en compagnie
de ses analogues : ainsi, l'Amour sexuel et l'Amour
des enfans, l'Idéalité et la Merveillosité, l'Ambition et la Persévérance, la Comparaison et la Causalité, le sens de l'Ordre et le sens des Nombres,
le sens des Sons et de la Mesure, le sens des Formes et le sens des Lieux, etc. Ces merveilleux groupes sont la confirmation éclatante de la phrénologie; mais, pour tout avouer, il y a encore certains
organes qui ne nous semblent pas classés bien méthodiquement : pourquoi la Mimique est-elle située
entre la Bienveillance et l'Idéalité? Quels sont les
rapports de la charité et de l'imitation? la Mimique
ou le langage par geste, propre d'ailleurs à plusieurs
animaux, doit-elle être logiquement placée au milieu
des sentimens moraux et des facultés les plus élevées?

H.

HABITATIVITÉ.

NOSTALGIE.—AMOUR DES VOYAGES. (*n. 3, Spurz*).

Gall reconnaissait la nécessité d'un instinct inné pour diriger les animaux dans le choix des lieux qu'ils habitent : « Il n'y a nul doute, dit-il, qu'il existe une harmonie entre l'organisation des animaux et le monde extérieur; sans cela, la nature et les animaux seraient dans une contradiction éternelle. Si les marais étaient désignés comme demeure au chamois, tandis que la nourriture qui lui convient croît au haut des montagnes, son espèce aurait bientôt disparu de la surface du globe, c'est pour cela que chaque animal est, et devait nécessairement être organisé de manière à établir sa demeure dans des lieux ou il trouvait sa pature. Voilà une institution bienfaisante de la nature ; etc. » Mais Gall confondait l'organe cérébral de cette faculté avec l'amour des hauteurs, de l'Élévation, et, par une audacieuse métaphore, avec l'orgueil chez l'homme. L'organe de l'Habitativité admis par les phrénologistes actuels, est en effet voisin de l'organe de l'Estime de soi, et ce rapprochement peut bien expliquer la méprise de Gall. En outre, cet organe est situé tout près de la Philogéniture et de l'Affectionnivité. On conçoit la liai-

qui unit l'amour de la famille et l'amour des lieux qu'on habite. Cette observation, et de plus l'expérience établissent pleinement, à mon sens, l'existence de l'Habitativité.

La circonvolution, qui préside à l'Habitativité, siége dans le lobe postérieur, à la partie postérieure du cerveau, le long de la ligne médiane, au-dessous de l'Approbativité.

(Voyez le n. 3 ci-dessous.)

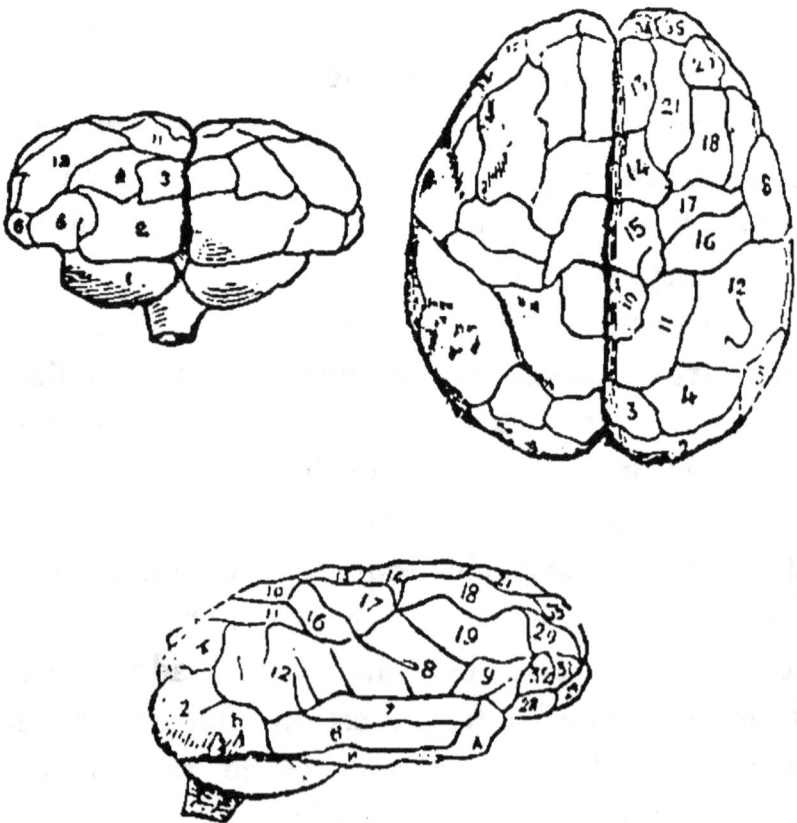

Elle se traduit sur le crâne à l'angle postérieur

supérieur de l'os pariétal , et par conséquent au-
dessus de la suture de l'occipital.

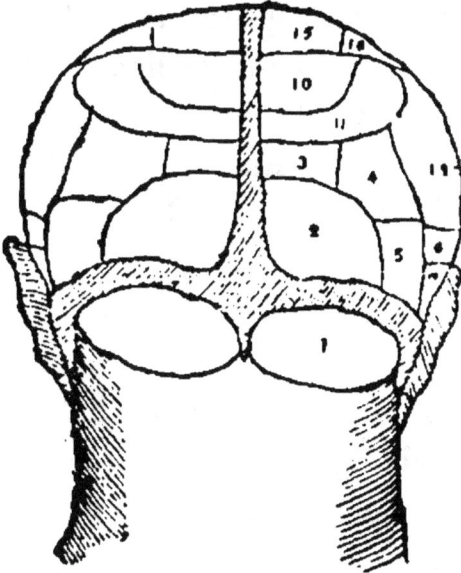

B

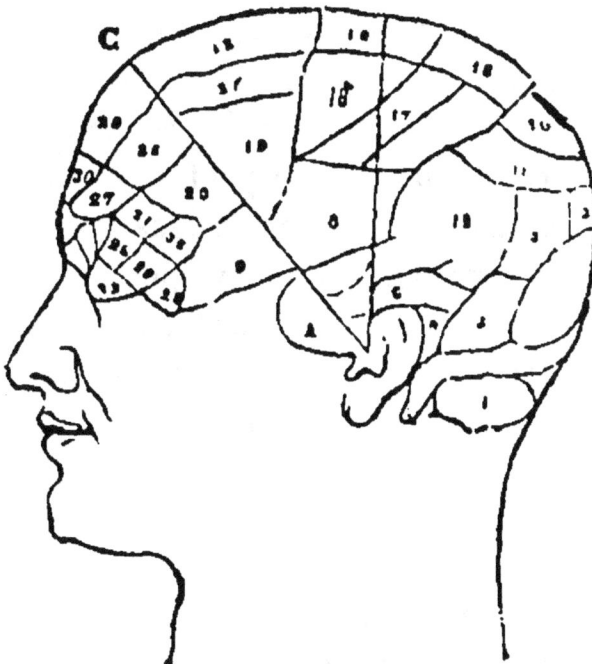

C

L'Habitativité très developpée alonge la tête a
la partie postérieure, ce qui arrive fort souvent
chez les femmes. Elle dispose à la nostalgie, quand
on quitte le pays natal, ou les lieux qu'on chérit.
L'absence de cette faculté donne l'amour des voyages, surtout lorsque l'instinct des localités est très
proéminent. (Voyez LOCALITÉ.)

HABITUDES.

Les habitudes impriment un cachet sur la physionomie générale de la tête et du corps. Il faut
dire aussi qu'elles sont contractées en vertu de dispositions natives qui poussent à répéter souvent les
mêmes actes et qui sont déjà écrites sur l'organisation primitive. Les habitudes peuvent donner de
précieux indices sur le caractère des individus, puisqu'elles ont été déterminées par leurs qualités intérieures. J'ai connu un certain professeur qui avait
l'habitude, lorsqu'il se promenait dans les rues, de
tâter, à tout moment et sans s'en apercevoir, son
gousset de montre et ses poches, pour s'assurer
qu'on ne l'avait pas volé. Cet homme-là ne man-
quait assurément pas de Circonspection.

HANCHES.

La conformation des hanches est différente chez
les deux sexes. La femme, destinée à porter la

progéniture dans ses flancs, à le bassin plus large,
et par conséquent les hanches plus développées.
Les hommes qui ont la hanche forte se rapprochent du caractère des femmes.

HARMONIE DES FACULTÉS.

On demande souvent : « Mais quel est donc le degré convenable de développement et d'activité
des organes, quelle est l'organisation pour ainsi
dire normale et typique ? » D'abord, on peut et on
doit répondre que toutes les natures différentes
départies aux individus, sont bonnes en elles-mêmes, parce qu'elles conviennent à leur destination
relative et qu'elles accomplissent leur mission spéciale ; que les individus, par rapport à l'humanité,
sont des notes de valeurs diverses, qui concourent
toutes au grand concert de la vie. Mais, en outre,
les individualités, considérées par rapport à elles-
mêmes, sont plus ou moins harmoniennes. Cette
harmonie relative dépend de l'équilibre de toutes
les facultés. Le masque de Napoléon en offre un
exemple, tandis que la physionomie de Mirabeau
est comme une mer agitée dont les vagues s'entre-
choquent.

HÉMISPHÈRES.

On appelle ainsi les deux grandes parties du

cerveau. Chaque hémisphère est composé du lobe
antérieur, du lobe moyen et du lobe postérieur.
(Voyez CERVEAU)

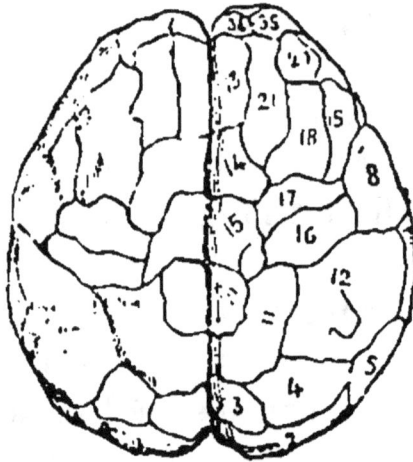

ﬔERDER.

«On voit que de la pierre au cristal, du cristal au
métal, de celui-ci à la plante, de la plante aux animaux, et de ceux-ci à l'homme, les formes de l'organisation vont toujours en s'élevant ; que les
facultés et les penchans des êtres augmentent en
nombre dans la même proportion, et finissent par
se trouver réunis dans l'organisation de l'homme.»
Frappé des phénomènes de l'entendement dans
les divers animaux et les divers individus d'hommes, Herder conçut l'idée de la pluralité des organes
intellectuels et même l'espérance de parvenir un
jour à les découvrir par la comparaison attentive

de leurs différens cerveaux avec leurs qualités particulières. Herder est un des philosophes qui ont le mieux compris l'homme, comme unité du *physique* et du *moral*. Sa *plastique* est un excellent livre d'étude pour les artistes.

HIÉRARCHIE.

ÉGALITÉ. — ASSOCIATION. — ARISTOCRATIE. — NOBLESSE. — CAPACITÉ. — POLITIQUE.

« Il n'est nullement vrai que les hommes naissent *égaux*, et qu'ils soient destinés à exercer tous, les uns sur les autres, la même influence réciproque. La nature a assigné à chacun d'eux un poste différent, en leur donnant une organisation, des inclinations et des facultés différentes. Celui qui est né dans la servitude s'élève au rang de maître, s'il est doué de talens, de valeur et d'esprit de domination; et celui qui est né revêtu d'autorité, s'il ne sait conserver les dons qu'il tient d'un hasard, de la fortune, descend de sa grandeur artificielle. » *Gall*.

« Dans la grande maison de Dieu, il y a différentes sortes de vases, qui tous annoncent la gloire du maître; les uns sont d'or, les autres d'argent, plusieurs sont de bois; chacun a son usage, son utilité; ils sont tous également dignes du Dieu qui les a créés; ils sont tous des instrumens en sa main;

des pensées, des révélations du très haut, des empreintes de sa force et de sa sagesse. Mais la nature
des vases ne change point, ils restent ce qu'ils sont.
Le vase d'or peut se ternir s'il n'est point employé,
mais il sera toujours d'un métal précieux. Le vase
de bois peut devenir plus utile que le vase d'or et
n'en sera pas moins un vase de bois. » *Lavater.*

L'étude de l'homme nous montre une immense
disproportion entre les facultés médiocres et les facultés éminentes. Il y a une hiérarchie naturelle
d'organisation, qui deviendra sans doute dans l'a-
venir la base de la Hiérarchie sociale. Il nous semble que cette vérité est destinée à trancher toutes
les questions d'aristocratie, de noblesse, d'égalité,
et d'association. L'aristocratie future sera la som-
mité morale et intelligente de l'humanité. Elle sera
par conséquent mobile comme les individus. Le
problême de l'association est aussi résolu par ce
point de vue sur la hiérarchie : tous seront associés pour accomplir l'œuvre à laquelle leur vocation les appelle ; et tous seront égaux socialement,
en ce sens qu'ils auront droit au développement
libre, normal et complet de leur nature. (Voyez
POLITIQUE.) La capacité morale, intellectuelle et
physique, sera donc la mesure de tous les citoyens
et le criterium de leur classement.

HOMME.

HUMANITÉ. — ADAM.

La science de l'homme se divise nécessairement en deux branches. L'étude de l'individu considéré en lui-même et dans sa relation avec l'univers ; et l'étude de l'homme, comme espèce, considéré dans la succession de sa vie collective, dans les phases de son développement. La première est la science naturelle, qui embrasse toutes les manifestations physiologiques et psycologiques. La seconde est la science historique qui doit expliquer toutes les transfigurations de l'Humanité.

I.

L'ensemble des phénomènes qui s'opèrent dans l'homme depuis le commencement de la conception jusqu'à celui de sa mort, constitue la nature de l'homme.

Jusqu'ici, il y a eu deux sciences de l'homme considéré comme individu, la physiologie et la psycologie, correspondant à la division dualitaire, corps et âme, physique et moral. De là, les naturalistes et les métaphysiciens, les matérialistes et les spiritualistes. Cette manière d'envisager l'homme sous deux faces, n'est qu'une abstraction nécessaire peut-être à notre infirmité intellectuelle, mais incomplète et impuissante. Le fond et la forme sont une même chose, comme la pensée et l'expression. Tout ce qui est, existe à l'état d'unité. La nouvelle philosophie doit donc étudier l'homme au point de vue de l'unité, et c'est en cela que la phrénologie est la véritable science antropologique.

L'homme est le sommaire et le centre de toutes les forces, de toutes les vies du globe. C'est le lien sensible de tous les êtres créés. Chaque grain de sable est une immensité, chaque feuille un monde, chaque insecte un assemblage d'effets incompréhensibles où la réflexion se perd. Et qui pourrait compter les degrés intermédiaires depuis l'insecte jusqu'à l'homme? L'homme peut dans le même instant agir et souffrir infiniment plus qu'aucune autre créature. C'est de tous les êtres le plus flexible et le plus capable de résistance, et il n'en est point qui l'égale dans la multitude et l'harmonie de ses puissances.

Mais pour comprendre cette admirable harmonie, notre faiblesse est obligée de diviser, d'analyser et d'abstraire; c'est ce qui a donné lieu aux différens systêmes physiques ou métaphysiques. On a cherché à classer les manifestations multiples et diverses de l'homme. On a distingué en lui des sentimens, des idées et des actes. Lavater, reconnaissant ces trois aspects, abstraits de l'unité humaine, leur a assigné un siége dans l'organisation corporelle :

« Quoique la vie physiologique, intellectuelle et morale de l'homme, avec toutes les facultés qui leur sont subordonnées et tout ce qui constitue leur essence, se réunissent merveilleusement pour ne former qu'une seule et même vie, quoique ces trois espèces de vies ne soient pas logées, comme trois différentes familles, chacune dans un étage particulier du corps humain, mais coexistent en chaque point et forment un ensemble par leurs concours, il est cependant vrai que chaque espèce de ces forces vitales a un siége particulier dans le corps humain, où elle s'exerce et se manifeste de préférence. La vie animale, la plus basse et la plus terrestre, placée dans le ventre, s'étendrait jusqu'aux organes de la génération, qui seraient son foyer. La vie moyenne ou la morale, résiderait dans la poitrine et aurait le cœur pour centre et pour foyer. La vie intellectuelle, comme la plus relevée trouverait son siége dans la tête et l'œil serait son foyer. Ajoutons que le visage est le représentant ou le sommaire de ces trois divisions : le front jusqu'aux sourcils, miroir de l'intelligence ; le nez et les joues, miroir de la vie morale et sensible ; la bouche et le menton, miroir de la vie animale ; tandis que l'œil serait le centre et le sommaire de tout. Quoiqu'on ne puisse trop répéter que les trois vies se retrouvant dans toutes les parties du corps, y ont aussi partout leur expression. »

La phrénologie a admis dans le cerveau une di-

vision à peu près analogue, seulement la vie morale est la plus élevée, et son appareil domine les
deux autres. (Voyez PHRÉNOLOGIE.) Il nous semble
aussi, en bonne philosophie, et pour continuer ses
abstractions, que le *sentiment* est supérieur à la
raison. Mais, à bien dire, l'homme n'est jamais à
l'état pur de sentiment, d'intelligence ou d'instinct.
Sa vie est en même tems une inspiration, une réflexion, et un acte. Il ne faut pas croire cependant
que ces spéculations, en apparence vaines et sub-
tiles, soient étrangères à l'application et à la réalité. La vie individuelle et la vie sociale tout entières découlent des systèmes admis sur la nature de
l'homme, comme nous allons le voir dans le second paragraphe.

II.

Le mot Progrès, qui est le drapeau de ce tems-ci,
a été, suivant nous, assez mal expliqué. Progrès ne
veut pas dire nécessairement perfectibilité. Nous
sommes, quant à nous, fermement convaincus
de la perfectibilité de tout ce qui est, mais, pour la
vérifier, il faudrait connaître ce que Dieu seul connait, le but de l'univers. Prenons donc le mot
progrès dans le sens de transformation successive
et éternelle.

L'histoire de l'humanité est l'histoire de ses transfigurations. De même que l'homme est une partie

par rapport à l'humanité, de même l'humanité est elle-même une partie par rapport à notre planète, comme notre planète est une partie par rapport à notre tourbillon, notre tourbillon par rapport au monde, le monde par rapport à Dieu. C'est ainsi que tout s'enchaîne, et cette solidarité est le véritable lien religieux. L'histoire de l'humanité est donc intimement liée à l'histoire du globe et au sentiment de Dieu. Aussi les religions seules ont-elles rendu compte de la *Vie* humaine dans toutes ses analogies et ses corrélations.

Quand l'humanité est-elle apparue sur la terre ? quel est ce mythe d'Adam et d'Ève ? la *création* de l'homme étonne la pensée la plus hardie ; mais pourtant le même problème ne se représente-t-il pas à chaque être, à chaque chose que nous voyons surgir : la feuille ou l'enfant qui naît, sont un mystère aussi incompréhensible que la création primitive de l'homme. Un peu plus tôt, un peu plus tard, il faut bien se résigner à admettre un commencement à l'humanité. Autrement, on serait forcé de conclure que l'univers est immuable, invariable, éternel, *dans une même forme*. L'univers est éternel, mais sa forme est incessamment transfigurée. Quel est le but de cette métempsycose du grand Tout ? où tend cette activité merveilleuse ? elle part de Dieu pour arriver à Dieu. On peut bien dire quelle est la destination *temporaire* de l'humanité ; mais quelle est sa destination *finale ?* Une fois là, la science s'arrête. Car ça revient à demander quelle est la vie de Dieu? Qu'est-ce que l'éternel et l'infini? le *comment* est l'objet des sciences, les religions seules donnent une solution *relative* du *pourquoi*.

Il est probable que l'humanité n'est pas depuis très long-temps sur la planète. La géologie et toutes les cosmogonies semblent le prouver. On trouve les traces de plusieurs grandes évolutions du globe qui ont fait passer successivement la *Vie* à un degré supérieur. Le noyau de la terre semble être consacré exclusivement à la minéralité; puis on voit la végétalité apparaitre; puis les degrés inférieurs de l'échelle animale, les colosses fossiles antédiluviens; puis, de degré en degré, des races plus développées, jusqu'à ce qu'enfin on arrive à l'homme. L'humanité fut divisée en deux sexes, comme la minéralité, la végétalité et l'animalité. Tout ce qui existe est soumis à la condition de sexualité. Les acides et les alcalis ne sont-ils pas mâles et femelles? la *forme* implique la sexualité. Dieu seul, ou l'Unité, est androgyne.

Quelle était donc cette nouvelle race mâle et femelle, Adam et Ève, qui venait se superposer comme une magnifique synthèse à la création antérieure? qu'est-ce que ce dogme de la *chûte* qui suit aussitôt la création? pourquoi l'humanité aurait-elle été créée parfaite, si elle devait subir une dégradation? n'est-ce point au contraire un ensei-

gnement, pour nous apprendre le point d'où nous
sommes partis, et nous faire tendre incessamment à la perfectibilité? le dogme du *péché originel*
du *rachat* par le travail, et de la *réhabilitation*, n'est-
ce point, sous une autre forme, le dogme du progrès? pour nous, il nous semble voir la première
humanité, l'homme adamique, comme un hercule
commençant sa route au travers de la nature encore sauvage et inculte, ayant pour mission d'émon-
der le globe, de dompter les êtres et les élémens.
Cette période primitive fut consacrée surtout à la
force, à la lutte extérieure. L'Egypte continua cette
œuvre. Le paganisme en fut l'expression. Qu'on
passe de l'Egypte à la Grèce, de la Grèce à Rome;
c'est toujours la même religion de la Matérialité.
Chez les Romains, *Virtus* voulait encore dire courage; on mesurait la *valeur* des hommes à la force. Cependant déjà la Grèce manifestait, par Pythagore, Platon et Socrate, des symptômes de pro-
testantisme contre le culte du corps. L'humanité
avait atteint le terme de sa première évolution;
elle allait se transfigurer. L'époque chrétienne est
une phase nouvelle où l'humanité développe en soi
des tendances et des virtualités à peine annoncées.
Ce qui avait été à l'état de germe chez la race
payenne prit un accroissement considérable. La
vertu, devient la foi, l'espérance et la charité. L'association *spirituelle* ouvre les ailes de l'intelligence.

La vie s'aggrandit de tout un monde inconnu jusque là.

Et si l'on regarde l'avenir, quelle immense et glorieuse carrière devant nous! Le Paganisme n'avait compris qu'un des aspects, qu'une des *personnes* de Dieu, la force, la beauté; le Christianisme, que l'intelligence, le Verbe. Le Panthéisme futur embrassera Dieu tout entier dans son Amour.

Il est curieux de suivre, parallèlement à cette rapide esquisse historique, le développement progressif de la tête humaine. La tête de l'homme adamique, primitif, herculéen, payen, est applatie et déprimée. Le cerveau rampe et s'élargit à la base du crâne. Les penchans sont immenses, comme l'Amativité, le courage, l'Alimentivité, les facultés perceptives, etc.

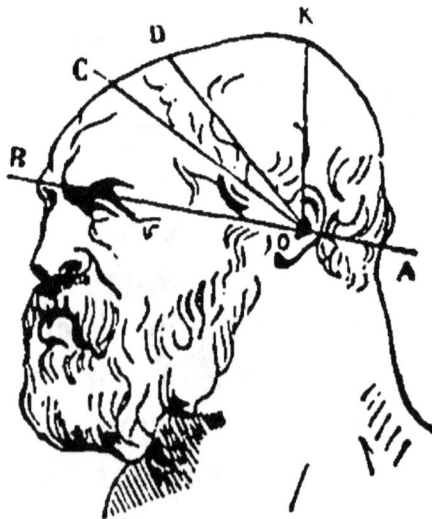

La tête chrétienne s'élève à la partie antérieur

et supérieure. On peut comparer la tête du Christ
à celle de l'Apollon ou du Jupiter, et tout l'art du
moyen âge à l'art de l'antiquité. (Voyez BEAUTÉ —
TÊTE.) Les différentes races qui vivent aujourd'hui
sur le globe à différens degré de civilisation, depuis le sauvage jusqu'au Français, présentent aussi
une échelle d'organisation tout à fait harmonique
avec leur développement physique, intellectuel et
moral. (Voyez RACES.)

HOMOGÉNÉITÉ.

La nature est homogène et géomètre dans toutes ses opérations et dans ses créations. Jamais elle
ne compose un tout dont les parties soient discor-
dantes; et de même que la progression de la section d'un cercle ou d'une parabole est toujours uniforme, de même aussi nous devons supposer que
la progression d'une section du visage pris dans
son état de repos ne saurait varier. Telles sections
du profil exactement données, excluent absolument
tels autres contours dans le reste du profil.

Il en est ainsi du corps tout entier.

Je commence à peine, disait Lavater, à saisir,
et à déterminer les différens rapports entre les traits.
C'est une étude dans laquelle je n'ai fait encore que
les premiers pas; mais je pressens avec une persua-
sion qui approche de la certitude morale, qu'un
physionomiste mathématicien du siècle prochain,

apprendra à déterminer l'ensemble d'un profil d'a-
près un nombre donné de sections exactes.

Nous attendons encore le grand physionomiste
dont Lavater est le Saint-Jean ; et la science de
tous les rapports harmoniques et nécessaires de l'organisation hominale n'est pas jusqu'ici fort avancée.
Il nous semble même que les phrénologistes proprement dits la négligent quelque peu ; mais elle
viendra certainement de la combinaison des sciences phrénologique et physionomique. Elle a déjà
été tentée, mais sans beaucoup de philosophie, par
plusieurs naturalistes, qui ont adopté la dénomination fort exacte d'Antropologie. (Voyez ANTROPO-
LOGIE.)

«Chaque partie d'un tout organique est semblable
à l'ensemble et en porte le caractère. Le sang qui
coule dans l'extrémité des doigts a le caractère du
sang qui circule dans le cœur ; il en est ainsi des
nerfs et des os. Tout est animé d'un même esprit.
Et comme chaque partie du corps se trouve en
rapport avec le corps auquel elle appartient ; comme la mesure d'un seul membre, d'une seule petite jointure du doigt, peut servir de règle pour
trouver et pour déterminer les proportions de l'ensemble, la longueur et la largeur du corps dans
toute son étendue ; pareillement aussi, la forme de
chaque partie séparée sert à indiquer la forme de
l'ensemble. Tout devient oval, si la tête est ovale ;
si elle est ronde, tout s'arrondit ; tout est quarré,

si elle est quarrée. Il n'y a qu'une forme commune, un esprit commun, une racine commune.
C'est ce qui fait que chaque corps organique compose un tout dont on ne peut rien retrancher et auquel on ne peut rien ajouter, sans que l'harmonie
soit troublée, sans qu'il résulte du désordre ou de
la difformité. Tout ce qui tient à l'homme dérive
d'une même source. Tout est homogène en lui : la
forme, la stature, la couleur, les cheveux, la
peau, les veines, les nerfs, les os, la voix, la démarche, les manières, le style, les passions, l'a-
mour et la haine. Il est toujours un, toujours le
même. Il a sa sphère d'activité dans laquelle se
meuvent ses facultés et ses sensations.

»Il peut agir librement dans cette sphère, mais il
ne saurait en franchit les limites. Je conviens cependant que chaque visage change, et ne fut-ce
qu'imperceptiblement, d'un moment à l'autre, jusque dans ses parties solides ; mais ces changemens
sont encore analogues au visage même, analogues
à la mesure de mutabilité et au caractère propre
qui lui sont assignés. Il ne peut changer qu'à sa
manière, et tel mouvement affecté, emprunté,
imité ou hétérogène, conserve encore son individualité, laquelle déterminée par la nature de l'ensemble n'appartient qu'à cet être-ci et ne serait
plus la même dans un être différent ; etc. *Lavater.*

HUMANITÉ, voyez homme.

HYDROCÉPHALE.

Les hydrocéphales ou hydropisies du cerveau sont des amas de matière plus ou moins aqueuse dans l'interieur de la boite crânienne. Les hydrocéphales n'empêchent pas toujours la manifestation des facultés intellectuelles ; par exemple, dans beaucoup de cas, où il n'y a que pression exercée par l'eau et distension, sans destruction des fibres cérébrales, on peut juger assez facilement à l'extérieur qu'il y a hydrocéphale ; mais alors il est presqu'impossible de donner une appréciation phrénologique.

I.

IDÉALITÉ. (n° 23 *Gall*, n° 19 *Spurz.*)

IMAGINATION. — POÉSIE.

Qu'est-ce que la poésie dans le sens le plus général ? C'est le sentiment des harmonies entre toutes les choses de la nature. Comme pensée ou comme expression, la poésie est toujours une harmonie, dans quelque branche de l'art que ce soit.

Au fond, toute pensée poétique généralise toujours plusieurs faces des êtres, c'est-à-dire qu'elle en découvre les analogies et les relations. En ce sens, l'Idéalité est le contraire de l'analyse ; c'est la puissance de s'élever à un point de vue supérieur, d'où l'on embrasse un horizon qui laisse apercevoir le lien des perspectives. Comme forme, tous les arts reposent sur l'harmonie : les vers sont une harmonie, la peinture est une harmonie, etc.

L'Idéalité ou l'imagination sont à peu près une même faculté. Le mot imagination semblait impliquer la création, l'invention, tandis que l'homme n'invente rien ; il saisit plus ou moins les phénomènes de la vie universelle. Il semblait avant Gall que le talent poétique fût une réunion de plusieurs aptitudes et qu'il exigeât différentes qualités. Mais Gall a très bien prouvé l'unité fondamentale de cette faculté, en reconnaissant les combinaisons infinies du talent poétique : ainsi l'Idéalité combinée avec l'Amativité produit Ovide, l'Arétin, Gentil-Bernard, etc.; avec la Destructivité, Shakespear, etc. Gall s'est appuyé surtout de la manie pour prouver l'indépendance de la faculté poétitique. Tout le monde sait que le Tasse faisait ses plus beaux vers pendant ses accès de folie.

Une fois admis que l'Idéalité est une faculté primitive, propre et distincte, il devait être facile de saisir le caractère extérieur commun aux grands poètes, aux grands artistes, etc. Les phrénologistes placent l'organe de cette faculté à la partie latérale supérieure du lobe antérieur, entre la Merveillosité, l'esprit de saillie et la Constructivité, en avant de l'Acquisivité.

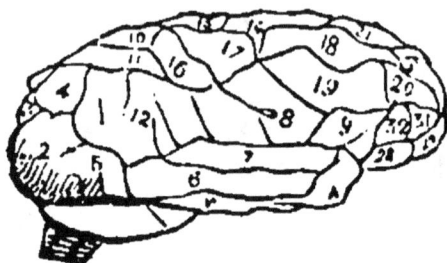

Il se traduit sur le crâne au-dessus des tempes, vers le bord latéral de l'os frontal. Ces deux protubérances alongées élargissent considérablement le haut du front.

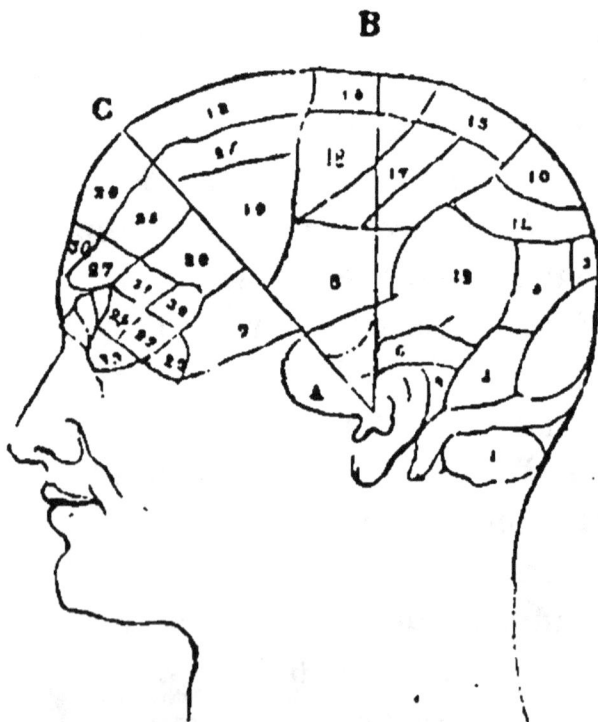

IDIOTISME.

IMBÉCILLITÉ. — STUPIDITÉ. — BÊTISE.

Lavater appelle un idiot un être *isolé*, qui agit sans but, qui ne met ni principes ni liaison dans sa conduite.

Au point de vue phrénologique, un idiot est un individu qui n'a pas été doué d'une organisation naturelle arrivée à l'état normal. Les idiots complets sont rares comparativement aux idiots incomplets; et parmi ces derniers, il y a encore mille degrés différens. Les plus idiots se font remarquer à la stupidité de leur physionomie. Ils ont habituellement une bouche béante, d'où s'échappe continuellement la salive; de plus, un air ricaneur, et une tête qui se tourne et se meut sans cesse. Les traits caractéristiques des idiots incomplets sont un regard vague et errant, que rien ne peut fixer pendant un certain laps de temps, une agitation continuelle et une impossibilité insurmontable d'assembler leurs idées, ou de combiner les impressions qu'ils éprouvent. Les fonctions automatiques des idiots complets ou incomplets de naissance sont souvent sans énergie, et s'opèrent avec plus ou moins de souffrances, surtout pour ce qui a rapport aux fonctions des intestins. Quelquefois au contraire, elles sont tout-à-fait naturelles et s'opèrent avec vigueur. Il y a des idiots très doux et d'autres très méchans, etc. *Gall.*

19

Ce qui constitue l'idiotisme, c'est l'absence des hautes facultés morales et intellectuelles. Les instincts, quand il y a des instincts, ne trouvent donc pas le contre-poids qui les équilibre et les dirige.

IMAGINATION. — Voyez IDÉALITÉ.

IMITATION. — Voyez MIMIQUE.

IMMORALITÉ. — Voyez MORALE. — BIEN. — PÉNALITÉ.

INDIVIDUALITÉ. (n° 22, *Spurz.*)

Tous les objets, tous les êtres de la nature peuvent être considérés soit dans leur existence isolée et individuelle, soit dans leurs relations avec les autres êtres. On peut envisager chaque chose comme un tout, ou comme une partie du grand Tout. Le premier point de vue correspond à l'analyse, le second à la synthèse. L'un et l'autre sont inhérens à l'organisation humaine. Il y a en effet dans le cerveau un organe, qui fait percevoir chaque être en tant qu'individu, qui donne la conscience de la multiplicité, si l'on peut parler ainsi. C'est cette faculté qui nous fait distinguer un objet d'un autre objet. Gall observe avec raison que les animaux sont doués de cette aptitude. Ils reconnaissent personnellement les hommes qu'ils ont déjà vus; ils se reconnaissent entr'eux. Cette faculté est aussi

essentielle à la vie que la faculté de la généralisa-
tion.

Chez l'homme, l'Individualité dispose aux sciences de détail et d'observation analytique. Ceux qui
en sont dépourvus, ne sauraient jamais être propres à étudier les phénomènes isolés. Combinée
avec la Configuration, l'Individualité donne le sens
des personnes ; avec l'Eventualité, elle donne l'intelligence des faits et des objets extérieurs. L'organe
de l'Individualité qui a été démontré par Spurzheim, est situé à la partie antérieure inférieure du
lobe antérieur. Il s'étend le long de la ligne médiane et repose sur le plancher orbitaire.

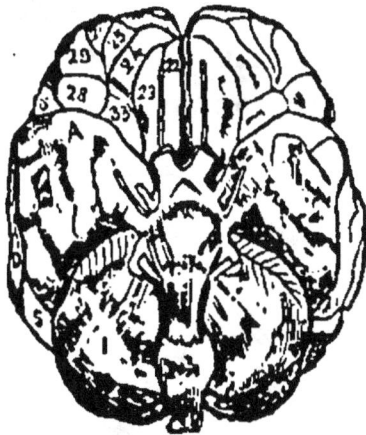

Il se traduit à l'extérieur auprès de la racine du
nez, à la jonction de la ligne du nez avec le front.

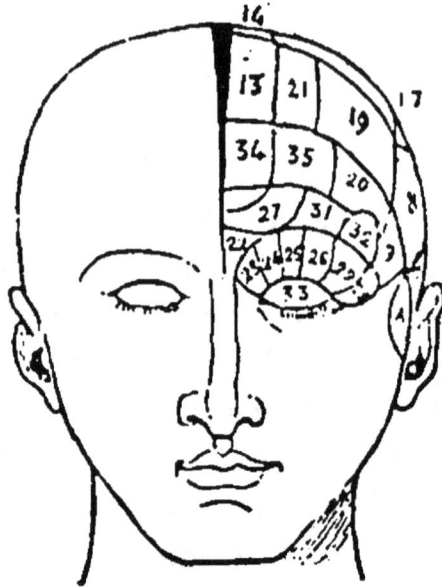

Lorsque l'Individualité est très développée, la la ligne du profil tombe du front au nez verticalement et sans inflexion. Le type grec présente cette conformation presqu'exagérée, et tout le monde sait que les grecs avaient un sens remarquable des détails et de la personnalité.

INFLUENCES EXTÉRIEURES.

Les habitudes des gens qui nous entourent influent puissamment sur les nôtres. Tout ce qui est hors de nous agit sur nous et éprouve une action réciproque de notre part. Influence du climat et du monde extérieur, influence de l'éducation et de la société, influence des individus, tout concourt à nous modifier sans cesse : on emprunte les traits d'une femme aimée; on subit les excitations de la nourriture, des saisons; on dépend de la condition sociale où l'on est né ; on s'imprègne des caractères avec lesquels on est en rapport. On se fait ainsi souvent une nature factice qui voile la véritable tendance de l'organisation. C'est pourquoi, lorsqu'il s'agit de prononcer un diagnostic phrénologique, il faut avoir grand soin d'écarter toute préoccupation extérieure et de saisir sous cette superficie les propensions primitives et fondamentales d'un caractère.

INNÉITÉ DES FACULTÉS.

La grande question de l'innéité des idées ou des facultés qui a tant occupé les philosophes, semble maintenant résolue. La Phrénologie a beaucoup contribué à l'éclaircissement de cette matière ; tout le monde se réunit aujourd'hui dans cette croyance que chaque individu apporte en naissant dans son

organisation, une somme de virtualités propres et
déterminées qui constituent sa personnalité; l'é-
ducation, les circonstances extérieures peuvent
bien la modifier, la comprimer ou la développer,
mais elles ne sauraient la créer ou l'étouffer entièrement. Cette individualité native, se montre de
mille manières à toutes les époques de la vie; dès
son enfance, l'homme annonce le caractère qui doit
le distinguer un jour. Plutarque rapporte ce trait
d'Alcibiade enfant : « Estant encore petit garçonnet,
» il joüoit avecques quelques autres siens compa-
» gnons, au jeu des osselets, au beau milieu d'une
» rue, et quand ce vint à son tour à jetter les osse-
» lets, il survint d'aventure un charriot chargé : il
» pria le chartier qui le conduisait d'attendre un peu
» que son jeu fust achevé, pourceque les osselets
» estaient tombez justement en la place par où il
» fallait que le chariot passast : le chartier fut si mal
» gracieux qu'il n'en voulut rien faire, et ne laissa
» pas pour ses prières de chasser ses chevaux, de
» manière que les autres enfans se fendirent pour
» le laisser passer : mais Alcibiades se jetta tout de
» son long emmy la place au devant du charriot, et
» dit au chartier qu'il passât donc ainsi, s'il voulait.
» Le chartier tout effroyé, retira incontinent ses
» chevaux en arrière. » *Traduction d'Amyot.*

Thomas a écrit dans l'éloge de Descartes : « Lorsqu'il s'agit d'hommes extraordinaires, il faut bien
moins remarquer l'éducation que la nature. Il y

a une éducation pour les hommes communs ; l'homme de génie a l'éducation qu'il se donne et qui consiste principalement à perdre et à effacer celle qu'il a reçue. » Fontenelle a dit aussi : « Ni la bonne éducation ne fait le grand caractère, ni la mauvaise ne le détruit. Les héros en tout genre, sortent tout formés des mains de la nature et avec des qualités insurmontables. » Les hommes doués de facultés éminentes percent et s'élèvent malgré les plus grands obstacles : Moïse, David, Tamerlan, Sixte V, avaient été gardiens de troupeaux ; Grégoire VII était fils d'un charpentier ; Pythagore, Socrate, Démosthènes, Shakespeare, Molière, J. J. Rousseau, étaient fils d'artisans.

De même, les hautes positions sociales n'empêchent pas certaines vocations de se manifester. Louis XVI s'amusait aux ouvrages de serrurerie ; la nature en avait fait un ouvrier mécanicien ; le privilége de la naissance en fit un roi !

INSTITUTEURS. — Voyez ÉDUCATION.

IRRÉSISTIBILITÉ.

Toutes les facultés peuvent arriver à la manie et jusqu'à l'irrésistibilité. C'est alors une maladie véritable qui devrait regarder les médecins et non point les tribunaux. Les individus dominés par cette fatalité de leur organisation, ne sont plus responsables de leurs actes ; ils agissent en vertu d'une impulsion intérieure et aveugle qu'ils ne sauraient dompter. Dans ces cas d'anomalie, la liberté n'existe plus réellement. Cette exagération de certaines facultés surexcitées pourrait expliquer bien des crimes apparens et bien des événemens obscurs. On rencontre souvent des hommes qui semblent fort raisonnables en beaucoup de points, et qui, sous l'empire d'une impression déterminée, s'abandonnent aux excès les plus incompréhensibles. La médecine phrénologique est seule compétente pour rétablir l'équilibre dans ces constitutions désordonnées. (Voyez — DESTRUCTIVITÉ — PÉNALITÉ.)

J.

JAMBE.

CUISSE. — GENOU. — PIED.

Les cuisses charnues conviennent aux femmes.

Les genoux charnus et cagneux, les pieds en dehors, indiquent la mollesse et le manque de courage. Les boiteux sont lubriques : *optime Claudus init.* (*Aristote, livre des problêmes*). C'est pour cela que Vulcain, mari de Vénus, c'est-à-dire de la luxure, est représenté boiteux par les poètes (*Porta*). Cette opinion a été admise par l'antiquité, et Aristote qui ne manque jamais de raisons, dit que les parties inférieures absorbant moins de parties nutritives, celles-ci fortifient le haut et se convertissent *in spermate.*

Nous n'osons pas citer le vers si connu : *noscitur e pede*, etc., dont la justesse semble prouvée par l'observation.

La conformation des jambes et particulièrement du pied est toujours en harmonie avec le reste du corps. Un pied étant donné, on pourrait reconstruire l'homme, comme Cuvier faisait des fossiles, en remontant à la jambe, au torse, et jusqu'au cerveau. On ne rencontre jamais un pied grêle et svelte avec un torse lourd et une tête élargie à sa base. On peut donc avancer qu'un pied large et plat correspond à une organisation instinctive; qu'un pied effilé et cambré correspond à une tête étroite et élevée.

Dans son *voyage d'Orient*, M. de Lamartine rapporte sa visite à lady Stanhope, qui devina son origine orientale à la cambrure de son pied. Les différentes races, en effet, sont facilement reconnaissables à la constitution du pied. Les races inférieures, entr'autres les nègres, ont le talon fort en arrière, et ils se rapprochent en cela de plusieurs espèces d'animaux. Il semble que le pied s'amincisse, s'élève et quitte la terre, si l'on peut ainsi parler, à mesure que l'homme développe ses hautes facultés. (Voyez HOMOGÉNÉITÉ.)

JEUX.

« Souvent en me demande, dit Gall, quel est
l'organe de la passion du jeu. J'ai cherché cet organe dans plusieurs joueurs de profession très passionnés; mais je n'ai pu rien découvrir de constant. La raison en est, que les divers jeux supposent, pour être bien joués, des talens différens.
Dès-lors, on conçoit comment il arrive que des
personnes qui excellent dans tous les jeux de cartes, ne peuvent, avec toute l'application imaginable, devenir jamais que de médiocres joueurs de
dames et d'échecs; et comment, au contraire, les
meilleurs joueurs d'échecs ne sont souvent que de
mauvais joueurs de cartes. Ayant eu l'occasion de
voir plusieurs des joueurs d'échecs les plus fameux,
je remarquai que tous avaient l'organe du sens des
localités extrêmement développé, et je conçus que
le grand talent de ces joueurs consiste dans la faculté de se représenter vivement et nettement un
grand nombre de positions possibles des pièces, etc. »

Ainsi chaque jeu de combinaison, ou d'adresse,
exige des aptitudes spéciales. Le jeu proprement
dit, le jeu de hasard, tient aussi à diverses dispositions, mais il n'est pas le résultat d'un organe
unique. Il y a des joueurs qui sont poussés par le
désir des jouissances que procure l'argent, par
l'espérance d'une vie facile et paresseuse, par le
défaut de prudence. Pour quelques-uns, le jeu est

une noble lutte contre la fatalité, une ardente poursuite de l'infini. Le jeu a cela de commun avec les plus hautes passions, qu'il ne laisse pas voir ses bornes. L'amour des chances incalculables séduit les caractères hardis et aventureux. On sait que le Guide et Benjamin-Constant se sont livrés au jeu avec frénésie. Les motifs qui déterminent les joueurs sont donc infiniment variés. Cependant on peut indiquer comme signes principaux de la passion du hasard, le développement de l'organe de l'Espérance, l'absence de Circonspection, souvent l'Idéalité, et quelquefois aussi les penchans sensuels. La plupart des joueurs vulgaires sont des viveurs et des hommes d'instinct. Les maisons de jeux publics offrent un curieux spectacle par la diversité des types et des organisations.

L'amour du jeu est une impulsion normale et bonne en elle-même : c'est à la société de la diriger vers des tendances légitimes et profitables. Il y a bien des capitalistes, des industriels, des diplomates, et même des hommes politiques, qui sont tout simplement d'heureux joueurs.

JOUES.

Les joues tiennent plutôt à la pathognomonique qu'à la physiognomonie, parce que, comme presque toutes les parties molles, elles n'ont guère de caractère arrêté et subissent surtout les impressions des mouvemens moraux. (Voyez PATHOGNOMONIQUE.)

Des joues larges et pendantes correspondent ordinairement à un grand développement de l'Alimentivité. (Voyez MUSCLE.—TÊTE.)

JURÉS.

L'appréciation des faits criminels appartient aux jurés. C'est à eux de pénétrer les ressorts intimes des actes qu'ils sont appelés à juger. Le plus souvent les accusés ne sont guère responsables moralement. Si l'on fait la part de leur organisation, des influences extérieures, des conditions sociales, on arrive à les plaindre, et l'on ne se sent pas l'injustice de les punir. La loi devrait améliorer les hommes, au lieu de les flétrir et de les guillotiner. (Voyez PÉNALITÉ.—AVOCAT.—MAGISTRAT.)

JUSTICE.—Voyez CONSCIENCIOSITÉ.

L.

LAIDEUR.

Il nous semble que la laideur *physique* ne saurait être compatible avec la beauté *morale*. Autrement, il faudrait nier l'unité de l'homme. Une mauvaise faculté se traduit extérieurement par une vilaine forme, et réciproquement. Nous ne connaissons pas un seul exemple d'un homme de génie qui soit laid et repoussant. Mais les idées de laideur et de beauté sont variables suivant les époques et les individus. (Voyez BEAUTÉ.) Même, pour parler philosophiquement, il n'y a rien de laid dans la nature; car toute forme est appropriée à sa destination.

LANGUES. (N°s 15 et 16 *Gall;* n° 33 *Spurz.*)

MÉMOIRE DES MOTS. — ÉLOQUENCE. — LOQUACITÉ. — NOMS PROPRES.

La communication au moyen du langage articulé n'est pas propre seulement à l'homme. Les animaux ont entr'eux des langues naturelles à tous les individus d'une même espèce, pour se transmettre leurs idées et leurs impressions; ils ont même une aptitude incontestable à entendre les langues arbitrairement formées de l'homme. « J'ai fait à ce sujet, dit Gall, les observations les plus suivies. J'ai parlé souvent avec intention d'objets qui pouvaient intéresser mon chien, en évitant de le nommer lui-même, et sans laisser échapper aucun geste qui pût réveiller son attention. Il n'en témoignait pas moins du plaisir ou du chagrin, suivant l'occasion; il manifestait enfin par sa conduite qu'il avait très bien compris que la conversation le concernait.

J'avais amené une chienne de Vienne à Paris : au
bout de très peu de temps, elle comprenait le français aussi bien que l'allemand ; je m'en suis assuré
en disant devant elle des périodes entières dans
l'une et l'autre langue. »

La parole, le Verbe, est la transmission de la
pensée qui vit au sein de l'humanité. Toutes les
langues en sont des traductions relatives. L'histoire
de la pensée humaine est donc tout entière dans les
langues qui se sont absorbées successivement. L'intelligence du Verbe donne l'intelligence des pensées. M. Ballanche, qui a compris si profondément
les traditions religieuses, a un sens merveilleux de
la langue, et sa conformation cérébrale présente
une preuve éclatante de la phrénologie.

C'est au sens du Langage qu'il faut rapporter la
mémoire des mots. Il y a des personnes qui *apprennent par cœur* avec une facilité extraordinaire. Pic
de la Mirandole, l'ami de Montaigne, qui soutint
en Sorbonne une thèse de *omni re scibili*, savait
vingt-deux langues à l'âge de dix-huit ans. Il lui
suffisait d'entendre trois fois la lecture d'un livre
pour en réciter plusieurs pages de suite, ou même
pour répéter tous les mots dans un ordre rétro-
grade.

« On présenta un jour à Frédéric II un homme
d'une mémoire telle, qu'il récitait par cœur un
morceau assez considérable qu'il n'avait entendu
lire qu'une fois. Le jour même, Voltaire devait

faire lecture au roi d'une pièce de vers. Frédéric fit cacher l'étranger derrière un paravent; et lorsque Voltaire eut fini de lire, il lui dit que le morceau n'était ni nouveau, ni de sa composition; et il fit paraître *son compère*, qui le récita et soutint qu'il l'avait composé lui-même depuis plus de vingt ans. Qu'on juge de la fureur de l'irascible Voltaire et des éclats de rire du philosophe de *Sans-Souci.*» —*Gall.*

La mémoire des noms propres tient aussi à cette même faculté.

Pour prouver que la mémoire des mots est une qualité fondamentale et distincte, qui résulte d'un organe cérébral indépendant, Gall puise encore des faits dans la pathologie : un notaire avait oublié, à la suite d'une attaque d'apoplexie, son propre nom, celui de sa femme, de ses enfans, de ses amis, quoique sa langue jouît de toute sa mobilité. Un officier blessé d'un coup de pointe immédiatement au-dessus de l'œil, perdit la mémoire de tous les noms propres. On ne s'aperçut d'ailleurs d'aucun affaiblissement des autres facultés. Un jeune homme, à Marseille, reçut dans le sourcil un coup de fleuret; il ne pouvait plus se rappeler les noms de ses amis les plus intimes, même celui de son père. Dans la manie, on trouve aussi beaucoup d'exemples de la surexcitation ou de l'obscurcissement de la mémoire verbale.

L'organe du sens des Langues est situé dans le

cerveau à la partie inférieure postérieure du lobe
antérieur, contigüe au lobe moyen. Il repose sur le
plancher orbitaire et le déprime, quand il est très
développé; de sorte qu'une portion du sphénoïde
est poussée en avant, ce qui diminue la profondeur
de l'orbite et rend le bulbe oculaire saillant. C'est
ainsi que les yeux à *fleur de tête*, sont ordinairement un signe de la mémoire des mots, comme les
yeux creux et enfoncés annoncent le manque de
cette faculté.

(Voyez le n° 33.)

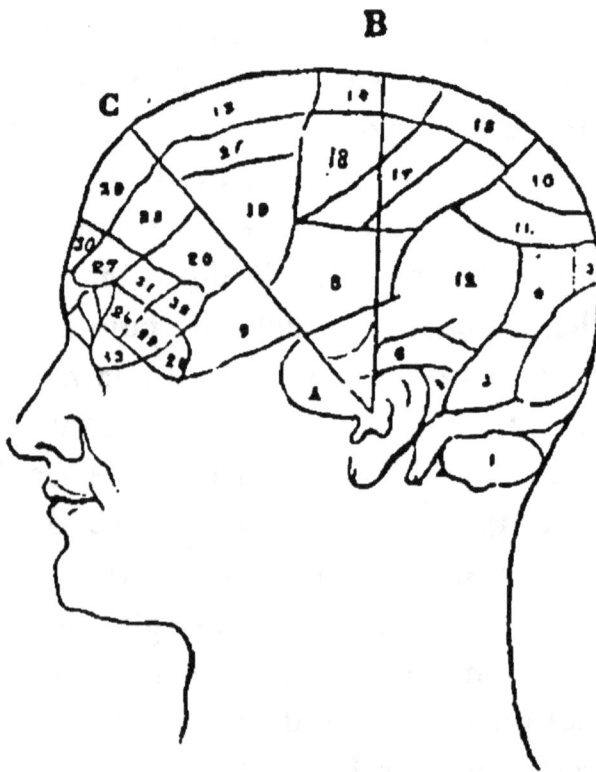

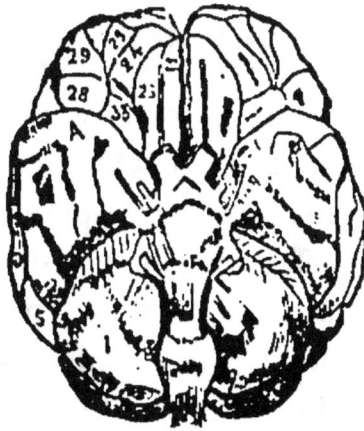

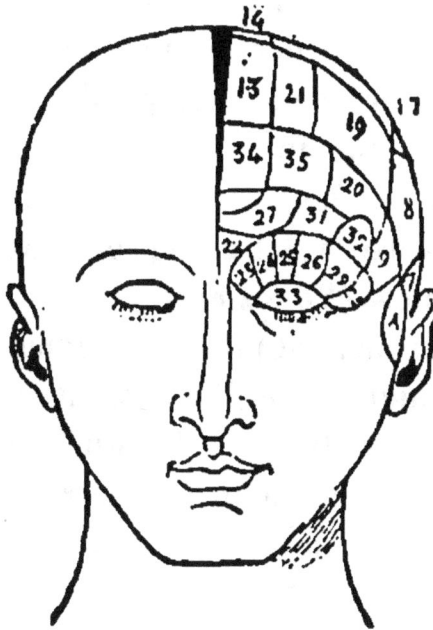

Quelquefois, la dépression du plancher orbitaire ayant lieu surtout en dehors, l'œil se trouve
abaissé obliquement vers la pommette de la joue.
C'est le contraire des yeux *à la chinoise*. Le *bourrelet* qui gonfle la paupière inférieure, indique encore le sens du Langage.

LARMES.

Le rire et les larmes sont essentiels à la nature de l'homme, et ils n'appartiennent qu'à lui. Ce sont les deux pôles qui correspondent à ses deux manières d'être affecté par le plaisir ou la douleur. Ce sont les termes extrêmes de son impressionabilité. Comment donc rendre raison du rire et des larmes au point de vue de la phrénologie ? Peut-on dire qu'ils dépendent de l'irritabilité nerveuse ou de la combinaison des organes cérébraux ? Mais tous les hommes sont susceptibles de rire ou de pleurer, avec une intensité plus ou moins forte. Toutefois, il y a des organisations qui ne connaissent pas les larmes, et ce ne sont pas toujours les plus insensibles. (Voyez RIRE.)

Les larmes touchent plus directement à la science pathognomonique ; car elles laissent des empreintes saisissables sur les traits. L'habitude des larmes sillonne le visage ; elle éteint les yeux et ride les paupières. (Voyez PATHOGNOMONIQUE.)

LAVATER.

Il y a une sorte d'hommes qui a le privilége de plonger dans les mystères ineffables de la pensée, de se baigner au sein des essences infinies et éternelles. Enveloppés dans le fini du corps et dans le terme du temps, ils brisent la forme pour s'élancer dans les mondes innommés et surnaturels ; ils ont le don de seconde vue ; ils conversent face à face avec Dieu. Ce sont Pythagore, Platon, Jésus, saint Jean-l'Apocalyptique, saint Jérôme, Dante, sainte Thérèse, Swendenborg, Mesmer, Hoffmann, etc.

Lavater est un de ces hommes ; rien n'est plus merveilleux et plus intimement poétique que la nature de son génie. Rien n'est plus simple et plus élevé que son caractère. C'est une vie toute pleine de charité, de bonhomie, d'intuitions, de fanatisme et de bizarres mysticités. C'est une tournure d'esprit qui rappelle beaucoup Fénélon ; et comme si Lavater devait porter en sa personne la justification de son système physionomique, il se trouve que le pasteur de Zurich ressemblait beaucoup extérieurement à l'archevêque de Cambrai. Un jour, madame de Staël, se promenant avec lui et quelques amis, s'arrêta tout-à-coup et s'écria avec une surprise mêlée d'enthousiasme : « Comme notre cher Lavater ressemble à Fénélon ! ce sont ses traits, son air, sa physionomie. C'est véritablement Fénélon, mais Fénélon un peu suisse. » Je ne sais plus quel mauvais poète a fait aussi les deux vers suivans :

A la cour de Louis, c'eût été Fénélon ;
Platon dans le Lycée, et saint Jean dans Sion.

M. Meister, dans sa notice biographique, le

compare encore à Diderot ; et il y a vraiment quelqu'analogie : c'est une même exaltation, une même
verve, une même bonhomie, une même chaleur.
Mais Lavater a moins d'emportemens et de haines,
moins de sarcasme et de mordant. Lavater, c'est
Diderot chrétien.

Ses premières études furent tournées vers la
théologie ; mais il aimait surtout la poésie et la
peinture. Comme il dessinait souvent des figures et
des têtes, il fut frappé de la concordance de certains traits. Son attention fut dès-lors éveillée sur
la physionomie humaine. Il lia ensuite quelques
observations sur le rapport des ressemblances physiques avec les ressemblances de certains points du
caractère. Il étudia toutes les personnes de sa connaissance ; et un jour, l'harmonie de l'homme intérieur et de l'homme extérieur lui apparut distinctement à l'état de système. Il inventa la physiognomonie, comme Pascal la géométrie ; car je
crois bien qu'il n'avait jamais lu les physionomistes ses devanciers.

À l'occasion d'une solennité académique, pour
laquelle on lui demandait un morceau littéraire, il
exposa sa doctrine dans un petit discours qui soulera
tous les savans. En 1772, il publia la première édition de son ouvrage intitulé : *De la Physiognomoni-*
que. C'est le même dont la traduction parut en
1783, à Paris, en 3 vol. petit in-folio, sous le titre
de *Essais sur la Physiognomonie.* La préface du

troisième volume est de 1784. Ce livre curieux renferme cinq ou six cents planches gravées d'après les dessins de Charles Lebrun, de Fuessli, l'ami de Lavater, et autres. L'auteur avait surveillé lui-même cette traduction, et il mit en tête une préface qui commence ainsi : « Respectables inconnus de diverses nations, devant qui j'ose paraître sous un costume étranger, je rougis en pensant aux imperfections de mon ouvrage, etc. » En 1806, M. Moreau publia une nouvelle édition française en 10 volumes in-8°, augmentée de notices biographiques, de discours préliminaires et de nombreux documens. Mais la première édition in-folio est bien préférable, à cause des gravures qui furent exécutées sous les yeux de Lavater.

Cependant le nom et le système de Lavater se répandaient en Europe, et il ne manqua pas d'hommes positifs et de savans patentés pour critiquer la physiognomonie. Toutes les découvertes nouvelles ont le même sort. Un de ses adversaires les plus ardens fut Lichtemberg, qui composa diverses réfutations et ensuite une plaisanterie fort ironique sur la *Physionomie des queues.* Mais Lavater n'en continuait pas moins ses observations ; et s'il n'éleva pas la physiognomonie à l'état de science, ce qui est peut-être impossible, il arriva personnellement à un instinct merveilleux des individualités sur la première inspection. On cite cette anecdote qui prouve sa perspicacité : un inconnu se présente chez lui :

— M. Lavater, j'arrive il y a à peine quelques instans. Regardez-moi bien, j'ai fait le voyage de Paris à Zurich pour vous voir, pour livrer ma figure à vos observations. Devinez qui je suis.

— Je vous ai déjà regardé avec beaucoup d'attention ; plusieurs traits vous caractérisent. D'abord vous écrivez... vous vous livrez peut-être par profession aux travaux littéraires... oui, vous êtes sûrement homme de lettres.

— Il est vrai, mais de quel genre ?

— Je ne sais... cependant il me semble que vous êtes philosophe... que vous saisissez les ridicules... que vous avez du courage... de l'originalité... beaucoup de trait dans l'esprit... que vous pourriez bien être l'auteur du *Tableau de Paris* dont je viens de finir la lecture.

C'était en effet Mercier lui-même.

Quand on envoya à Lavater le masque de Mirabeau, il devina le grand révolutionnaire : « On voit tout de suite, dit-il, l'homme d'une force épouvantable, d'une audace d'airain, d'une richesse inépuisable, d'une détermination méprisante, etc. »

Mais il ne fut pas toujours aussi heureux dans ses divinations. Souvent l'idéalité l'emportait, et alors il se laissait aller à ses fantaisies plutôt qu'à l'impression réelle qu'il recevait des figures. Un jour, son ami Zimmermann lui adressa un profil très accentué, avec une lettre dont le style était propre à exciter sa curiosité. Lavater, qui désirait vivement et attendait un portrait de Herder, s'imagina du premier bond que ce profil devait être celui du philosophe allemand. Il s'extasia sur les magnifiques qualités intellectuelles et poétiques du sujet. Mais le sujet en question était un assassin rompu vif à Hanovre. Peut-être, au fond, n'en avait-il pas moins les facultés que Lavater lisait sur son visage. Il y a bien des brigands qui auraient pu devenir de grands philosophes et de fort honnêtes gens.

Le type de physionomie que Lavater affectionnait par-dessus tous les autres, était la tête de Raphaël : « Quand je veux, dit-il, me remplir d'admiration pour la perfection des œuvres de Dieu , je n'ai qu'à me rappeler la forme de Raphaël. Il est et sera toujours à mes yeux un homme apostolique , c'est-à-dire qu'il est, à l'égard des peintres, ce que les apôtres étaient à l'égard du reste des hommes. »

Ce qui domina toute la vie morale de Lavater, fut son penchant à la merveillosité ; il croyait que Dieu aurait recours à de nouvelles manifestations pour se faire connaître, et que la révélation et les miracles étaient sur le point de recommencer pour éclairer et sauver les hommes. Il expliquait les mystères et les miracles de l'Écriture, les appari-

tions des morts et les communications à distance,
phénomènes dont M. de Balzac cite plusieurs
exemples curieux et irrécusables dans son *Livre
mystique*. Aussi Lavater chercha-t-il à connaître
les deux hommes les plus excentriques de son
temps, Cagliostro et Mesmer. Il appuya les découvertes du magnétiseur ; mais sa nature, si admirable de conscience et de bonne foi, s'arrangea moins
bien de Cagliostro qui n'était au fond qu'un intrigant de génie.

Quoique Lavater fut un parfait chrétien, il pro-
fessa toujours une grande indulgence pour ce qui
devait lui paraître des égaremens. Comme pasteur
et comme physionomiste, il avait de fréquens rapports avec les femmes. Son âme tendre lui faisait
excuser l'amour. Il appelait les femmes galantes
ses *chères pécheresses*. Un de ses biographes l'a très
bien caractérisé par cette seule phrase : « Lavater
sentit beaucoup plus qu'il ne pensa, et , lorsqu'il
pensait, il avait encore l'air de sentir. »

Lavater fut blessé dans une rue de Zurich , le
jour où les Français reprirent cette ville. Pendant
la longue maladie qui suivit cette blessure, son esprit rêveur et poétique l'entretint dans des hallucinations continuelles. Il s'imaginait être l'apôtre
saint Jean et assister aux mystères de l'Apocalyp-
se. Il mourut en 1800, âgé de 59 ans.

Il a laissé plusieurs grands poëmes épiques en
vers ; des *Vues sur l'éternité*, sorte de *messiade*

qu'on a comparée à celle de Klopstock ; des dra-
mes religieux, des cantiques, beaucoup de prédi-
cations et d'écrits religieux en prose, et enfin des
Chansons suisses, *Schweizerlieder*, qui eurent un
grand succès justement mérité. Son gendre, Gess-
ner, le fils du poëte, a écrit sa vie en trois volumes.

Voici le portrait que Lavater a tracé de son propre caractère :

« Mobile et irritable à l'excès, d'une organisation
infiniment délicate, il compose un tout des plus
singuliers et qui contraste dans ses parties. Il se
laissera mener par un enfant, et cent mille hommes
ne l'ébranleront pas avec toute leur puissance. On
obtiendra de lui tout ce qu'on voudra, ou l'on n'obtiendra rien du tout : par cette raison il est tendre-
ment chéri des uns, et mortellement haï des autres.
Avec un caractère comme le sien, il doit passer
nécessairement, tantôt pour un être faible, tantôt
pour un esprit opiniâtre; et il n'est ni l'un ni l'autre. Tout blesse et irrite sa trop grande sensibilité:
le moindre poids l'oppresse, mais son élasticité naturelle l'empêche d'être écrasé par le plus grand.
Par un effet de cette disposition, il se livre dans le
premier moment à des emportemens violens, et le
moment d'après, ou du moins après une légère
réflexion, il s'appaise et s'adoucit. C'est cette disposition encore, qui en fait un homme patient et
toujours content, c'est elle qui le met en état de
recevoir promptement les impressions, et de les
rendre de même. Ce qu'il doit apprendre, il le sait
d'abord, ou il ne le saura jamais. Il aime les spéculations métaphysiques, et il n'a pas assez d'intelligence pour comprendre la plus simple mécanique. Son esprit s'occupe d'idées abstraites et
concrètes; il rejette tout ce qui est obscur ou
confus, et il poursuit l'analyse jusqu'aux premiers principes. Sa mémoire est à la fois des plu-

heureuses et des plus faibles. En repassant trois
fois un discours d'une heure, qu'il aura écrit ou
dicté lui-même, il pourra le débiter mot à mot
avec l'intérêt et la chaleur que demande le sujet,
et à la fin, il est à parier qu'il aura oublié jusqu'à
son texte. Il fera les plus longs récits, et de vingt
noms propres il en retiendra à peine un seul. Ce
qu'il a fixé avec attention, ne lui échappe plus. Il
a quelque talent pour la poésie. Son imagination
est, dit-on, extravagante et déréglée, prodigieu-
sement excentrique, et par conséquent très décriée,
comme de raison. Il est vrai qu'abandonnée à elle-
même, elle se livrerait à des excès et prendrait un
vol trop haut; mais elle est soumise à deux gardiens sévères qui ne la quittent point, ou qui du
moins ne la perdent jamais entièrement de vue;
et ces gardiens sont le bon sens et un cœur hon-
nête. Cet homme passe pour rusé et il n'est qu'é-
tourdi, parce qu'il a le cœur sur les lèvres. On le
croit intrigant, et il proteste que si jamais il s'est
cru coupable du moindre artifice ou de la moindre
ambiguité dans ses actions, il a toujours été le premier à s'accuser et à convenir de sa faute.

»Rarement on verra tant d'activité réunie à tant
de tranquillité, tant de vivacité naturelle à tant de
modération. Jamais on ne l'empêchera de poursuivre et de pousser à bout une entreprise qu'il aura
formée sérieusement. Mais, d'un autre côté, il se
soumet aveuglement aux décrets de la providence,

et il respecte tout ce qui arrive, comme un effet de la volonté de Dieu. Il est incapable de commettre une injustice ou de faire du tort ; il ne se laissera aller ni à des offenses préméditées, ni à des sentimens de vengeance ; il est timide jusqu'à l'excès et courageux jusqu'à l'intrépidité. S'il lui arrive de tomber dans quelque faute, ou par imprudence, ou par crédulité, il en fera l'aveu, même publiquement. La crédulité a toujours été son plus grand défaut, et il ne s'en corrigera jamais. Que vingt personnes le trompent de suite, il ne croira pourtant pas que la vingt-et-unième puisse le tromper ; mais l'homme qui lui en aura imposé une seule fois, perd tout crédit chez lui. Les impressions qu'il a reçues sont ineffaçables. Dans sa jeunesse, son peu de talent pour la parole avait presque passé en proverbe, et aujourd'hui on le trouve orateur éloquent. Il sait beaucoup, et il est le moins savant de tous les savans de profession. Encore une fois, ce qu'il ne saisit pas sur-le-champ, il ne le saura de sa vie. Rien n'est *acquis* chez lui, tout lui est en quelque sorte *donné*. Tout chez lui est *intuition*, et ce qui est une fois entré dans son esprit, n'en sort plus ; car il examine chaque objet sous toutes les faces : il le pèse, le retient et se l'identifie. Toute idée lui répugne, dès qu'il ne peut l'accorder avec celles qu'il a déjà reçues. La béatitude éternelle et la plus petite nuance d'une silhouette, marchent de pair dans son âme. Il rapporte tout au même but et il retrouve ce grand but partout. Avec le penchant le plus décidé à la légèreté, il est solide. Il mêle à ses sentimens religieux une douce mélancolie. Son extrême sensibilité ne trouble point sa sévérité habituelle ; et sa bonne humeur le quitte rarement un demi jour de suite. Il aime, sans avoir été jamais amoureux ; pas un de ses amis ne s'est détaché de lui, etc. »

LEBRUN Charles.

Charles Lebrun, le peintre de Louis XIV, a fait beaucoup d'études sur la physiomonie, et Lavater, dans ses fragmens, a reproduit plusieurs têtes d'après ce maître. Les types de Lebrun, comme son dessin, sont généralement exagérés et faux. Il a publié plusieurs cahiers de *caractère des passions*, contenant une multitude de figures, qui expriment l'horreur, la colère, l'étonnement, le désir, la haine, le mépris, etc. Mais on ne saurait guère poser des règles pour les modifications du visage sous l'empire des passions, car chaque individu est impressionné à sa manière ; et les mouvemens de la physionomie sont aussi variés que les figures.

LIBERTÉ.

La question de la liberté humaine est la question fondamentale de la religion et de la morale. Elle est inscrite en tête de l'*Écriture-Sainte*, dans le symbole de la tentation et de la chûte ; elle reparaît dans toutes les discussions théologiques, philosophiques ou politiques. Elle a occupé tous les pères et les scoliastes. Reprise par Luther au XVIme siècle, elle devint le champ de bataille de la réforme, sous le nom de *prédestination*.

C'est dans la constitution même de l'homme qu'il faut chercher la solution du problême de la liberté. Les philosophes qui admettaient l'*âme* humaine comme une *table rase*, devaient croire à une liberté illimitée. Au contraire, ceux qui défendirent l'innéité des facultés furent entraînés logiquement à restreindre la liberté, ou même à la nier tout-à-fait. La phrénologie nous fournit de précieux matériaux pour décider cette grande dispute. Si l'homme, en naissant, apporte dans son organisation des virtualités déterminées, il est certain que sa vie sera la déduction nécessaire de sa nature originelle. On ne peut admettre d'autre liberté que celle qui est d'accord avec les lois générales de l'univers et l'organisation de l'homme. Dieu a tracé le cercle dans lequel l'homme doit agir. Leibnitz compare la liberté à une aiguille aimantée, qui aurait du plaisir à se diriger vers le nord. Dans ce cas, dit-il, elle s'imaginerait aussi qu'elle se meut librement et indépendamment de toute autre cause ; car elle n'apercevrait pas les mouvemens imperceptibles du fluide magnétique.

La liberté, dit Gall avec M. de la Romiguière, est le pouvoir de vouloir ou de ne pas vouloir. Et la volonté est une détermination produite par la comparaison de plusieurs motifs. Mais cette faculté d'apprécier des motifs d'un ordre supérieur, n'est-elle pas soumise à des lois? cela revient à dire, suivant nous, que l'homme veut conformément à son organisation. Sans doute l'homme peut choisir entre deux ou plusieurs choses; mais c'est sa nature même qui détermine son choix et sa volonté. Or, comme l'homme n'est pas libre de se donner une certaine organisation, ni de changer son organisation native, on ne doit donc pas admettre la liberté absolue. Il vaut mieux croire que la volonté humaine est la volonté de la providence dont les desseins s'accomplissent ainsi par la concordance nécessaire de toutes les volontés individuelles.

C'est, à notre sens, une orgueilleuse impiété que de regarder l'homme comme le maître de ses actes. C'est en quelque sorte la négation de Dieu, ou la déification de l'homme. Le *fatalisme* entendu dans l'acception de *providence* est bien plus religieux que la doctrine de la liberté. Tout devient normal et saint, puisque c'est l'expression de la volonté divine. L'homme n'est plus un être isolé dans son indépendance, c'est la manifestation et le verbe de la providence supérieure. Et remarquez les immenses et graves conséquences sociales de l'opinion qu'on professe en cette matière. Pour qui croit à la liberté absolue, il faut accepter les prisons et les bagnes; la guillotine et la torture sont même assez justifiables : celui-là qui a fait le mal librement et sciemment mérite *punition*. Mais les sympathies de notre temps répugnent à l'application des peines. On proteste avec raison contre le bourreau, la marque, l'exposition et les fers. La pénalité touche à son abolition. On peut donc affirmer que la génération présente a le sentiment de la providence, au lieu du sentiment de la liberté morale. Le *destin* antique a ouvert les yeux.

Considérée au point de vue politique, la liberté est la faculté de se développer, chacun selon sa nature. Celle-là est légitime et sacrée; c'est un ardent desir qui doit avoir satisfaction. Avec les croyances catholiques, on avait la *liberté* de se résigner à n'être pas libre politiquement. Aujourd'hui nous travaillons *fatalement* à conquérir la liberté pour tous. La phrénologie vient encore ici apporter ses lumières, en expliquant les tendances de l'organisation humaine, qui doit être la base de l'organisation sociale. (Voyez BIEN. — MORALE. — PÉNALITÉ. — HIÉRARCHIE. — POLITIQUE. etc.)

LOBES.

Le cerveau est divisé en deux hémisphères, et chaque hémisphère en trois lobes contigus, le lobe antérieur, le lobe moyen et le lobe postérieur qui

repose sur le cervelet. Le lobe moyen est à peu
près recouvert par l'os temporal, c'est-à-dire qu'il
s'étend depuis le derrière de l'oreille jusqu'aux tempes, à un pouce environ de l'angle orbitaire extérieur. Il est plus particulièrement affecté aux penchans, et comprend les organes de l'Amour de la
vie, de l'Alimentivité, de la Destructivité, de la
Secrétivité; le lobe antérieur est affecté aux facultés perceptives, réflectives et morales; le lobe
postérieur contient les organes du familisme, etc.
(Voyez CERVEAU.)

LOCALITÉ. (n° 12 *Gall.* n° 27 *Spurz*).

MÉMOIRE DES LIEUX. — ESPACE. — ORIENTABILITÉ. —
AMOUR DES VOYAGES.

La mémoire des lieux, le sens de l'espace, de
l'orientabilité, a été traité par Gall d'une manière
supérieure. Il a accumulé une foule de preuves
puisées dans l'animalité et dans l'humanité, et il ne
saurait rester aucun doute sur l'existence d'un organe destiné à cette faculté, ni sur la place que la
phrénologie lui a assignée dans le cerveau. Ici,
mille faits viennent en aide à la science, des faits
clairs, simples, sans aucune complication. Il fallait
en effet que les êtres fussent constitués en rapport
avec la surface du globe, pour la parcourir. Les
oiseaux voyageurs ont un instinct merveilleux, qui
les dirige au travers des airs. Tout le monde sait

que si on emporte des pigeons à des distances considérables, dans une contrée qui leur est absolument inconnue, et qu'on les lâche ensuite, ils retournent dans leur colombier immédiatement, et par le plus court chemin. On cite les faits suivans :

« Deux pigeons mâle et femelle, de l'espèce dite les pirouettes, dont le vol est très rapide, furent envoyés d'une petite ville de Hollande en Islande. Le bâtiment étant presqu'arrivé au lieu de sa destination, le mâle s'échappa. Le capitaine de vaisseau, craignant qu'il ne revint pas, lâcha la femelle, dans l'espoir qu'elle attirerait et ramènerait le mâle ; mais celle-ci, après avoir volé quelques instans entre les cordages, s'éleva de même et alla joindre le mâle. Après s'être réunis, ils s'amusèrent à planer quelque temps dans les airs ; et ensuite ils dirigèrent leur vol par la voie la plus directe vers la Hollande, avec autant de justesse que le capitaine lui-même aurait pu le faire en suivant la boussole. Il résulta des dates du journal de mer que les oiseaux arrivèrent le troisième jour sur la maison d'où ils avaient été enlevés. Ils étaient tellement épuisés, qu'ils tombèrent du toit dans la cour. »

« Un jeune chien fut envoyé de Lyon à Marseille ; là on l'embarqua pour Naples. Il retourna par terre à Lyon ».

Les migrations des oiseaux qui traversent les mers, viennent encore prouver l'existence d'un sens et d'un organe particuliers pour les localités.

On assure que les tortues transportées loin de la mer et tournées cent fois en tout sens, se dirigent sans hésiter vers la mer, aussitôt qu'on leur a laissé la liberté.

Chez l'homme, la faculté de juger les rapports de l'espace, s'étend encore à d'autres objets. Combinée avec le sens des Nombres, elle donne les moyens de calculer les distances et les mouvemens des astres. Tous les grands astronomes ont le sens des localités très développé, Képler, Newton, Pascal. Combiné avec le sens de la couleur, il produit les peintres paysagistes. Quand il est très actif, il en résulte une propension à changer de lieu, un goût pour les voyages. Dans la biographie du capitaine Cook, on remarque expressément que ce navigateur avait les bosses frontales très saillantes. L'organe des localités donne encore l'aptitude à tracer les plans. « Un médecin de Londres, dit Gall, offre l'exemple d'une étonnante mémoire locale. Sans le secours d'aucun plan, sans compas, sans livre ou autre donnée quelconque, il dessine des plans fort exacts d'un quartier, avec toutes les rues, cours, passages, marchés, chapelles, tous les angles des maisons, les bornes, les arbres, etc. »

L'amour du changement, qui résulte de cette faculté, arrive quelquefois jusqu'à la manie, et quelques médecins ont signalé cette aliénation partielle sous le nom de *mélancolie errabonde*. Un abbé de Prague, cité par Gall, a pour les voyages une pas-

sion invincible qui se manifeste souvent par un besoin urgent et instantané de changer de place.
Quelquefois, en se réveillant la nuit, il ne peut
s'empêcher de courir à travers champs. Il eût un
semblable accès par un froid très rigoureux ; malgré tout ce que put objecter sa raison, il se leva,
s'habilla dans l'obscurité, et prit sa course à l'instant même. Ce ne fut que l'orsqu'il eut fait à peu
près deux lieues, ayant de la neige jusqu'aux genoux, qu'il put regagner sur lui de rentrer et de se
remettre au lit. Le docteur qui rapporta cette aventure à Gall et qui n'avait aucune idée de l'organologie, ajouta que la seule chose qui l'avait frappé
dans cet homme, était *deux énormes proéminences
du frontal, précisément au-dessus de la naissance des
sourcils.*

C'est en effet à la partie antérieure inférieure du
lobe cérébral antérieur qu'est situé l'organe des Localités. Il touche à la ligne médiane et s'allonge en
quart de cercle, de dedans en dehors et de bas en
haut, au-dessous de l'Éventualité. Il correspond
sur le crâne aux deux bosses inférieures du frontal,
qui surmontent l'angle intérieur de l'arc sourcil-
ler.

(Voyez n° 27).

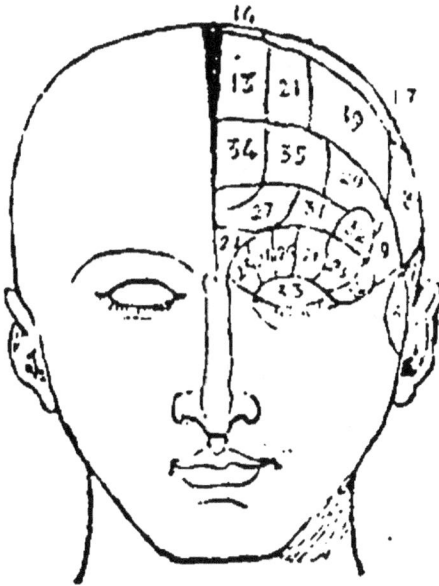

Ces proéminences sont indiquées au-dessus de
la ligne E F, dans la figure ci-dessous.

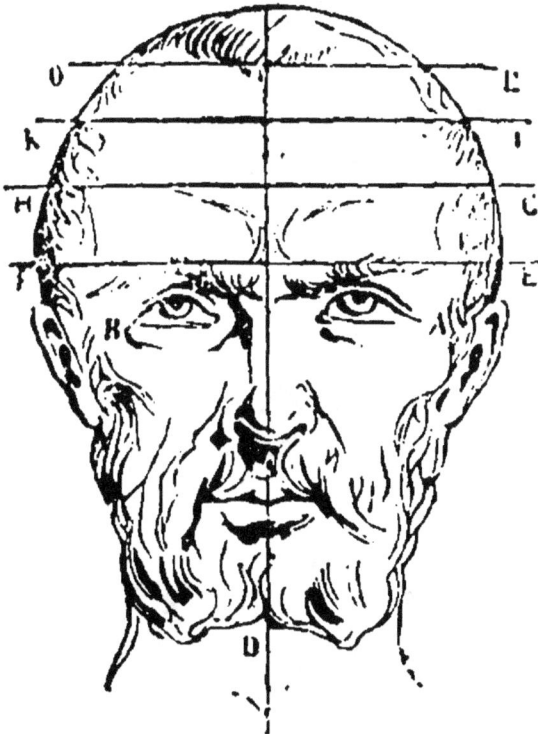

Dans la plupart des têtes d'animaux, et dans quelques têtes d'homme, les deux lames osseuses du crâne forment des sinus vers l'endroit où l'organe des Localités se traduit extérieurement. (Voyez SINUS.) Il faut donc une étude attentive pour ne pas confondre les proéminences produites par les sinus frontaux avec le développement de cet organe. Mais les sinus ne se rencontrent pas très souvent chez les hommes jusque dans un âge-avancé, et il s'en trouve rarement chez les femmes. Du reste, les sinus s'étendent horizontalement au-dessus des sourcils, tandis que l'organe des Localités suit une ligne un peu oblique de bas en haut.

Pour apprécier le développement relatif de cet organe, il faut, considérant la tête de profil, tirer un rayon fictif depuis le conduit auditif jusqu'à la ligne du galbe. (Voyez MESURE.)

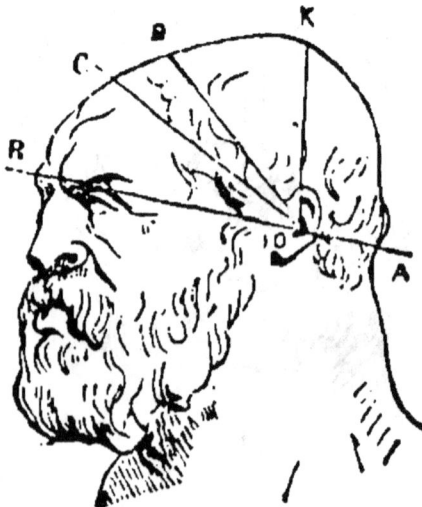

M.

MACHOIRE.

Le développement des os maxillaires tient directement au développement de la base du cerveau et des os crâniens sur lesquels il repose. Ainsi l'écartement des mâchoires accompagne toujours le développement des organes qui siègent aux parties inférieures de l'encéphale. Il annonce donc surtout l'Alimentivité, souvent la Destructivité et le courage. Jamais un homme sobre n'a les mâchoires larges et carrées. Jamais non plus un homme intempérant n'a les machoires étroites et resserrées. Ce signe est infaillible ; il est commun aux animaux voraces et destructeurs, comme aux oiseaux de proie. Il s'en suit ordinairement un col très fort, des épaules larges et une poitrine proéminente. On pourrait suivre ainsi jusqu'aux pieds les déductions logiques et harmoniennes de l'organisation cérébrale qui se réfléchit dans tout le reste du corps. Mirabeau dont le bas de la figure offre un type de sensualisme très prononcé, avait les mâchoires larges, le col énorme et le corps à l'avenant.

MAGISTRAT.

Les hommes les plus arriérés de la société sont

et doivent être, à toutes les époques, les magistrat;
et généralement tous les hommes de loi. Car la
loi est toujours l'expression du passé ; elle consacre
les faits accomplis, l'état des mœurs. Elle n'est jamais ouverte à l'avenir. C'est ainsi que la loi est incessamment modifiable et modifiée. Les hommes
de loi sont, par leur essence même, les représentans
de ce qui est contre ce qui sera bientôt, des élémens
déjà vieillis contre les élémens qui réclament le grand
jour. Il n'y a pas plus aujourd'hui à soutenir le code
pénal que la magistrature. Les procureurs du roi
requièrent gravement la prison contre les prolétai-
res auxquels la société n'a donné ni asile ni travail,
et qu'elle flétrit du nom de vagabonds ; ils requièrent les fers contre les pauvres qui, par la gelée
d'hiver, ont pris une branche d'arbre dans la forêt d'un millionnaire ; ils requièrent la MORT contre
des malheureux emportés par d'irrésistibles penchans et dont la société n'a jamais tenté l'éducation
ni la guérison. Et de tout cela, les magistrats se
lavent les mains comme Pilate. La loi est là. Ils
en sont les machines ; ils n'ont plus qu'à fonction-
ner !

Je crois en conscience que les magistrats et le
bourreau doivent repousser la phrénologie. Le
bourreau et les magistrats n'arriveront jamais à
penser que tous les écarts anormaux des individus
peuvent être prévenus ou comprimés par l'éduca-

tion, par la distribution du travail et en définitive par les maisons de santé.

Du reste, les magistrats au criminel n'ont pas besoin de savoir autre chose que les codes : ils n'ont point comme les jurés à apprécier la moralité des faits, ou comme les avocats à faire ressortir la défense. Ils sont tout simplement les applicateurs de la lettre morte consignée dans les textes.

MAGNÉTISME.

Le magnétisme a eu le même sort que la phrénologie ; comme toutes les découvertes nouvelles, il a été repoussé à son apparition ; mais il n'a pas tardé à conquérir son droit dans le champ de la science et de la philosophie. Le magnétisme démontre l'unité de la vie humanitaire, comme la phrénologie démontre l'unité de la vie hominale. Magnétisme et phrénologie sont deux argumens invincibles contre la séparation du *physique* et du *moral*.

MAIN.

DOIGTS. — ONGLES.

Telle main ne convient qu'à tel corps, et non à un autre. La mobilité de la main est très expressive. C'est, de toutes les parties de notre corps, la plus agissante et la plus riche en articulations. La physionomie de la main est donc aussi variée que la physionomie des têtes et des masques. On conçoit facilement qu'on puisse dire la *bonne-aventure* sur la simple inspection de la main, puisqu'elle est une conséquence de l'organisation cérébrale. Tout est harmonique dans la nature de l'homme. Une main fine et alongée ne se rencontrera donc jamais avec un cerveau développé aux parties inférieures.

Une main potelée est le signe de la sensualité. Des doigts effilés annoncent la finesse et la dextérité; les doigts courts et arrondis, la paresse et la pesanteur de l'esprit.

Je ne sais quelle signification il faut rattacher aux marques blanches qu'on rencontre quelquefois sur les ongles. Il est probable qu'il y a un indice à en tirer, car les préjugés populaires cachent toujours quelque vérité profonde, et je suis d'avis qu'il faut examiner sérieusement tous les paradoxes les plus futiles en apparence; il ne s'agit que de soulever une enveloppe sous laquelle on découvre souvent des enseignemens salutaires et d'utiles traditions.

Les ongles alongés et étroits annoncent une race distinguée.

MAL.

Pour décider qu'une chose est mal, il faudrait connaître ce que l'homme ignore : le but immense et universel de la création. Tout ce qui est, entre dans le plan de l'éternelle providence. Le mal n'existe que relativement à l'homme. De là, toutes les lois humaines sur la séparation du bien et du mal. Il est à remarquer que l'empire du mal va en décroissant à mesure que l'humanité progresse. Les diverses théogonies en présentent la preuve. Dans les anciens systèmes, le mauvais génie est égal au bon. Dans le système chrétien, Satan est subordonné à Dieu. Sans doute le principe du mal disparaîtra tout-à-fait dans l'avenir. Le XIXme siècle ne croit plus à l'enfer.

Les institutions sociales doivent avoir pour but de prévenir le mal relatif et de l'arrêter. Ce n'est pas à dire qu'il faille punir les individus coupables; il faut plutôt les éclairer et les guérir. C'est aux natures les plus dévouées et les plus intelligentes à verser leur amour et leur pensée sur les organisations inférieures, afin de les féconder et de les élever dans l'échelle de l'humanité. (Voyez BIEN.)

MANIE. — Voyez FOLIE.

MARIAGE.

> « Le lien qui doit unir les cœurs,
> » sert souvent à étrangler le bon-
> » heur temporel. »
>
> SHAKESPEARE.

La Phrénologie qui a touché à toutes les questions morales et philosophiques, n'a pas, suivant

nous, remué bien audacieusement le fait du mariage humain. Elle porte cependant en elle la solution relative de tous les problêmes et de tous les
phénomènes. On a cherché avec raison, et Gall le
premier, s'il n'y avait point un organe du mariage;
car le mariage est évidemment d'institution naturelle dans certains degrés de l'échelle animale. Le
mariage *pour la vie*, existe chez le renard, la taupe,
l'aigle, le cygne, le rossignol, etc, tandis que le
taureau, l'étalon, le chien, ne s'approchent de leur
femelle que pour l'accouplement, après quoi, le
mâle et la femelle vont vivre chacun de son côté.
Sans pénétrer la raison de ces différences qui ont
certainement leur explication dans des nécessités
naturelles, et pour aborder la relation sexuelle de
l'homme et de la femme, il nous semble, dans ce
cas-ci comme dans tous les cas, que si l'humanité
est la synthèse de l'animalité, elle doit réunir toutes
les tendances et toutes les manifestations. Chacun de ses organes phrénologiques doit être considéré comme la collection de tous les organes divers des animaux. Ainsi, l'Alimentivité humaine est
la synthèse de toutes les alimentivités: l'homme
est en même temps carnivore et frugivore. Ainsi,
la Destructivité humaine s'exerce sur tous les rè-
gnes de la nature, la minéralité, la végétalité et
jusqu'à l'homme: pourquoi n'en serait-il pas ainsi,

relativement au mariage. S'il y a d'une part des hommes constans comme le renard, d'autre part des hommes mobiles comme l'étalon, et cela est, il en faut conclure que le mariage est très bon pour certains, très mauvais pour d'autres. Le mariage indissoluble ne doit donc pas être une institution générale, mais une salutaire exception appropriée aux individus.

Ce qui prédispose surtout au mariage est le développement du groupe de facultés situées derrière la tête et nommées collectivement familisme. (Voyez FAMILISME.)

MATÉRIALISME.

Jusqu'ici les phrénologistes n'ont guère compris la philosophie de leur doctrine. Aussi rencontre-t-on chez eux deux opinions également étroites et inintelligentes. Les matérialistes, qui sont nombreux dans la classe des médecins, disent que les facultés existent parce qu'il y a des organes. Les spiritualistes retournent la formule : suivant eux, les organes cérébraux existent parce qu'il a des facultés. On peut encore exprimer ainsi ces deux propositions : les facultés sont le résultat du cerveau; ou bien, le cerveau est l'organe de l'âme. Double hérésie, pour qui admet radicalement la phrénologie dans sa véritable logique. La phrénologie ne nous aurait rien appris, si elle annonçait simplement qu'il y a le corps et l'âme. On ne sau-

rait trop répéter que la conséquence métaphysique
de la phrénologie est l'unité hominale. L'homme
n'est ni un esprit servi par un corps, ni un corps
enfantant un esprit. L'homme est un être UN, manifestant sa vie par une infinie multiplicité. Il n'y a
pas une de ses manifestations, qui soit purement
physique ou purement *morale*.

MATERNITÉ. — VOYEZ PHILOGÉNITURE.

MATHÉMATIQUES.— VOYEZ NOMBRES.

MÉDECINE.

La médecine peut tirer d'immenses ressources de
la physiologie du cerveau. Les découvertes de Gall
ont jeté la lumière sur presque toutes les inflam-
mations encéphaliques et particulièrement sur les
aliénations mentales. La pluralité des organes cérébraux étant admise, on peut opérer la guérison
des manies partielles en procurant le repos aux parties irritées et en provoquant l'activité de certaines
autres parties, c'est-à-dire, en faisant alterner les
organes des diverses forces morales ou intellectuelles.

Le médecin instruit et philosophe, dépositaire
des secrets qui touchent à la santé du *corps*, devra
encore dans l'avenir cumuler les fonctions du *prêtre.* Il recevra aussi les secrets de l'*âme* et en guérira les plaies et les douleurs. Il sera le *confesseur*

et le *directeur* de tous. Le médecin ainsi compris est une sorte de grand-prêtre et d'éducateur général. Il remplacera les hommes de loi, en ce qui concerne la responsabilité individuelle et la pénalité. Il dirigera les enfans, guérira les malades, soutiendra les faibles, relevera les coupables; enfin, il veillera sur *l'homme*, et non plus seulement sur le *corps*. (Voyez ÉDUCATION. — PÉNALITÉ.)

MÉMOIRE.

La mémoire ne doit pas être regardée comme une faculté primitive de l'âme : elle n'est autre chose qu'un attribut général de toute faculté fondamentale; il y a autant de mémoires qu'il y a de facultés essentiellement différentes. La mémoire de la musique a son organe dans l'organe de la Tonalité ; la mémoire des Nombres dans l'organe des Nombres, et ainsi des autres. Déjà, avant Gall, on avait distingué plusieurs espèces de mémoires, memoria realis, celle des choses, memoria verbalis, celle des mots, memoria localis, celle des lieux, etc. (Voyez ÉDUCABILITÉ. — LANGUES. — LOCALITÉ, etc.)

MÉNINGES.

On appelle ainsi les enveloppes du cerveau qui le séparent du crâne. Elles sont composées de la membrane vasculaire (Pie-mère), de l'arachnoïde, très mince, et de la membrane plus consistante, dite dure-mère. (Voyez CERVEAU.)

MENSONGE. — Voyez SECRÉTIVITÉ.

MENTON.

Un petit menton dénote la méchanceté. Analogie avec les serpens. (Lavater.)

Le caractère de l'énergie ou de la non énergie de l'individu se manifeste par le menton. Plus un caractère est efféminé, plus le menton recule. Un menton saillant est toujours le signe d'un caractère ferme et prudent, et ici le signe physionomique et le signe phrénologique se rencontrent; car le menton est toujours plus ou moins avancé, selon que l'organe de la fermeté est plus ou moins développé. Cette analogie ne manque jamais. Nous n'y avons rencontré aucune exception.

Un menton avancé annonce toujours quelque chose de positif, au lieu que la signification du menton reculé est toujours négative. Nous ajouterons que cette maxime de Lavater peut s'appliquer à tous les traits.

Une forte incision au milieu du menton indique un homme judicieux et résolu. (Lavater.)

Un menton mou, charnu et à plusieurs étages est la marque et l'effet de la sensualité.

Les mentons plats supposent la froideur et la sécheresse de tempérament.

Un menton pointu indique ordinairement la

ruse : un menton carré, la force et souvent la longue du caractère.

MERVEILLOSITÉ. (n° 18, *Spurz.*)

SURNATURALITÉ. — VISIONS. — RÈVES.

L'homme a une propension irrécusable vers les phénomènes dont il ne s'explique pas la raison cachée. Gall qui n'était pas très idéaliste et qui vivait surtout dans le monde positif et tangible, n'a point cherché dans le cerveau un organe pour la merveillosité. Spurzheim, qui représente la direction spiritualiste de la phrénologie, a remarqué que tous les hommes portés aux hallucinations, aux visions, au merveilleux, avaient sur leur tête un caractère commun. Le penchant aux choses improprement appelées *surnaturelles*, est en effet très *naturel :* les enfans, les malades, les maniaques, les grands philosophes et les grands poètes, le manifestent souvent à un degré remarquable ; et qu'on ne s'étonne pas de voir ici les poètes et les philosophes cités à côté des malades et des fous ; le génie a cela de commun avec la folie, qu'ils sont l'un et l'autre l'exaltation de certaines facultés ; seulement, le premier résulte d'une organisation normale et harmonieuse ; le second d'une organisation anormale ou détériorée. L'action de la Merveillosité se montre souvent dans les rêves ; c'est elle qui enfante ces combinaisons étranges dont on ne reconnaît pas le lien avec les réalités terrestres. C'est elle qui ins. pire les mystiques et les illuminés. Le type allemand doit avoir cet organe très développé. Swedenborg, Hoffmann, Jean Paul Richter, présentent cette faculté au plus haut point.

L'organe de la Merveillosité est situé dans le cerveau à la partie supérieure, entre l'Idéalité, l'Espérance et la Religiosité, avec lesquelles il se combine le plus ordinairement.

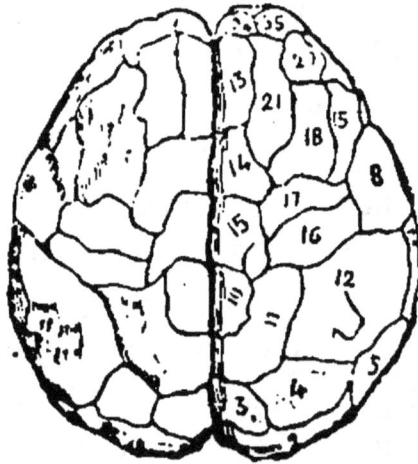

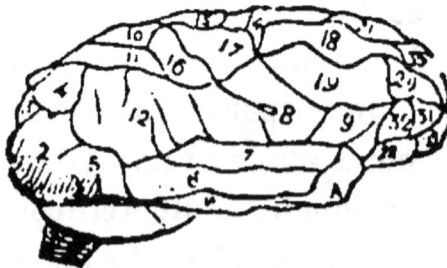

Il se traduit sur le crâne, vers le bord antérieu

de l'os pariétal, à sa jonction avec le frontal.

(Voyez le n° 18 ci-dessous.)

B

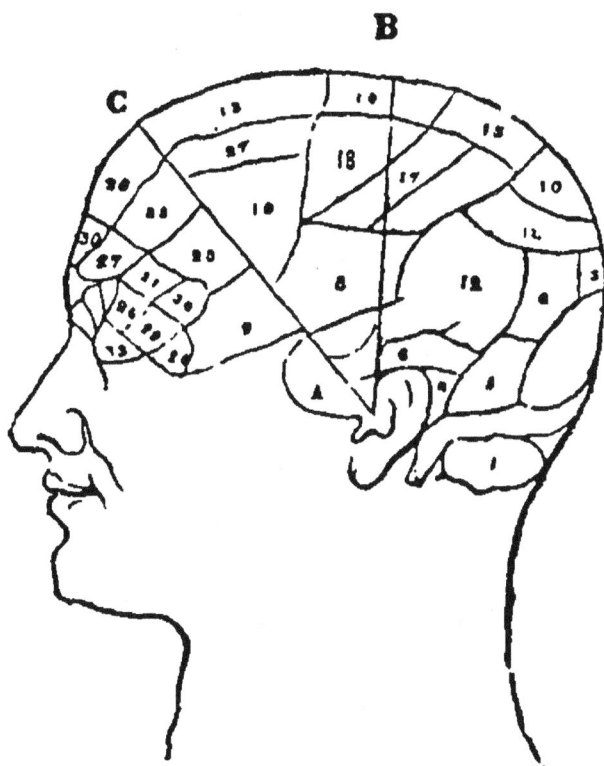

MESURE.

RAYONS. — DIAMÈTRES.

On voit au mot *méthode* l'indication des procédés pour explorer les organes. Au moyen de rayons qui partent du conduit auditif et aboutissent à la périphérie d'une tête considérée de profil, on mesure le développement relatif des diverses parties cérébrales : élévation du vertex, avancement du lobe

antérieur, proéminence du lobe postérieur et du
cervelet, etc.

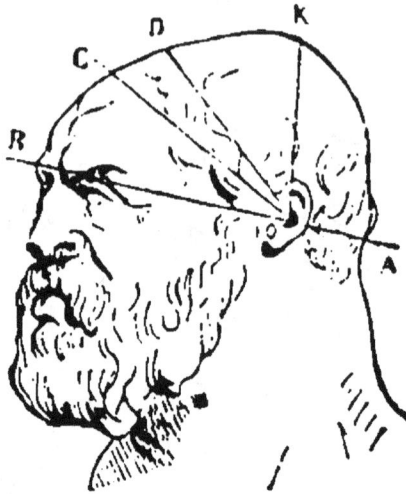

Pour les organes qui siégent aux parties latérales
et dans le lobe moyen, on tire un diamètre d'un
côté à l'autre. Il va sans dire que plus le diamètre
est grand, plus les organes ont acquis d'extension.

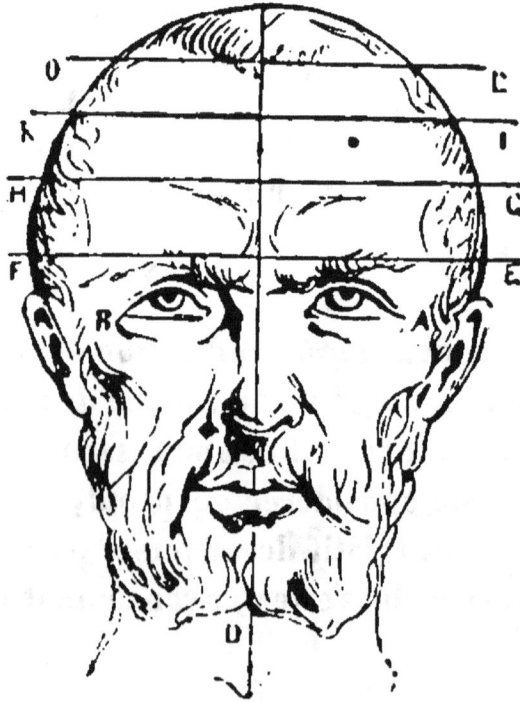

Quelques phrénologistes emploient le craniomètre pour se rendre un compte mathématique du
rapport des organes. (Voyez CRANIOMÈTRE.) Cet
usage peut être bon pour acquérir une habitude
élémentaire des têtes; mais il faut se hâter de repousser ce moyen, aussitôt qu'on a la main un peu
sûre; et même il faut arriver à palper les crânes
seulement de l'œil; car, dans la plupart des cas où
la phrénologie est le plus utile, on n'a pas la liberté de manier et de retourner son sujet à son aise.
La vue doit suppléer au toucher.

MÉTAPHYSIQUE.

La plupart des métaphysiciens, pour expliquer
les phénomènes de la pensée et de l'intelligence
humaine, ont imaginé et reproduit des classifica-
tions purement abstractives. Telles sont l'attention,
le jugement, l'entendement, la mémoire, l'imagination, la volonté, qui ne sont que des attributs de
certaines puissances primitives, des généralités,
au lieu d'être elles-mêmes des forces radicales et
fondamentales. Ces attributs généraux n'ont point
de réalité, point d'existence propre; ce ne sont que
les divers modes d'exercice des facultés. Cela explique comment on peut avoir une attention soutenue, un jugement droit, une imagination bril-
lante, seulement en quelque point, et sur tout le
reste être fort médiocre, ou même presque idiot.
(Voyez PASSION.) Les attributs sont inséparables de

toutes qualités radicales, tandis que celles-ci existent par elles-mêmes, et constituent une fonction spécifique.

La phrénologie a la prétention de transformer toute l'ancienne métaphysique; et en effet c'est un point de vue nouveau dans la science de l'homme. C'est l'unité substituée à la dualité. Il n'y a donc plus lieu à ces obscures et interminables disputes sur le physique et le moral, sur le corps et l'âme. Quelquefois encore la phrénologie est forcée d'employer ces mots impropres ou d'autres de la langue dualitaire; car toutes les vieilles langues sont faites sur la notion de *Dieu* et du *diable*, de *l'esprit* et de la *matière*, et la nouvelle langue de l'unité n'est pas encore constituée. Dans l'ancienne langue, chaque notion a ses deux termes extrêmes, le *callidum* et *frigidum* d'Aristote, le chaud, le froid, le bien le mal, le beau le laid, etc. La nouvelle langue devra trouver l'expression générale qui comprend tous les phénomènes échelonnés depuis un terme jusqu'à l'autre, tous les degrés d'un pôle à l'autre, comme est le mot *température* par rapport à *froid* et *chaud*. Froid et chaud sont deux choses arbitraires, car on peut déplacer le zéro de l'échelle du thermomètre; il n'y a pas de froid et de chaud, si ce n'est relativement; mais il y a *une* température avec des modifications et des degrés infiniment *multiples*.

Il en est ainsi de toutes les notions qui sont exprimées par des mots antithétiques. Ainsi du beau et du laid : tout est *normal*. Nous le répétons, la phrénologie est la science de l'homme au point de vue du panthéisme. C'est l'attaque la plus directe et la plus puissante à la métaphysique chrétienne. C'est en même temps l'annonce et la base d'une nouvelle philosophie *religieuse* qui *reliera* l'homme à Dieu.

MÉTHODE

POUR EXPLORER LES ORGANES.

Il est très difficile d'enseigner dans un livre la manière de *tâter une tête* et de se rendre compte du développement des organes. C'est plutôt un sens qu'un procédé, et l'on pourrait dire que ça ne s'apprend point. Il faut posséder au plus haut degré une vive perception des lignes et de leurs rapports. Il faut une extrême habitude des différens types de la tête humaine pour arriver à cette compétence; il faut avoir observé long-temps et sérieusement. Toutefois, il y a une certaine méthode presque matérielle qui facilite cette étude. Gall a consacré quelques pages assez vagues à diriger un examen phrénologique :

« Il faut, dit-il, avant tout, se familiariser avec le degré ordinaire, ou médiocre, ou moyen, du développement des organes. L'inspection attentive d'un grand nombre de têtes, et l'étude de leurs formes ordinaires, continuée pendant long-temps, procureront successivement cette connaissance. Puis, on profitera de toutes les occasions pour acquérir une idée exacte du développement extraordinaire des diverses parties cérébrales et de leurs proéminences sur la surface extérieure de la tête. On examinera les têtes des premiers poètes, des premiers mathématiciens, mécaniciens, musiciens, des voyageurs passionnés, etc., etc. En usant de ces deux précautions indispensables, l'on remarquera bientôt que les organes les mieux prononcés ne forment ni les *bosses* des bouffons anti-organologistes, ni des proéminences saillantes comme un œuf, ou comme un poing.

« Les parties antérieures du front, les têtes chauves et les crânes n'ont pas besoin d'être palpés ; une vue exercée suffit pour juger le degré de développement du cerveau en général, de certaines de ses régions ou de certaines parties en particulier. On fera très bien d'étudier d'abord les divers volumes des têtes en général ; puis on s'appliquera à connaître les différens développemens de la région frontale, de la région occipitale, de la région latérale, du haut de la tête, et l'on finira par étudier les sous-divisions de toutes ces régions.

« Lorsqu'il s'agit de toucher ou de palper, il est nécessaire d'employer un expédient dont j'ai toujours de la peine à faire convenir mes auditeurs. Croyant que l'exploration des organes exige un tact bien fin, ils les cherchent avec les bouts des doigts et les doigts écartés. De cette manière on sentira certaines aspérités, des fissures, de petites gouttières, des exostoses, des loupes, etc., sur la tête; mais jamais on ne s'apercevra des douces proéminences, larges, rondes, ovales, etc., que les différens développemens des parties cérébrales produisent sur la surface des têtes ou des crânes. Il faut au contraire joindre les doigts et passer et repasser avec leur surface intérieure sur la surface de l'endroit où l'on cherche le signe extérieur d'un organe. On augmente ainsi les points du contact, et en promenant tout doucement la main sur la tête, on découvre facilement, même les proéminences qui échappent à l'œil.

« La plupart de mes auditeurs, instruits de cette méthode, saisissent au premier coup-d'œil ou au premier attouchement les organes. Mais il y a aussi des yeux et des mains si malheureusement servis par le cerveau, qu'il leur est impossible de se convaincre de la réalité des formes les plus distinctes. *Non omnes omnia possumus.* »

Nous ajouterons les procédés que M. Dumoutier enseigne dans ses cours. Pour apprécier le développement des organes situés le long de la ligne médiane, lorsqu'on étudie une tête de profil, on doit supposer à partir du conduit auditif un rayon qui aboutit à chacun des organes, comme dans la figure suivante :

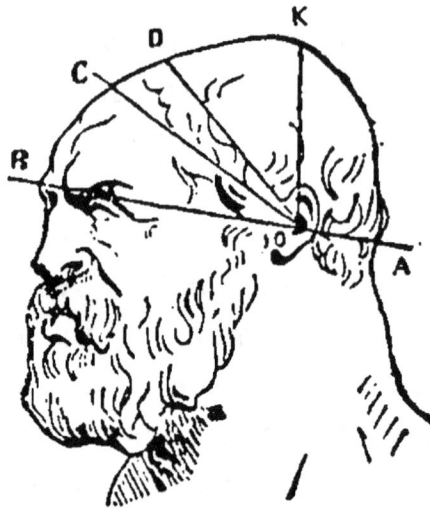

De cette manière, on peut juger le développement relatif des divers organes, en comparant les rayons entr'eux. Il est évident que la ligne O B qui aboutit aux facultés perceptives est plus longue que la ligne O C qui aboutit aux facultés réflectives, et que la ligne O D qui aboutit à l'endroit de la Bienveillance ; ce sont en effet les organes de relation avec le monde extérieur qui sont le plus développés dans le type herculéen. Presque toute la vie siége à la base du cerveau ; les parties supérieures antérieures et les parties supérieures sont déprimées relativement aux parties inférieures antérieures ou postérieures.

Même méthode pour étudier les organes des parties latérales. Si l'on considère la tête de face, on fait passer un diamètre fictif d'un côté à l'autre, et l'on obtient ainsi une appréciation relative du développement cérébral. La figure suivante, qui se rapproche du lion, a la tête très élargie au-dessus des oreilles, à l'endroit de la Destructivité indiquée par le diamètre **F E.**

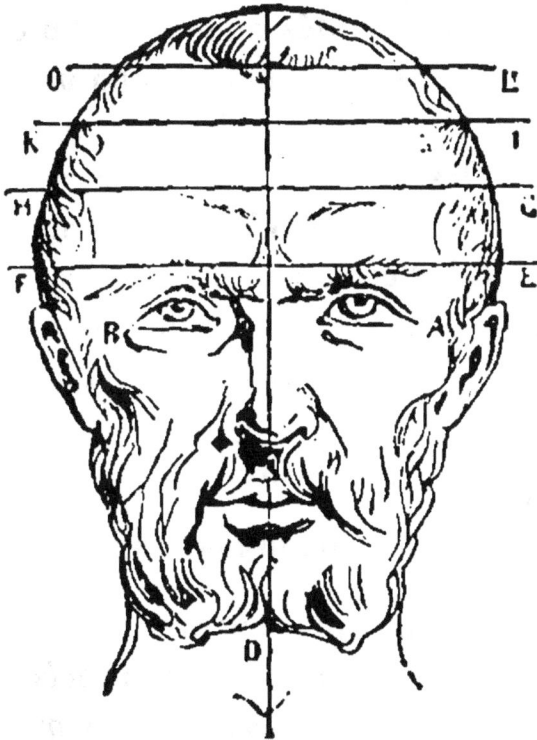

Jusqu'ici on n'a qu'une idée des rapports d'une organisation individuelle donnée. Mais si l'on veut comprendre la place relative d'un individu au milieu de la hiérarchie des autres hommes, il faut d'abord se pénétrer de cette vérité, que toutes les natures sont différentes, qu'elles tendent toutes à une œuvre spéciale déterminée, qu'on ne saurait par conséquent leur imposer une mesure commune. Il y a autant de caractères que d'êtres ; chacun a sa mission dans le grand concert de l'humanité. Il arrive donc souvent qu'un individu, avec une organisation *absolument* très inférieure, possède cependant certaines facultés plus virtuelles que les individus doués de facultés mieux équilibrées. Ce point de vue de la variété infinie des natures, conduit à la justification de tous les caractères. Tout en déterminant les propriétés relatives de chaque organisation, il reste donc à la classer dans la hiérarchie générale de l'échelle humaine. Ceci est plus particulièrement l'œuvre de la philosophie. (Voyez HIÉRARCHIE. — POLITIQUE, etc.)

MÉTHODE

POUR PHYSIOGNOMONISER.

En physiognomonie, plus encore qu'en phrénologie, il est difficile d'enseigner des procédés fixes pour apprécier les signes extérieurs. Chaque trait, chaque ligne, chaque modification de la figure, porte bien une indication caractéristique, mais il faut surtout les étudier dans leur ensemble et leurs rapports. Il faut comparer les traits après les avoir saisis isolément, et c'est de ce rapprochement qu'on peut tirer des diagnostics certains. Avant de passer à l'examen du visage, nous conseillons d'examiner la tête, car les signes physiognomoniques sont intimement liés aux signes phrénologiques; ils en sont la conséquence et la confirmation. De même aussi qu'après le jugement porté sur la tête et la figure, on doit descendre à l'examen du reste du corps pour s'assurer que l'organisation est homogène et que les mêmes signes se reproduisent jusqu'aux extrémités. Cette science de l'harmonie entre toutes les parties de l'homme n'est pas encore très avancée, mais on ne saurait trop répéter que là est l'avenir de la phrénologie, dont le véritable nom devrait plutôt être antropologie : car la *vie* de l'homme n'est pas seulement dans sa tête, elle circule dans toutes ses fibres et se manifeste sur toute sa périphérie.

MÉTOPOSCOPIE.

Art de deviner les caractères par le front, de μετωπον, front. et de σκοπεω, je considère. Le dix-huitième siècle, qui se piquait de positivisme et d'observation, a traité fort légèrement toutes les sciences qui tendent à expliquer l'homme intérieur par l'homme extérieur. « La Métoposcopie et la Physionomie sont fort incertaines pour ne pas dire entièrement vaines ; rien n'étant plus vrai que ce qu'à dit un poète : *Fronti nulla fides.* » *Encyclopédie.* Mais il n'en est pas moins fort curieux d'étudier les tentatives de l'antiquité ou du moyen-âge pour saisir le reflet de l'esprit dans les apparences matérielles. L'Italien Ciro Sponioni a laissé sur la Métoposcopie une brochure fort extraordinaire dont il n'existe pas de traduction française; cette exposition est accompagnée de planches explicatives. L'auteur divise le front en sept sphères correspondant aux sept planètes : le Soleil, la Terre, la Lune, Jupiter, Saturne, Mars et Venus. Il y a donc sept lignes primitives, et de leur combinaison infinie résulte l'infinité des caractères et des intelligences. Nous renvoyons pour les détails au livre de Spontoni.

MIMIQUE. (25 *Gall*. 21 *Spurz.*)

IMITATION. — THÉATRE. — ACTEURS. — GESTES. — PANTOMIME.

« Le sage prend son chapeau de l'endroit où il l'a posé, tout autrement que le sot. » *La Bruyère.*

La pantomime est le langage universel de toutes les nations et de tous les animaux; il n'y a pas d'homme, il n'y a pas d'animal qui ne l'apprenne et ne l'entende; elle accompagne la parole et en renforce l'expression; elle supplée aux défectuosités du langage articulé; les paroles peuvent être ambigues, la pantomime ne l'est jamais.

«Il n'y a nul doute, dit Gall, que les sentimens et les idées ne soient modifiés différemment dans chaque individu qui les éprouve, et que, par conséquent, la pantomime de chacun de ces individus ne doive être modifiée différemment. Cependant, quant à l'essentiel, tous les individus humains sentant et pensant de la même manière, leur pantomime doit donc aussi être la même quant à l'essentiel. Si cette pantomime était arbitraire, comment les enfans, les animaux même la comprendraient-ils?

« Une autre cause encore qui fait que la pantomime des affections, etc., ne peut pas être absolument uniforme dans tous les détails, c'est qu'il y a presque toujours complication de différentes affections, et que ce n'est pas, tant s'en faut, la complication des mêmes affections qui a lieu constamment. La jalousie, par exemple, s'exprime différemment selon qu'elle est compliquée de colère, d'un désir comprimé de vengeance, de confusion, et d'orgueil, de douleur de se voir trahi, de mépris, d'ironie, etc. La pantomime doit nécessairement se compliquer de l'expression des différens sentimens, des différentes idées, des différentes passions, qui viennent assaillir l'individu simultanément.

» Mais comment se fait-il que chaque affection, chaque passion, chaque sentiment, chaque idée produise une pantomime particulière et propre? Comment se fait-il que l'homme humble marche courbé et les regards attachés à la terre, tandis que l'orgueilleux s'avance la poitrine en avant et la tête haute? que pendant les jouissances de l'amour nous retirons la nuque en arrière? que le dévot relève la tête en avant et porte ses regards et ses mains vers le ciel?»

Et plus loin Gall détermine les principes généraux

de la manifestation extérieure de l'action des organes :

« **1°** Les organes qui ont leur siège dans les régions inférieures du cerveau, lorsqu'ils agissent avec énergie, portent de haut en bas la tête, dépriment et raccourcissent le corps.

2°. Ceux des organes qui sont placés dans les régions supérieures du cerveau, lors de leur action énergique, élèvent la tête et tout le corps.

3°. Les organes placés dans les régions supérieures-postérieures du cerveau, dépriment la tête et tout le corps en arrière de haut en bas.

4°. Les organes placés dans les régions inférieures-antérieures du cerveau, dirigent la tête et tout le corps en avant et vers le bas.

5°. Les organes placés dans les régions supérieures-antérieures du cerveau, élèvent la tête et tout le corps, et les portent en avant.

6°. Les organes placés à la partie supérieure-postérieure du cerveau, élèvent la tête et le corps, et les portent en arrière.

7°. Les organes placés dans les régions inférieures du cerveau, en ligne perpendiculaire avec le grand trou occipital, abaissent perpendiculairement la tête et tout le corps.

8°. Les organes placés dans la région supérieure du cerveau, perpendiculairement au-dessus du grand trou occipital, élèvent perpendiculairement la tête et tout le corps.

9°. Lorsque les organes jumeaux de chaque fonction agissent simultanément, la tête et tout le corps se meuvent symétriquement d'avant en arrière, de haut en bas, etc., suivant que l'organe qui agit est placé dans la région antérieure-postérieure, supérieure ou inférieure du cerveau.

10°. Lorsqu'il n'y a que l'un des deux organes pairs qui agit, la tête et le corps se meuvent du côté où est placé cet organe, de haut en bas, de bas en haut, d'avant en arrière, d'arrière en avant, selon que l'organe agissant est placé dans la région inférieure supérieure, antérieure ou postérieure du cerveau.

11°. Lorsque les deux organes pairs agissent alternativement, la tête et le corps font alternativement les mouvemens conformes à leur action tantôt d'un côté, tantôt de l'autre.

12°. Lorsque les organes pairs, ayant leur siége dans l'axe perpendiculaire du cerveau, agissent alternativement, la tête se meut sur son pivot de droite à gauche, et de gauche à droite, de haut en bas, ou de bas en haut, selon que l'organe agissant est situé dans la partie supérieure ou dans la partie inférieure du cerveau.

C'est en conséquence de ces lois que lorsque dans l'homme ou dans l'animal une force fondamentale est fortement en action, les sens, les membres et la tête exécutent certains mouvemens déterminés, sans que l'animal ou l'homme en ait aucune conscience réfléchie. Ces mouvemens sont donc un langage purement automatique, et par cela même généralement intelligible.»

Après avoir établi ces lois pour ainsi dire mécaniques, Gall en fait l'application en particulier à tous les organes du cerveau, avec une logique profonde et une merveilleuse sagacité. Nous renvoyons les lecteurs à la fin du cinquième volume de son ouvrage sur les Fonctions du Cerveau.

Le talent d'imiter, pris d'une façon spéciale, le talent pour la Mimique, c'est-à-dire la faculté de traduire avec justesse les sentimens et les idées par des gestes, est une faculté fondamentale propre qui se fonde sur un organe particulier. Cet organe est essentiel aux poètes dramatiques, aux comédiens, aux orateurs. Il contribue à donner l'expression dans les ouvrages de l'art. C'est lui qui inspire aux peintres et aux sculpteurs la vérité des mouvemens et des attitudes.

On raconte de Garrick qu'il possédait une faculté d'imitation si étonnante, qu'il n'avait rien perdu du cortége de la cour, composée de Louis XV, du duc d'Aumont, de Brissac, de Richelieu, le prince de Soubise, etc. Tous ces personnages qu'il vit passer une seule fois, furent placés dans sa mémoire. Il invita à souper les amis qui l'avaient accompagné: Garrick, impatient d'amuser ses amis, leur dit; « Je n'ai vu la cour qu'un instant, mais je vais vous prouver combien j'ai le coup d'œil sur et la mémoire excellente. Il fait ranger ses amis en deux files, sort un instant du salon, et y rentre un moment après. Tous les spectateurs s'écrient : « Voilà le roi ! voilà Louis XV ! » Il imita successivement tous les personnages de la cour ; ils furent tous reconnus. Non seulement il avait imité leur marche, leur maintien, leur maigreur, leur embonpoint, mais encore les traits et le caractère de leur physionomie.

Cabanis, dans son livre *du physique et du moral de l'homme*, rapporte l'histoire d'un homme si mobile, qu'il se sentait forcé de répéter tous les mouvemens et toutes les attitudes dont il était témoin. Si alors on l'empêchait d'obéir à cette impulsion, soit en saisissant ses membres, soit en lui faisant prendre des attitudes contraires, il éprouvait des angoisses insurmontables. Ici, comme l'on voit, ajoute Cabanis, la faculté d'imitation se trouve portée jusqu'au degré de la maladie.

Gall semble avoir confondu l'organe de la Mimique avec les circonvolutions qui ont été reconnues depuis par Spurzheim appartenir à la Merveillosité ; c'est, sans doute pour cette raison, qu'il attribue en partie à la Mimique les phénomènes des rêves et des visions. (Voyez VISIONS.) Il semble aussi l'avoir étendu jusque dans les circonvolutions qui président à l'Idéalité. C'est pourquoi il donnait une extrême importance aux manifestations de la Mimique qui se trouvaient ainsi résumer beaucoup de faits appartenant à la poésie et aux choses *surnaturelles.*

L'organe de la Mimique, tel que les phrénologistes le reconnaissent aujourd'hui, est une circonvolution alongée de bas en haut, des deux côtés et en dehors des circonvolutions de la Bienveillance; il est terminé en avant par la Causalité, en côté par l'Idéalité et la Merveillosité.

(Voyez le n° 21.)

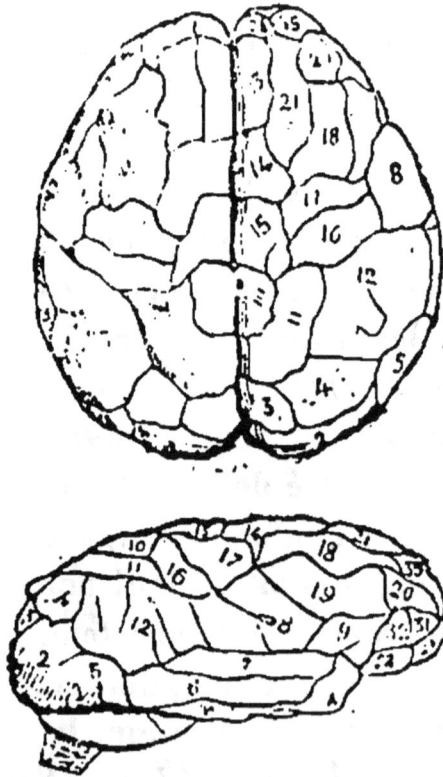

Il se traduit extérieurement au sommet de l'os frontal, à la naissance des cheveux qui le recouvrent presqu'en entier. Nous avons dit qu'il était séparé de la ligne médiane par l'organe de la Bienveillance.

(Voyez le n° 21.)

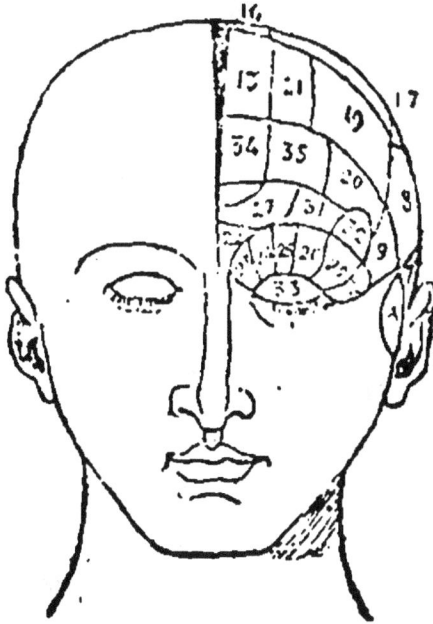

Dans la planche ci-dessous, il a été marqué par erreur du graveur, n° 27, entre les n° 13 et 19.

B

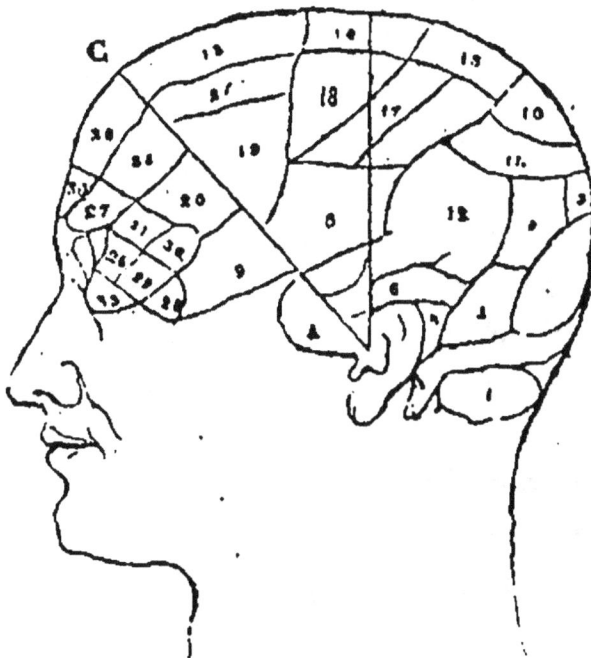

MIRACLES. — Voyez EXTASE. — MERVEILLOSITÉ. — VISIONS.

MODESTIE. — Voyez ESTIME DE SOI.

MONSTRE. — ANOMALIE.

Lavater s'exprime ainsi dans un élan d'enthousiasme à propos des organisations anormales : « elles sont placées sur la terre pour remplir des vues dignes de la sagesse suprême, et dans une autre économie, elles serviront à manifester la puissance éternelle du Dieu qui les forma; ô vous, objets du mépris des hommes, en butte à d'outrageantes railleries, comment puis-je vous concilier l'amour de vos frères plus fortunés ? Fils de Dieu, toi qui rendis l'agilité au boiteux, l'ouïe au sourd, la parole au muet, et qui donnas la sagesse aux sages! tu renouvelleras toutes choses, et jugeras les trônes par la justice, lorsque les cieux s'écroûleront et que la terre sera consumée. Ah! je te bénirai avec les transports d'une joie ineffable, quand le jour viendra où ces créatures souffrantes délivrées des maux qui les oppriment seront revêtues d'un corps glorieux et transformées à ton image. »

Il n'y a point de *Monstres* dans la nature : si certains êtres nous semblent monstrueux, c'est que nous n'en comprenons pas· le sens et l'utilité.

«Tout ce qui existe est bon; il n'y a point de substance qui ne soit bonne. Dieu n'a rien fait
que de bon. Ce qui fait qu'entre les choses que
l'univers enferme, il y en a qu'on regarde comme
des maux, ce n'est que la disconvenance de celles-
là avec quelques autres, mais on ne prend pas
garde que celles-là même sont bonnes, et en elles-
mêmes, et en ce que, s'il y en a à quoi elles ne
conviennent pas, il y en a d'autres à quoi elles
conviennent. » (Confessions de St-Augustin, page
305 et suivantes.)

« Combien de fois il nous arrive de blâmer un
fait isolé, faute de nous élever jusqu'à l'ensemble.
La nature se dérobe à notre intelligence : nous
l'accusons. » (M. Aimé-Martin, de l'éducation des
mères de famille.)

MORALE.

Notre époque n'entend plus la morale comme
aux beaux tems du christianisme; la notion du bien
s'est transformée, parce que l'œuvre à accomplir par
l'humanité n'est plus la même qu'au moyen âge.
Ainsi la morale n'est plus la compression et le sa-
crifice. La moralité doit se mesurer au degré d'a-
mour qu'on a pour les autres et aux services qu'on
rend à la société et aux individus. C'est dans ce sens là
qu'on a dit que Mirabeau était l'homme le plus
moral de son tems. L'indication de la morale se

trouve dans le clavier phrénologique : ses principaux élémens sont la Religiosité qui nous élève vers l'éternel et l'infini, et la Bienveillance qui nous fait épandre dans les autres. Ces deux facultés correspondent au précepte de l'évangile : « Aimez Dieu par dessus tout et votre prochain comme vous-mêmes. C'est là toute la loi. » Quant à la compression des impulsions naturelles, il semble que la société moderne y ait renoncé, pourvu que l'expansion personnelle ne nuise pas aux autres. Il semble qu'on ne reconnaisse plus en ce tems-ci, que les *péchés sociaux*. (Voyez DIEU. — MAL. — LIBERTÉ. — CHRISTIANISME.)

MORT. — CADAVRE.

Autant de fois que j'ai vu des morts, dit Lavater, autant de fois ai-je fait une observation qui ne m'a jamais trompé : c'est qu'après un court intervalle de 16 ou de 24 heures, le dessin de la physionomie sort davantage et les traits deviennent infiniment plus beaux qu'ils ne l'avaient été pendant la vie; ils acquièrent plus de précision et de proportion; on y remarque plus d'harmonie et d'homogénéité, ils paraissent plus nobles, plus sublimes.

Cette remarque de Lavater s'applique merveilleusement au masque de Napoléon, dont les lignes sont beaucoup plus pures et plus harmonieuses qu'elles ne le paraissaient sur la face vivante de l'Empereur.

Nous ajouterons aussi que le caractère dominant, l'unité typique, si l'on peut ainsi parler, se manifeste bien plus nettement sur le mort. On pourrait dessiner la charpente d'une tête d'aigle, d'après le masque de Géricault.

MOULER (procédé pour.)

Il faut beaucoup de précautions et de soin pour mouler une tête sur nature vivante. Il faut une grande habitude et une grande activité, afin de ne pas laisser long-temps le patient sous sa prison de plâtre. On commence par enduire les cheveux et tous les poils, barbe, sourcils, etc., avec du suif; on graisse tout le reste du visage et de la peau avec de l'huile d'olive au moyen d'un pinceau; et quand toutes les parties sur lesquelles on veut appliquer le plâtre sont convenablement protégées par le corps gras, on se sert d'un pinceau pour mettre une première couche légère d'un plâtre très liquide qu'on vient de gâcher à l'instant même. Aussitôt on dispose deux fils qu'on a tenus prêts et qui serviront plus tard à diviser le moule en quatre morceaux : l'un de ces fils passe au milieu du menton, de la bouche, du nez, du front, tourne par-dessus le sommet de la tête et descend entre la nuque : il correspond au galbe du profil. L'autre fil

dessine le galbe de la tête vue de face ; il passe sur
une oreille et va rejoindre l'autre oreille en tournant
sur le vertex. Alors on applique vivement le plâtre
liquide qu'on prend à pleines mains, jusqu'à ce
qu'on ait obtenu partout une couche d'environ un
ou deux pouces. Mais voici le plus important : il
faut bien laisser un passage à la respiration : on
met donc toute son attention à ne pas boucher le
dessous des narines, et comme le plâtre sèche à
mesure qu'on l'applique, on ménage deux petits
trous correspondant à ces parties. Quelques mouleurs emploient un appareil qu'on adapte à la narine; c'est une sorte de tube long de quelques pouces,
qui tient le nez en communication avec l'air extérieur. Quand la couche est assez épaisse, on saisit
les extrémités flottantes du dernier fil qu'on a posé,
et en l'enlevant on coupe le moule en deux parties;
de même pour l'autre fil, ce qui divise votre creux
en quatre. Il reste à l'ôter de sur la tête du moulé:
on introduit un ciseau dans la trace du fil, et on
écarte plus ou moins; alors les morceaux s'enlè-
vent facilement, chacun à son tour. L'opération a
duré au plus cinq minutes. Vous avez un creux.

Plusieurs mouleurs compliquent ces procédés,
par un excès de précautions; quelques-uns, pour
éviter la difficulté des cheveux, couvrent la tête d'u-
ne calotte très serrée; mais on n'obtient pas ainsi
la reproduction fidèle de la forme du crâne; nous
conseillons le procédé que nous avons tracé ci-des-

sus et qui est mis en pratique , avec une adresse et une habileté rares, par M. Fontaine, mouleur, rue du Colombier, 13. Nous conseillons en même tems de ne pas se risquer seul, sans expérience consommée, à mouler un vivant, car on pourrait très-bien l'étouffer ou lui occasionner une apoplexie.

Rien n'est plus facile que de mouler un pied ou une main, après les avoir enduit d'une huile ordinaire.

On emploie, pour mouler sur le mort, les mêmes procédés que nous venons de décrire.

MOYEN-AGE.

Les naturalistes et les savans du moyen-âge se sont beaucoup occupés du siége des facultés et de la physionomie. Mais ils ont reproduit en grande partie les systèmes et les observations des anciens. (Voyez ALBERT-LE-GRAND et ARISTOTE.)

MUSCLES.

L'étude de la miologie est fort utile aux phrénologistes. Il faut connaître à fond les muscles qui s'attachent sur le crâne et recouvrent certaines de ses parties. Ainsi, le muscle temporal cache les organes situés sur les côtés de la tête; on est obligé d'apprécier au travers de ce muscle le développement de la Constructivité, de l'Alimentivité, de l'Acquivisité. Il s'étend même un peu sur la partie antérieure de l'organe de la Ruse et de la Destructivité. Il est plus ou moins épais, plus ou moins large suivant les individus. Pour en juger, il faut faire remuer les mâchoires à la personne qu'on examine.

Les muscles de la nuque recouvrent aussi la partie inférieure de l'occipital à l'endroit du cervelet; mais on tâte facilement le crâne au travers. Il y a encore les muscles des paupières, dont il faut tenir compte, lorsqu'on apprécie le développement des organes situés le long de l'arcade orbitaire.

Cependant, avec un peu d'habitude, on devine, sous ces tégumens, la véritable forme de la boîte crânienne, et par conséquent la forme du cerveau.

MUSIQUE. — voyez TONALITÉ.

MUTILATIONS.

On a beaucoup expérimenté sur les animaux au moyen de mutilations, pour étudier l'action du système nerveux, ou pour justifier les propositions de la phrénologie. M. Flourens est un de ceux qui ont obtenu les plus curieux résultats. Mais il est arrivé que les médecins, qui ont employé ce procédé cruel d'observations, ne se sont point accordés sur les faits. En effet, pour toucher une partie cérébrale, il faut perforer, casser, couper des parties osseuses; il faut blesser, déchirer violemment les diverses membranes qui enveloppent le système nerveux et qui établissent parmi toutes ces parties une connexion intime de la membrane vasculeuse et de l'arachnoïde, et comme ces membranes pénètrent non seulement dans les ventricules et dans les circonvolutions, mais aussi dans toute la masse cérébrale, la perte du sang, leur irritation, leur inflammation, etc, doivent inévitablement compliquer l'expérience et les résultats. En outre, cette étude ne portant que sur les animaux, n'a guère pu éclaircir les questions les plus hautes et les plus difficiles. Nous nous dispenserons de citer les hideuses mutilations des *poules sans lobes*, et des lapins sans cerveau.

MYTHOLOGIE.

Peut-être trouve-t-on dans la mythologie la solution de la question que nous posions à l'article HOMME sur les commencemens de l'humanité. Qu'est-ce, dans la mythologie, que ces êtres étranges, moitié animal moitié homme, les centaures à corps de cheval, les satyres à pied de bouc ? qu'est-ce que les *hommes changés en bêtes ?* ne sont-ce point plutôt les bêtes changées en homme ? doit-on croire que tous ces symboles antiques recèlent une valeur traditionnelle et un sens sérieux ? l'humanité serait-elle sortie par des degrés successifs de l'animalité ?

Qu'est-ce encore que ce reste de queue attaché

par les statuaires de l'antiquité à certains faunes et
à certaines personnifications de l'homme primitif?
la *queue* que M. Fourier met dans l'avenir, serait-
elle dans le passé? Pour parler gravement, il nous
semble qu'on n'a pas assez cherché les enseignemens historiques cachés sous les mythes payens.

NAIN. — Voyez TAILLE ET MONSTRE.

NARINES. — Voyez NEZ.

NERFS.

Le système nerveux est un appareil tout particulier qui préside aux fonctions de la vie animale.
Les nerfs seuls sont les instrumens de la sensibilité, du mouvement volontaire, etc. Sans système
nerveux, point d'aptitude industrielle, point d'instinct, point de penchant, point de sentimens, point
de talent, point de qualités morales ou de facultés
intellectuelles, point d'affection, point de passion.

Chaque ordre particulier des fonctions de la vie
animale est effectué par un système nerveux particulier, par des nerfs particuliers, distincts des autres systèmes nerveux ou des autres nerfs. Il y a un
système nerveux particulier pour les viscères et
les vaisseaux destinés principalement à la vie végétative; il y a un système nerveux instrument
des mouvemens volontaires; il y en a un qui est

affecté aux fonctions des sens ; enfin, le plus noble,
chez les animaux et chez l'homme, le plus considérable, le cerveau, a sous sa dépendance tous les
autres, et est la source de toute perception, le
siège de tout instinct, de tout penchant, de toute
force morale et intellectuelle.

Examinons la progression du système nerveux,
en procédant du simple au composé.

Chez les animaux placés dans l'échelle des êtres
vivans, au-dessus des zoophytes, c'est-à-dire chez
les animaux proprement dits, il existe un ou plusieurs amas d'une substance gélatineuse, très vasculeuse, de couleur et de consistance différentes,
qui donnent naissance à des filamens blancs, appelés filamens nerveux. Ces filamens se réunissent
et forment des nerfs, des cordons nerveux qui se
rendent à tel ou tel viscère et s'y épanouissent.
Ces amas de substance gélatineuse, appelés ganglions, plexus, ces origines de filets nerveux et les
nerfs qui en sont formés, sont plus ou moins nombreux, suivant le nombre des parties ou des viscères dont l'animal est doué, et auxquels ils sont
destinés.

Ces appareils nerveux existent déjà dans les animaux qui n'ont encore ni moëlle épinière, ni cerveau ; par conséquent leur origine et leur action
sont, dans ces animaux imparfaits, indépendantes
de tout autre système nerveux.

Ils sont le type du système nerveux des viscères du bas ventre, de la poitrine, et des vaisseaux des animaux d'une organisation plus parfaite et de l'homme.

Tant que, dans un animal du plus bas ordre, il existe une seule partie intérieure et un seul ganglion avec ces filamens nerveux, ce nerf agit isolément; mais dès que, dans un même individu, plusieurs organes nécessitent plusieurs ganglions, plusieurs nerfs, ces ganglions et ces nerfs entrent ordinairement en communication, moyennant de filamens qui passent de l'un à l'autre.

Il y a donc autant de ces ganglions et de ces nerfs différens qu'il y a de viscères différens; et comme chaque viscère est destiné à un usage particulier, à la digestion, à la secrétion, comme chaque viscère a son irritabilité spécifique, ce ganglions et ces nerfs doivent nécessairement avoir une structure intérieure et une fonction différentes.

Il est probable que, dans les animaux de l'ordre le plus inférieur, co système nerveux est doué de sensibilité; mais dans l'homme et dans les animaux plus élevés, il est, comme la moëlle épinière et comme les nerfs des sens, entièrement sous la domination du cerveau. Dans l'état de santé, les viscères et les vaisseaux exécutent leurs fonctions sans notre volonté, sans que nous en ayons la moindre conscience.

Les ganglions et les nerfs des viscères et de vaisseaux envoient plusieurs filamens de commu-

nication à la moëlle épinière qui est immédiatement liée au cerveau. C'est ainsi que toutes les impressions sur les autres systèmes nerveux sont trans-
mises au centre de toute sensibilité et que l'influence de tous les nerfs sur le cerveau, et du cerveau sur tous les nerfs, est établie. C'est par cette
raison que l'appareil nerveux de la poitrine et du
bas ventre a reçu le nom de *nerf sympathique.*

Les divers ganglions, plexus et nerfs du sympathique ne sont point développés simultanément ;
aussi les fonctions des organes de la vie végétative
ne commencent et ne finissent pas simultanément.
Il en est de même des divers ganglions et paires de
nerfs de la moëlle épinière et des nerfs des cinq
sens.

Après le nerf grand sympathique, vient, dans
l'ordre naturel de la gradation des animaux, le
système nerveux qui préside aux mouvemens volontaires. C'est la moëlle épinière renfermée dans la
colonne vertébrale. Il en sort autant de paires de
nerfs à droite et à gauche, en avant et en arrière,
qu'il y a de vertèbres dont la colonne vertébrale
est composée.

Toutes ces paires de nerfs se rendent aux muscles et leur donnent la faculté d'exercer le mouvement. Mais tous ces nerfs doivent, au moins dans
les animaux plus parfaits, être plutôt considérés
comme des conducteurs de l'influence cérébrale,
que comme des agens indépendans : leur fonction

est nulle, dès que leur communication libre avec le cerveau se trouve interrompue.

D'un ordre plus élevé, mais toujours encore dépendant du cerveau, sont les fonctions des sens extérieurs. (Voir le mot SENS et le mot CERVEAU, qui complètent ce déroulement du système nerveux.)

NEZ.

NARINES.

Non cuique datum est habere nazum.

Citation de LAVATER.

Le nez est le siége de la colère selon les anciens poëtes.

Un nez camard est signe de luxure; c'est pourquoi les satyres sont représentés ainsi.

Suivant Albert, de larges narines sont signe de courage.

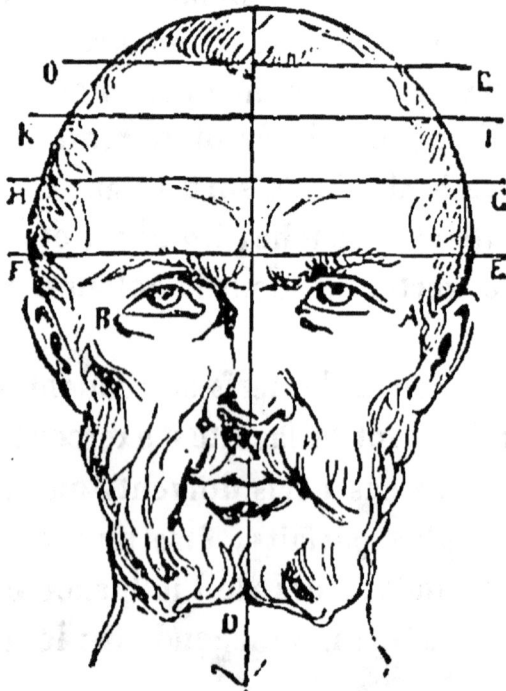

Suivant Porta, d'après les anciens, les narines alongées et minces, qui sont propres aux oiseaux, se rencontrent chez les hommes d'un caractère analogue, c'est-à-dire mobile et léger.

D'après Lavater, la narine petite est le signe certain d'un esprit timide, incapable de hasarder la moindre entreprise. Lorsque les ailes du nez sont bien dégagées, bien mobiles, elles dénotent une grande délicatesse de sentiment, qui peut aisément dégénérer en sensualité et en volupté.

Une narine vibrante annonce une race ardente et emportée.

Un nez qui se courbe en haut de la racine convient à un caractère impérieux, appelé à commander, à opérer de grandes choses.

Un nez droit annonce de la gravité ;

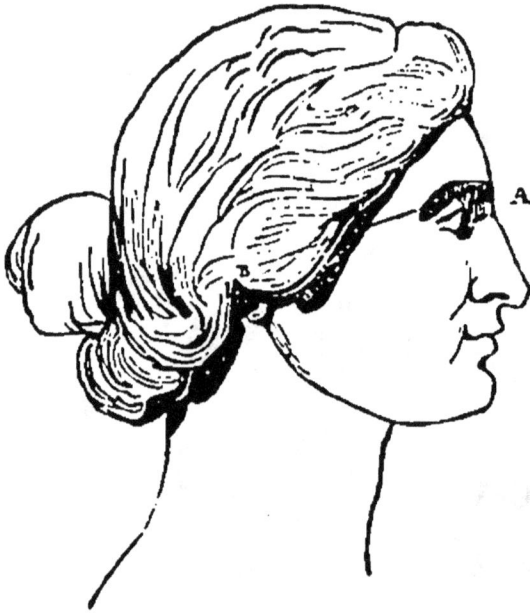

ses inflexions, un caractère noble et généreux.

Un nez fort saillant joint à une bouche avancée dénote un grand parleur, un homme présomptueux, étourdi, téméraire, effronté. (Citation de Lavater.)

Le nez réfléchit plus ordinairement les sentimens moraux ou les instincts que l'intelligence. Il s'accorde avec les organes cérébraux situés au sommet ou à la base. Un nez grossier, large et rond, ne se rencontre jamais avec une organisation distinguée.

Au contraire, un nez aquilin dont les lignes sont pures et fines annonce l'élévation des sentimens.

Un nez court avec un méplat au milieu annonce une sensualité grossière et des instincts égoïstes.

Un nez allongé et recourbé est le signe de l'activité initiatrice. Il caractérise souvent les grands auteurs dramatiques et les grands poètes.

Souvent aussi il dénote la fougue et l'emportement des passions.

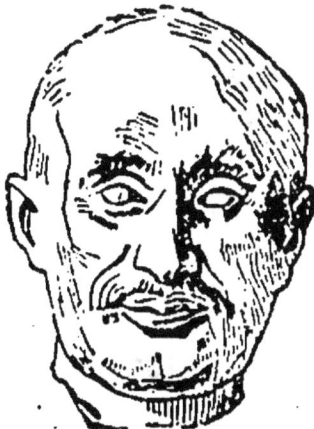

NOMBRES. (*n° 18 Gall; n° 28 Spurz.*)

CALCUL. — ARITHMÉTIQUE. — MATHÉMATIQUES.

« L'homme ne crée rien ; son intelligence est bornée à reconnaître ce qui existe. Si nécessairement un plus un, égale deux, et deux fois deux, quatre, ce n'est point le talent de l'homme qui a créé cette nécessité ; mais son talent reconnaît cette nécessité en vertu de lois éternelles et immuables. Les angles opposés d'un parallélogramme seront éternellement égaux, que cette loi soit ou non reconnue par un sage ; et il en est de même de toutes les vérités mathématiques. Si les mathématiciens s'emparent avec raison de l'optique, de l'astronomie, de la musique, etc., en tant que ces sciences ont besoin de l'application du calcul, je demande si les lois de la réfraction des rayons lumineux, les lois des vibrations de l'air et des corps sonores, les lois du mouvement en général, si ces matériaux, que le mathématicien met en œuvre, ont dans le monde extérieur une existence réelle et indépendante de l'esprit qui les conçoit et les combine, ou si c'est le génie du mathématicien qui les crée ? Si elles ont une existence indépendante du génie qui les soumet au calcul, ce que mes lecteurs m'accorderont sans peine, il s'ensuit qu'il existe un monde extérieur pour le talent du mathématicien comme pour tous les autres talens.

et que son mérite se borne à concevoir ce monde extérieur.

«Or, l'homme doit avoir reçu un organe pour ces objets, organe à l'aide duquel il se trouve mis en rapport avec eux, à l'aide duquel une série particulière de lois lui est révélée. Sans cet organe, il est impossible même qu'il soit instruit de l'existence de ces lois. Lorsque cet organe a acquis un haut degré de développement et d'activité, ces secrets se trouvent en quelque façon dévoilés devant lui. L'homme devine le monde extérieur, et les opérations de cet organe sont en harmonie avec les véritables proportions des quantités, avec les lois de la réfraction, des vibrations et du mouvement en général. »

Gall rapporte un exemple curieux d'un développement extraordinaire du sens des Nombres : « Le jeune Zerah Colborn est né en avril 1804, à Cabot, comté de Calédonie, état de Vermont; il n'avait pas encore sept ans à l'époque où le vit M. Mac-Neven, qui rend compte de cette visite dans le *Medical and Philosophical Journal and Review*, imprimé à New-York, 1811. Dans le courant de la vie, Zerah paraît en tout semblable aux autres enfans, soit pour la légèreté, soit pour la puérilité de ses amusemens; mais lorsque son attention se fixe entièrement sur quelque sujet, il déploie alors des facultés très supérieures à son âge, et lorsqu'il s'agit de calculs, supérieures, je crois, à ce qu'on pourrait attendre de quelque âge que ce soit. Ce fut en août 1810 que son père lui entendant répéter entre ses dents quelques nombres qu'il multipliait pour son plaisir, s'aperçut de sa prodigieuse facilité pour le calcul. L'attention qu'elle excita, et l'exercice qui lui fut donné en conséquence de cette attention, l'ont en quelque mois singulièrement augmentée. La promptitude de ses réponses sur les questions d'arithmétique qui peuvent lui être proposées, est telle qu'il semble répondre de mémoire. On ne peut cependant douter que cette promptitude ne soit due à la rapidité de ses combinaisons, car dans les calculs un peu compliqués on l'entend souvent multiplier, additionner ou soustraire tout haut, et avec une vitesse incroyable. Il se reprend quelquefois; lorsqu'il commet quelque erreur, il en paraît excessivement mortifié, mais cela ne lui arrive presque jamais. M. Mac-Neven l'a entendu répondre sans la plus légère apparence d'hésitation et sans la moindre erreur, aux questions suivantes : *Demande.* Que font 1347, 1953 et 2091 ? *Réponse.* 5391. *Demande.* Quels sont les nombres qui, multipliés l'un par l'autre, donnent 1242 ? Les solutions suivantes furent données aussi vite que peut le permettre la parole : 54 par 23, 9 par 138, 27 par 46, 3 par 414, 6 par 207, 2 par 621. *D.* Quel est le nombre qui, multiplié par lui-même, produit 1369. *R.* 37. *D.* Quel est le nombre qui, multiplié par lui-même, donne 2401 ? *R.* 49; et 7 multiplié par 343, donne le même nombre. Lorsqu'on exprimait les nombres par mille et par cents, il criait avec impatience : mettez-les en cents, c'est-à-dire que pour 2401, il voulait qu'on lui dît 24 cents et un. *D.* Que donnera 6, multiplié 6 fois par lui-même? Il calcula tout haut de la manière suivante, et aussi vite que peut aller la parole : 6 fois 6 font 36, 6 fois 36 font 216, 6 fois 216 font 1296, 6 fois 1296 font 7776, 6 fois 7776 font 46656, 6 fois 46656 font 279936.

»*D.* Combien d'heures en 26 ans 11 mois et 3 jours ? *R.* 226992. La personne qui lui avait adressé cette question s'était trompée dans le calcul qu'elle avait fait de son côté; en sorte que lorsque Zerah répondit, elle crut que c'était lui qui se trompait. Zerah, après un moment de réflexion, assura que c'était son calcul qui était juste : on refit l'opération, et il se trouva qu'il avait raison. Ceux qui questionnaient l'enfant avaient oublié de faire entrer dans ce dernier calcul la différence des années bissextiles, et avaient supposé les onze derniers mois de trente jours. Cet oubli rappelle une anecdote du même genre. On amena à D'Alembert un petit pâtre, qui avait aussi une étonnante facilité de calcul. Mon enfant, lui dit D'Alembert, voilà mon âge; combien ai-je vécu de minutes ? L'enfant se retira dans un coin de la chambre, cacha son visage dans ses mains, et vint un moment après répondre à D'Alembert, qui n'avait pas encore achevé le calcul qu'il avait entrepris la plume à la main ; il l'achève : les deux résultats n'étaient pas d'accord. L'enfant retourne dans son coin, refait son calcul, et revient en assurant qu'il ne s'est pas trompé ; D'Alembert vérifiait le sien. Mais, monsieur, dit tout-à-coup l'enfant, avez-vous songé aux années bissextiles? D'Alembert les avait oubliées, et le petit pâtre avait raison.

» Comme on lui proposa de multiplier 123 par 237, son père objecta que deux nombres triples étaient trop difficiles. L'enfant répondit qu'il pouvait les multiplier, et tint parole ; il multiplia même, et très promptement, 1234 par 1234. Cependant on voit que les questions difficiles le fatiguent, et il prie souvent qu'on ne lui en donne pas de si compliquées. Pendant qu'il répond, on voit à son maintien, à l'état de ses yeux, à la contraction de ses traits, combien son esprit travaille.

» Sa physionomie est très expressive : il a le front petit, mais angulaire ; les arcs orbitaux (les sourcils) considérablement avancés ; ses yeux sont gris, spirituels et toujours en mouvement ; son crâne est arqué et considérablement large ; il a l'occiput petit, les cheveux roux ; il est singulièrement fort et grand pour son âge, ses mouvemens sont précipités, et il est toujours en action.

» Il n'a jamais été à l'école, et il ne sait ni lire ni écrire. On lui demanda comment il faisait ses calculs; il répondit qu'il les voyait clairement devant lui. Il n'a point encore d'idée des fractions, et ne sait compter que les nombres ronds. Il est le cinquième de sept enfans, dont aucun ne se distingue par des facultés remarquables. Son père Abiah-Colborn est né avec six doigts à chaque main, et Zerah est le seul des enfans d'Abiah en qui se trouve cette singularité.

»M. Mac-Neven rappela, à l'occasion de Zerah-Colborn, un autre personnage (Jedidiah-Buxton) connu dans le siècle dernier par une extraordinaire aptitude au calcul, mais qui n'était accompagnée d'aucune sorte d'esprit. Jedidiah paraissait même privé de quelques-uns des sentimens les plus ordinaires. La musique ne lui offrait rien qu'une confusion de sons; et conduit à une pièce de Shakespeare, jouée par Garrick, il ne s'occupa qu'à compter le nombre de mots prononcés par ce grand acteur. Zerah-Colborn annonce, au contraire, beaucoup d'esprit; il est prompt à la répartie et quelquefois mordant. Quelques jours avant la visite de M. Mac-Neven, une femme s'était divertie à lui demander: combien font trois zéros multipliés par trois zéros? — Précisément ce que vous êtes, dit-il, rien du tout.»

Il n'est pas rare de trouver le talent pour le calcul, chez des personnes dont l'esprit n'a nullement été développé. Un pâtre du Tyrol, Pierre Annich, s'était rendu fameux par ses calculs astronomiques.

Sa réputation engagea le père Hell à aller le trouver; lorsque ce savant interrogea le pâtre sur ses
études préliminaires, il apprit avec étonnement
que celui-ci ne connaissait pas même de nom les
mathématiques et l'astronomie.

Un autre jeune garçon de St-Polten disait à Gall
qu'il voyait les nombres sur lesquels il opérait
comme s'ils étaient écrits sur une ardoise.

Tout le monde sait que Pascal, sur la simple définition de la géométrie, vint à bout de découvrir
par la seule force de son génie pénétrant, jusqu'à
la trente-deuxième proposition d'Euclide. A l'âge
de seize ans, il publia un traité des sections coni-
ques. De la géométrie, il passa avec la même facilité aux autres parties des mathématiques. A peine
avait-il dix-neuf ans, qu'il inventa la *roulette*, machine d'arithmétique singulière, par laquelle on
fait toutes sortes de supputations, sans plume et
.sans jetons, et même sans savoir l'arithmétique.

Ces aptitudes naturelles démontrent que le sens
des Nombres est une faculté fondamentale, dont
l'organe est situé à la partie antérieure inférieure
latérale du lobe antérieur, auprès du lobe moyen.
au-dessous de la Constructivité et de la Tonalité.
(Voyez le n° 28.)

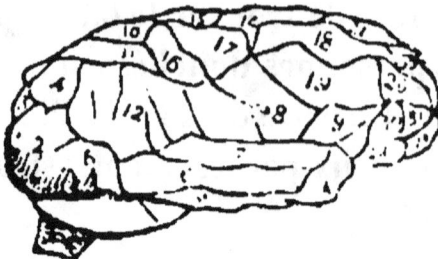

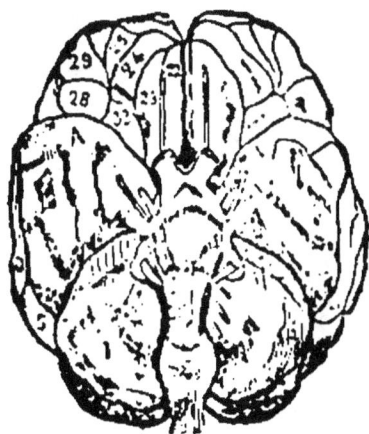

Il se traduit à l'angle extérieur de l'arcade orbitaire. Lorsqu'il est très développé, la partie externe
du plancher se trouve déprimée, de sorte que l'arcade orbitaire supérieure n'est plus régulière que
dans sa moitié interne, et que sa moitié externe représente une ligne droite qui descend obliquement.
De là résulte que la partie externe de la paupière
est abaissée et cache la partie correspondante de
l'œil. Ce caractère est encore plus infaillible, lorsque
la partie externe de l'orbite se trouve en même
tems écartée en dehors, de manière que l'angle
saillant de l'arcade sourcillaire déborde les parties
antérieures de la tempe. Mais cette saillie n'existe
pas lorsque les parties latérales sont très bombées
par un grand développement, soit de l'organe de
la musique, soit de celui de la Construction.

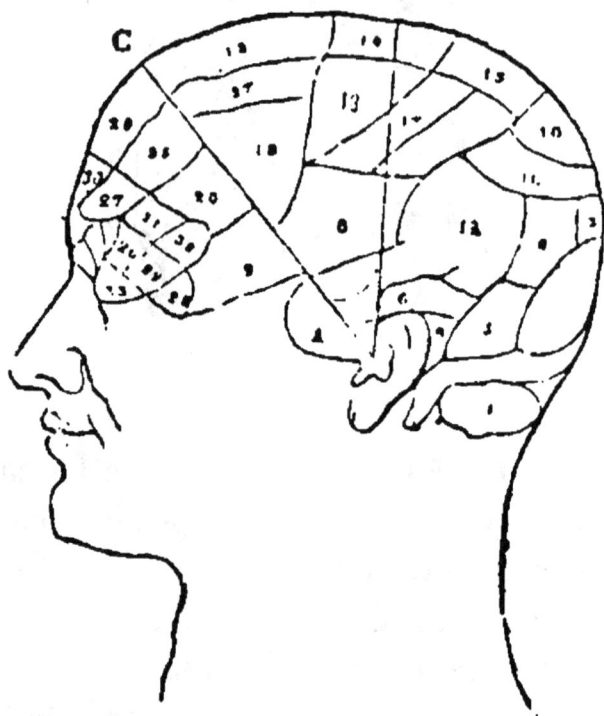

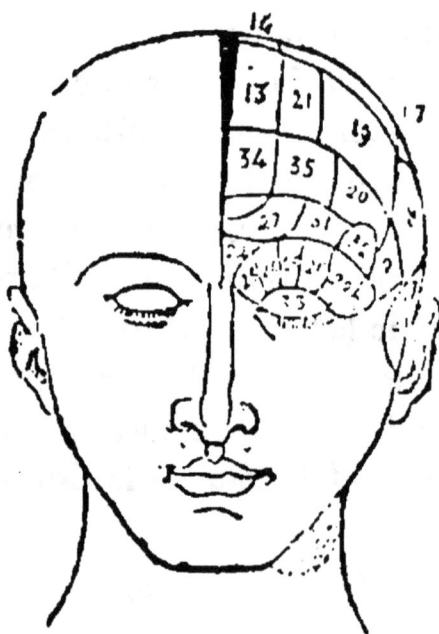

Il n'est pas besoin de dire que le sens des Nombres trouvera une application différente, selon qu'il sera accompagné de tels organes très développés ou de tels autres. C'est suivant ces variations que celui qui en est doué sera géomètre, géographe, opticien, astronome, compositeur de musique, etc.

Cet organe est ordinairement moins développé chez les femmes que chez les hommes.

Plusieurs naturalistes prétendent que les animaux sont doués du sens des Nombres. Dupont de Nemours assure même que la pie compte jusqu'à neuf.

NOMENCLATURE.

Nous avons donné en tête de ce Dictionnaire la nomenclature des facultés, telle qu'elle est adoptée aujourd'hui par les phrénologistes. Elle est due en partie à Spurzheim qui a introduit la terminaison *ité*. Quoiqu'en aient dit plusieurs critiques, cette terminaison est très bien appropriée aux substantifs désignant les diverses facultés. Elle est tout-à-fait justifiée par les habitudes grammaticales de la langue française.

Voici l'ancienne nomenclature de Gall :

1. INSTINCT DE LA GÉNÉRATION.

2. AMOUR DE LA PROGÉNITURE.

3. ATTACHEMENT.

4. INSTINCT EE LA DÉFENSE DE SOI-MÊME.

5. INSTINCT CARNASSIER.

6. RUSE.

7. SENTIMENT DE LA PROPRIÉTÉ.

8. ORGUEIL, OU SENTIMENT DE L'ÉLÉVATION.

9. VANITÉ.

10. CIRCONSPECTION.

11. MÉMOIRE DES CHOSES, ÉDUCABILITÉ.

12. SENS DES LOCALITÉS.

13. MÉMOIRE DES FORMES.

14. MÉMOIRE DES MOTS.

15. MÉMOIRE DES LANGUES.

16. COLORIS.

17. MÉLODIE.

18. MÉMOIRE DES NOMBRES.

19. CONSTRUCTION, MÉCANIQUE.

20. ESPRIT COMPARATIF.

21. ESPRIT MÉTAPHYSIQUE.

22. ESPRIT DE SAILLIE.

23. TALENT POÉTIQUE.

24. BONTÉ.

25. IMITATION.

26. VÉNÉRATION, THÉOSOPHIE.

27. FERMETÉ.

O.

OCCIPITAL.—Voyez CRANE.

ODEUR.

Gall cite l'exemple d'un jeune écossais, né sourd et aveugle, dont l'odorat était arrivé à une perfection exquise : il flairait toujours les personnes dont il s'approchait, en portant leurs mains à son nez et en aspirant l'air. Leur odeur déterminait son affection et son aversion, de même que les personnes douées du sens de la vue sont attirées ou repoussées par une forme belle ou laide ; il a toujours reconnu ses habits par l'odorat, et refusé de mettre ceux d'un autre, etc.

Henri III a été pendant toute sa vie amoureux de Marie de Clèves, pour être entré dans le cabinet où elle avait changé de chemise, au milieu d'un bal donné par Catherine de Médicis.

Il est étonnant que les phrénologistes n'aient pas songé à chercher dans le cerveau un organe qui préside directement à la perception que le sens olfactif transmet comme intermédiaire ; de même qu'il y a des organes auxquels la vue, l'ouie, le goût apportent leurs sensations. Puisqu'on a fait correspondre l'Alimentivité au palais, la Configuration à l'œil, la Tonalité à l'appareil auditif, on

devait être amené logiquement à conclure que l'ol-
faction devait avoir un centre nerveux dans l'organologie. Pour notre part, nous sommes sûrs que
l'organe de l'odorat qu'on pourrait appeler l'*olfac-
tivité* existe, et nous pensons qu'il doit être voisin
de l'organe du goût, l'Alimentivité, avec laquelle
il a de grands rapports. En outre il est tellement
fondamental et essentiel, qu'il est certainement situé à la base du cerveau, auprès des autres organes
des sens extérieurs.

Nous ajouterons une idée qui nous est personnelle et que nous avons déjà émise ailleurs : N'y a-
t-il pas un *art des parfums*, comme il y a un art des
sons. Les parfums, comme les sons, ont une signification propre, et s'ils ne peignent pas maté-
riellement les idées ou les corps, ils en provoquent
le souvenir. Il y a une langue des parfums, comme
une langue des sons. Puisqu'on est arrivé à classer
et hiérarchiser les sons, pourquoi n'arriverait-on
pas à hiérarchiser les odeurs suivant une gamme,
comme la gamme musicale? Les parfums ont été
fort employés dans tous les cultes religieux, dans
le culte chrétien, et surtout dans l'Orient. L'odeur
est une manifestation des êtres, comme la ligne, la
couleur ou la sonoréïté. Chaque odeur comporte
une qualité, comme chaque son ou chaque forme.
Les parfums sont donc une des expressions poétiques au moyen desquelles les choses se traduisent
au-dehors. C'est une des formes du Verbe universel.

Sans doute l'avenir religieux utilisera les parfums dans son culte, et il leur donnera une place, à côté de la musique, dans l'harmonie de tous les arts qui exalteront la gloire de Dieu.

OEIL.

REGARD. — PAUPIÈRE.

Les yeux sont par leur forme des fenêtres de l'âme, des globes diaphanes, des sources de lumière et de vie.—*Herder.*

Les yeux sont des fenêtres au travers desquelles on voit passer les idées qui vont et viennent dans le cerveau. — *V. Hugo.*

L'œil appartient à l'âme plus qu'aucun autre organe. — *Buffon.*

Les yeux bleus annoncent plus de faiblesse, un caractère plus mou et plus efféminé, que ne font les yeux bruns ou noirs; les yeux verdâtres sont souvent un signe de vivacité et de courage. Quand la ligne circulaire de la paupière d'en haut décrit un plein cintre, c'est la marque d'un bon naturel. Lorsque la paupière se dessine presqu'horizontalement sur l'œil, et coupe diamétralement la prunelle, je m'attends ordinairement à un homme très fin, très adroit. — *Lavater.*

Les yeux *fendus en amande* annoncent la tendresse; les yeux ronds, la stupidité.

Nous avons dit, aux articles spéciaux des organes

phrénologiques, que les yeux à *fleur de tête* indiquent la mémoire des mots; les yeux *à la chinoise*, l'absence d'ordre; les yeux très distans l'un de l'autre. le sens des formes, la Configuration, la mémoire des personnes.

Il y a, suivant nous, une grande différence entre un regard de *flamme* et un regard de *feu*, qu'on prend souvent pour synonimes. L'observation confirmera notre remarque. Les regards qui *lancent la flamme*, les regards *perçans* qui traversent, annoncent, comme chacun sait, la vivacité, l'ardeur, l'*expansion*. Mais, au contraire, les regards de *feu* annoncent la *concentration*. Ils ne vous percent pas, ils ne vous *frappent* pas, ils vous attirent; c'est un océan infini dans lequel on se noie; on est entouré, caressé, endormi; c'est là le véritable regard magnétique.

Comme signe physionomique. les yeux expriment la vie sous toutes ses faces, aussi bien la vie morale, que la vie intellectuelle, que la vie instinctive, tandis que les autres traits traduisent plus spécialement un ordre d'impressions, le nez les sentimens, le front les idées, la bouche les instincts, etc.

OISEAUX.

Il y a beaucoup de physionomies humaines qui se rapprochent des oiseaux. (Voyez RACE.) Les profils qui ressemblent à l'aigle appartiennent aux natures audacieuses et excentriques dont la pensée s'envole au sein de l'espace. Tel est le masque de Géricault ; on dirait la charpente d'une tête d'aigle. Tel est le Dante.

Il y a des hommes qui ressemblent au hibou. Leur tête plate et élargie latéralement annonce la prudence, la réserve, la dissimulation. Il y en a qui ont un bec de pie en guise de nez ; ce sont les bavards. Il y en a qui ont des figures de fauvette ; ce sont les faibles et les frivoles. On dit de certaines gens : c'est un *étourneau* ; C'est un *perroquet*. Ces analogies frappantes sont toujours de précieux signes pour le physionomiste. Ils révèlent nettement la manière d'être dominante, les facultés caractéristiques des individus, chez lesquels on les remarque.

OPINIATRETÉ. (Voyez PERSÉVÉRANCE.)

ORDRE. (n° 29 *Spurz.*)

MÉTHODE.

Gall n'a fait que soupçonner un organe pour le sens de l'Ordre qui est cependant une faculté primitive et fondamentale. Il y a des personnes pour lesquelles le désordre des objets matériels est une véritable souffrance ; elles aiment que toutes les choses qui les entourent soient rangées méthodiquement; elles se lèvent la nuit pour remettre une chaise à sa place ou pour redresser le pli d'un rideau. Leurs meubles, leurs habits sont disposés avec une symétrie parfaite, et leur intérieur est remarquable par son arrangement. D'autres, au contraire, ne s'inquiètent aucunement de l'ordre des objets extérieurs. Tout est pêle mêle autour d'elles. Les choses de leurs usages sont toujours égarées, ou entassées sans soin.

Le sens de l'Ordre s'applique aussi à la pensée: c'est la *méthode* de l'esprit. Chez les uns, l'enchaînement des idées n'a aucune suite; chez les autres, tout se classe à son rang et avec harmonie.

L'organe de cette faculté est situé à la partie antérieure latérale du lobe antérieur; il repose sur le plancher orbitaire entre les Nombres et la Couleur, au-dessous de la Tonalité.   (Voyez n. 29.)

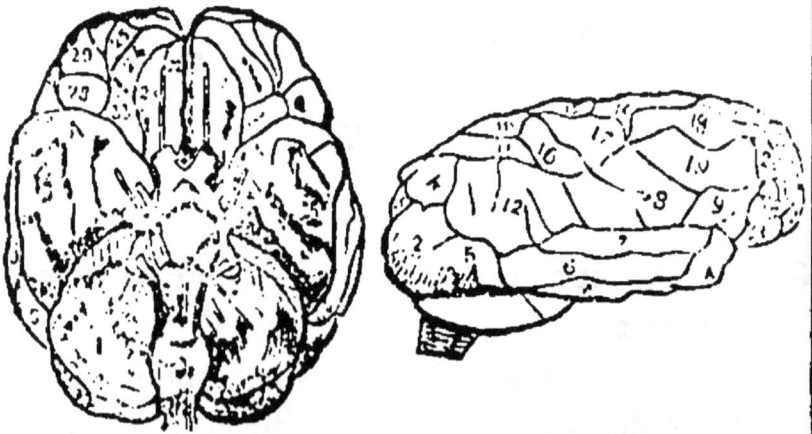

Il se traduit sur l'arc sourcillier, en dedans des Nombres, et rend le sourcil proéminent en cette partie, quand il est très développé.

L'absence de l'Ordre est facilement appréciable à l'élévation et l'aplatissement de l'arc orbitaire en approchant des tempes. (Voyez œil.—sourcil.)

OREILLE.

Il y a dans les anciens naturalistes une foule de contes très curieux sur les oreilles. Strabon rapporte, sur l'autorité d'Onésicrite, qu'on trouvait dans l'Inde une nation dont les oreilles descendaient jusqu'aux talons ; de sorte que les propriétaires de ces monstrueuses oreilles pouvaient se coucher dessus, en guise de matelas. Pompinius Mela dit que les Panotes avaient de si grandes oreilles qu'ils s'en enveloppaient entièrement le corps. Pline a consigné dans son histoire naturelle beaucoup d'observations très contestables sur les oreilles de certains peuples.

La conformation des oreilles fournit quelques indications au physionomiste. Une oreille rouge annonce, dit-on, la luxure et la sensualité. De longues oreilles plates sont le signe de la sobriété et de l'application au travail.

ORGANES.

Gall appelle organes les conditions matérielles qui rendent possible la manifestation d'une faculté. Saint Thomas, malgré l'abstraction chrétienne de l'esprit et de la matière, reconnaissait la liaison qui les unit : « Quoique l'esprit, dit-il, ne soit pas une faculté corporelle, les fonctions de l'esprit, telles que la mémoire, la pensée, l'imagination, ne peuvent pas avoir lieu sans l'aide *d'organes* corporels. C'est pourquoi lorsque les organes, par un dérangement quelconque, ne peuvent pas exercer leur activité, les fonctions de l'esprit sont aussi dérangées, et c'est ce qui arrive dans la frénésie, dans l'asphyxie, etc. C'est encore pour cela qu'une organisation heureuse du corps humain a toujours pour résultat des facultés intellectuelles distinguées. »

ORGANOLOGIE.

Gall appelait ainsi la science qui détermine la localisation des organes spéciaux de l'encéphale. Il sentait bien que cette partie de sa doctrine était encore fort incomplète et qu'elle devait subir des modifications et des adjonctions. En effet, les continuateurs de Gall ont découvert de nouveaux organes et précisé plus nettement certains autres. Aujourd'hui encore, il reste beaucoup à faire dans l'Organologie. Il y a des facultés fondamentales admises, qui ne sont pas bien justifiées et qui demandent explication. Il y a encore de nouvelles découvertes à tenter, et la science est loin d'être arrêtée. Nous avons déjà parlé des groupes de circonvolutions affectées à la Philogéniture, entre lesquelles on constatera sans doute des divisions, pour rendre compte de l'amour filial et des autres sentimens de la famille.

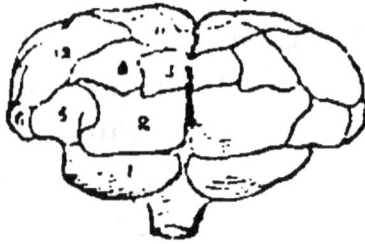

On n'a pas deviné jusqu'ici la destination physiologique de toute la partie inférieure du lobe moyen.

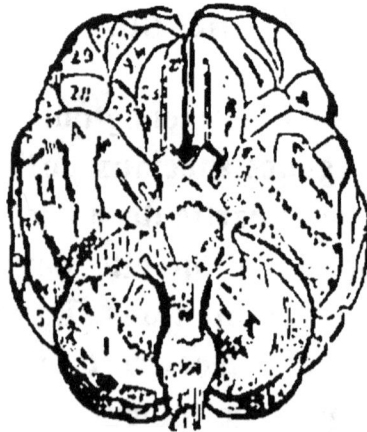

Peut-être le cervelet a-t-il plusieurs fonctions. Peut-être certains organes sont-ils mal situés dans la topographie actuelle. Nous pensons, quant à nous, que l'Organologie est seulement ébauchée, tout en professant une foi complète sur la locali-ation d'un grand nombre d'organes, comme l'Amativité, la Destructivité, la Localité, etc., qui sont pleinement démontrés par l'étude des animaux. Toujours est-il qu'en acceptant la phrénologie, telle qu'elle est faite aujourd'hui, on arrive à de merveilleux résultats dans l'appréciation des individualités.

OS.

Les os sont en quelque sorte l'architecture du corps humain. Dans cette architecture inventée par Dieu, toutes les parties sont harmoniques, tous les détails sont merveilleusement appropriés à l'ensemble; chaque fraction s'engrène avec les autres dans une proportion calculée pour former un tout homogène; avec tel crâne, telles vertèbres, telles côtes, telles articulations, tels membres. Les colonnes sont d'accord avec le vaisseau de l'édifice et avec le fronton; si bien qu'on pourrait reconstruire le tout sur un fragment déterminé. C'est cette homogénéité rigoureuse qui sert de base à l'antropologie et à la physiognomonie. Tous les signes extérieurs concourent à faire comprendre l'unité d'une organisation.

Nous avons décrit à l'article *Crâne* tous les os formant la boite dans laquelle se développe le cerveau.

P.

PAGANISME.

ANTIQUITÉ. — MYTHOLOGIE.

La religion payenne correspondait au développement de l'homme primitif. L'*antiquité* est la *jeunesse* de l'humanité. Quoiqu'on ait souvent exalté l'Egypte et surtout la Grèce aux dépens de l'époque moderne, il faut pourtant bien reconnaitre les conquêtes de la civilisation depuis deux mille ans. Le christianisme, et après lui la philosophie moderne, ont mis en lumière des élémens dont il n'est jamais question chez les anciens. Sans doute ces nouvelles puissances existaient en antériorité, en germe, dans l'homme primitif, mais elles ne s'étaient pas encore manifestées. L'homme payen, dont la mission principale était de dompter la nature extérieure et de prendre possession du globe, devait surtout représenter la force et toutes les facultés instinctives. Aussi ses dieux correspondent-ils à la vie matérielle. Nous avons dit ailleurs que Vénus était l'Amour physique, Bacchus l'Alimentivité, Hercule la Combativité, etc. Aussi, en étudiant tous les produits de l'art antique qui sont venus jusqu'à nous, nous trouvons que l'organisation d l'homme payen est principalement virtuelle à l'endroit des instincts. La base du cerveau est très large, mais les parties supérieures et antérieures sont faiblement développées.

Voyez l'article TÊTE, où nous expliquons plus au long la progression du développement cérébral et les variations successives de la tête humaine.

PANTHÉISME.

Les spiritualistes purs ont eu raison de rejeter la phrénologie, comme, d'un autre côté, les matérialistes n'ont pu la comprendre entièrement; car la phrénologie, c'est la conciliation du spiritualisme et du matérialisme, c'est l'absorption dans l'unité de la dualité esprit et matière. C'est, en un mot, l'antropologie panthéïstique. Pour tout logicien, le panthéïsme contient virtuellement la phrénologie, comme la phrénologie conduit au panthéïsme. Si messieurs de la société phrénologique avaient compris la philosophie de leur science, ils auraient rompu avec les anciennes philosophies et accepté franchement une logique irrésistible. C'est à cette seule condition que la phrénologie s'installera dans le monde; c'est en qualité de panthéïstique que nous affirmons son existence, car l'avenir est au panthéïsme.

PARIÉTAUX. — Voyez CRANE.

PASSION.

Le mot passion peut être employé pour chaque faculté soit intellectuelle, soit affective, aussitôt que son action a atteint un degré très énergique et persévérant. Mais quelquefois et improprement on entend par passion les penchans ou les sentimens.

Le mot par lui-même indique l'irrésistibilité, la passivité, et nullement la liberté, la spontanéité. (Voyez FACULTÉ.)

PASSIVITÉ. — Voyez ACTIVITÉ.

PATERNITÉ. — Voyez PHILOGÉNITURE. —PÈRE.

PATHOGNOMONIQUE.

La pathognomique envisage le caractère *en action*. C'est l'étude des mouvemens du visage et du corps, sous telle impression déterminée. Chaque individualité modifiée à sa manière par les sentimens ou les passions dont elle subit l'influence, manifeste au dehors des signes qui les révèlent. Chaque affection de l'homme a son langage extérieur qui se trahit par la mimique de sa figure, par ses gestes ou son allure propres. C'est ainsi que beaucoup de naturalistes et de peintres ont cru pouvoir signaler les caractères généraux et communs de toutes les passions. Mais il est plus difficile de préciser les

nuances particulières et infiniment variées de chaque organisation. Ici, la science ne saurait être réduite en formules, puisqu'il y a autant de signes
pathognomoniques que d'individus. On est donc
forcé de laisser au tact de l'observateur l'appréciation des divers mouvemens de la physionomie.

PAUPIÈRES. — Voyez œil.

PÉNALITÉ.

PUNITION. — LOIS.

> Tout mal vient de deux sources, d'igno-
> rance et de faiblesse.
>
> (ST-AUGUSTIN, *livre de la foi, chap.* 32)

La révolution française a renversé l'inégalité
monstrueuse des punitions légales qui étaient déterminées par la naissance et la condition des individus. L'égalité devant la loi pénale est maintenant
la base de nos codes. Mais cette égalité-là est aussi
injuste que l'inégalité féodale. L'égalité devant la
loi, dont le vieux libéralisme fait tant de bruit, est
une mystification misérable et ridicule. Comment
peut-on dire aujourd'hui que les lois ont une même
mesure pour tous les citoyens, quand les uns, grâce
à l'institution de la propriété héréditaire, naissent
avec des millions de fortune, et les autres dans la
misère, sans espoir d'éducation, de travail et d'appui? en ce qui touche directement le code pénal,

comment peut-on dire que la *justice* est la même
pour tous, quand la plupart des enfans de la grande
famille sont abandonnés en dehors de la société et
forcés de se constituer en lutte avec elle? et supposé même que tous les individus soient élevés,
éduqués et dirigés avec une même sollicitude, ne
reste-t-il pas toujours les conditions de milieu,
d'entourage, et par dessus tout, les conditions de
l'organisation.

Il ne faut donc pas considérer les délits et les
peines en eux-mêmes, sans égard aux besoins et à
la position des délinquans. Tous les hommes ne
sont pas moralement libres à un degré égal, et par
conséquent, lorsqu'il est question de culpabilité intérieure, tous les hommes ne sont pas coupables au
même degré, quoique l'acte matériel et la culpabilité extérieure soient les mêmes. Pour apprécier
le degré de culpabilité intérieure, il faudrait mesurer au juste l'influence de l'âge, du sexe, de l'état
de santé, de la situation morale et de mille circonstances accessoires au moment de l'acte illégal. Aussi,
la même action peut n'être qu'indifférente dans un
homme, tandis que, dans un autre, elle devient
l'objet d'une responsabilité morale. Le but de la société doit donc être de prévenir les délits et les crimes par l'éducation, d'améliorer les malfaiteurs et
de mettre la société en sûreté contre ceux qui sont
incorrigibles. C'est à la société d'éclairer *l'ignorance* et de fortifier la *faiblesse*. Les hommes qu'on

appelle méchans, ont besoin qu'on supplée au-dehors à ce qui leur manque du côté de l'organisation intérieure.

« Dans notre code pénal, c'est la matérialité de l'acte qui donne la mesure de la punition, sans égard à la personne agissante dans l'acte, ni à la personne qui doit l'expier; tandis que les délits et les crimes devraient recevoir leur caractère de la nature et de la situation des délinquans. »

Chose singulière! Gall auquel nous empruntons la citation précédente, cet excellent Gall, si plein de tolérance et de bonhomie, Gall est partisan de la peine de mort, et même (on hésite à dire cela) de la torture! (Page 369, 1er vol.) et cependant, un peu plus loin, Gall ajoute : quel résultat avantageux peut-on attendre des punitions et des maisons de correction sur des idiots dégradés et des *demi-hommes* de ce genre?

Il est certain que les punitions n'ont jamais amélioré personne. Au lieu d'attendre que les actes *coupables* aient été commis, il serait bienplus simple de les prévenir par l'éducation commune et l'association du travail selon les vocations individuelles; que si vous punissez afin d'épouvanter, alors, infligez la torture ou la mort pour le moindre délit, car la crainte d'une prison de quelques mois, d'une prison où l'on est nourri et vêtu, ne saurait arrêter un malheureux qui vole pour manger. En prison au moins, il est sûr du pain et du gîte. Que si vous entendez seulement vous garantir contre des hommes dangereux, essayez d'abord de les rendre plus sociables et plus moraux avant leur infraction légale, ou au moins après leur chute.

Il nous semble qu'il n'y a pas moyen de se soustraire à ce dilemme : les hommes qui commettent des actes illégaux sont libres, ou ils ne le sont pas. S'ils sont libres, la société doit tout faire pour éclairer et diriger leur volonté, et ce n'est qu'après avoir employé toutes les ressources de l'éducation qu'elle aura le *droit* de les déclarer *coupables*. S'ils ne sont pas libres, la société n'a pas le *droit* de les punir, mais seulement de se mettre en sûreté contre leurs attaques. (Voyez LIBERTÉ. — BIEN. — MAL. — ÉDUCATION. etc.)

PENIS.

Magnus penis, durum et stolidum ingenium ostendere dicunt antiqui, comparando ad asinos, qui, inter animalia, præstant magno mutone. — *Porta, de pudendis.*

PÈRE.

Les pères de famille sont les premiers éducateurs de l'enfance. Ils portent donc une immense responsabilité. Leur devoir est d'étudier les penchans naturels de leurs enfans, et de les diriger dans la voie qui convient à leur organisation. Malheureusement avec la constitution actuelle de l'hérédité sociale, on consulte plutôt la position des parens que la vocation des jeunes caractères. Les conséquences de la phrénologie aideront sans doute à transformer cette loi aveugle et injuste de la succession familiale. En attendant, la science antropologique doit éclairer l'éducation paternelle, et donner les moyens de tirer le meilleur parti possible de chaque individualité.

PERNETTI.

Il a publié un ouvrage en 2 vol. in-8°, sur la *Connaissance de l'homme moral par le physique.* Il a presque copié ses prédécesseurs.

PERSÉVÉRANCE. (N° 27, *Gall;* 15, *Spurz.*)

FERMETÉ. — ÉNERGIE. — ENTÊTEMENT. — OPINIATRETÉ.

La fermeté est une manière d'être, qui donne à l'homme une empreinte particulière qu'on appelle le *caractère;* celui qui en manque est le jouet des circonstances extérieures et des impressions qu'il reçoit. L'homme ferme, au contraire, est immuable dans ses desseins. Les choses difficiles sont celles qu'il entreprend de préférence. Une fois qu'il a chois iune carrière, il la poursuit malgré tous les obstacles.

La fermeté de caractère ne doit point être confondue avec la persévérance dans certains penchans, ou avec la manifestation non interrompue de certaines facultés qui peuvent avoir lieu avec le caractère le plus vacillant.

L'organe de la Persévérance est formé par les circonvolutions placées au sommet du cerveau, le long de la ligne médiane, entre la Religiosité et l'Estime de soi.

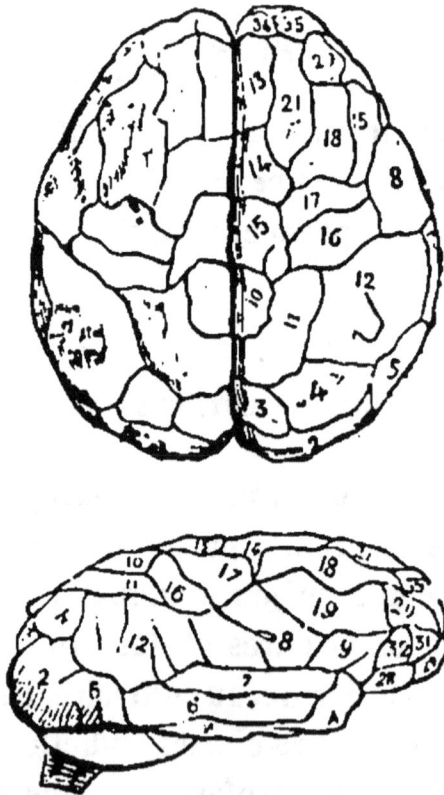

Il se traduit au vertex de la tête, presque audessus de l'oreille, un peu en arrière. Cette partie est proéminente chez les personnes douées de fermeté, tandis qu'elle est déprimée chez les personnes faibles et irrésolues.

B

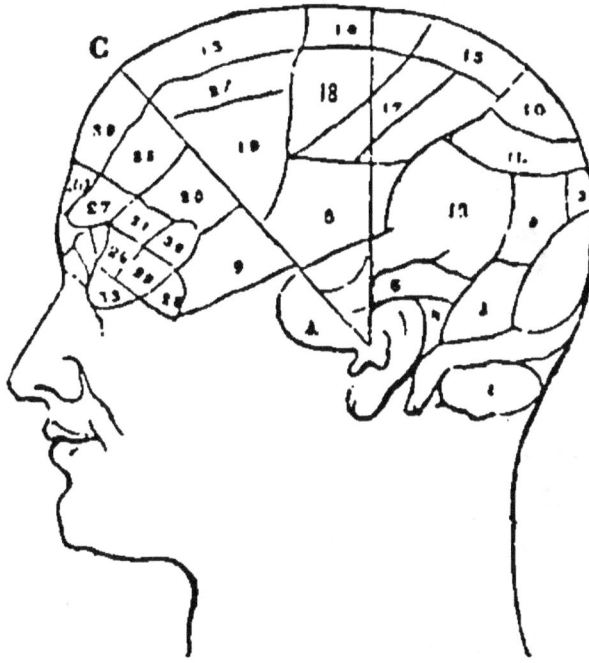

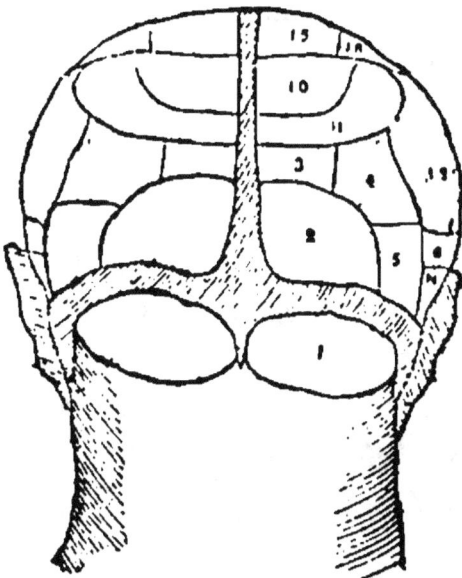

Lavater indique aussi cette conformation comme
le signe de la persévérance ; il aurait pu ajouter une
analogie physionomique qui ne manque jamais:
tous les individus qui ont la tête élevée à l'endroit
de cet organe, ont toujours aussi le menton fort et
avancé, de même que les individus dont la tête est
basse au-dessus des oreilles, ont le menton ren-
trant. (Voyez MENTON.)

PESANTEUR. (N° 25, *Spurz.*)

Les continuateurs de Gall ont admis un organe
qui préside à l'appréciation de la pesanteur des objets. Nous ne savons pas si cette faculté est vraiment bien fondamentale et distincte, et même si
elle est essentielle à la nature humaine. Il est certain toutefois qu'on rencontre des individus qui es-
timent au moindre toucher le poids exact d'un
corps. M. Dumoutier cite souvent un prisonnier de
Bicêtre dont le sourcil était remarquablement développé à l'endroit de la Pesanteur. Cet homme
traduisait aussitôt en grammes la pesanteur des plus
petits objets qu'on lui mettait dans la main, comme
diamans, perles, etc.

Cet organe est situé à la partie antérieure inférieure du lobe cérébral antérieur. C'est une circonvolution alongée entre l'étendue et le coloris.

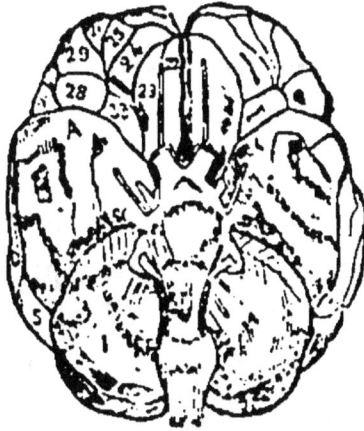

Il se traduit extérieurement vers le milieu de l'arcade orbitaire, et lorsqu'il est très développé, le sourcil semble avancé et baissé en cette partie.

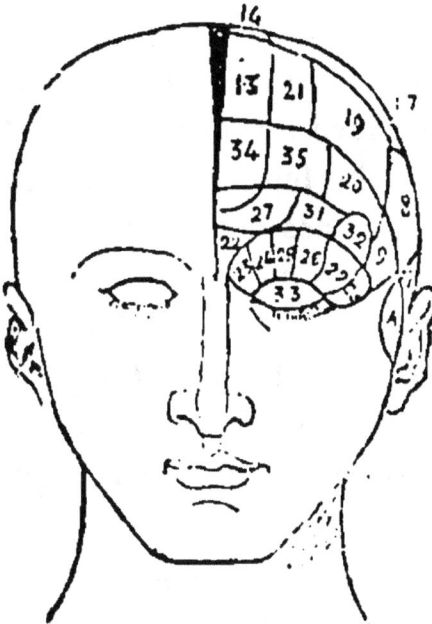

PHILOGÉNITURE. (*N.* 2, *Gall et Spurz.*)

AMOUR DES PETITS. — MATERNITÉ. — FAMILISME. —
PATERNITÉ ET FILIATION.

La nature devait assurer, par un autre organe,
l'existence et la prospérité des êtres procréés en vertu
de l'instinct de la propagation. Dans toute la nature
animée, il se manifeste un penchant impérieux à prendre soin des petits, depuis l'insecte jusqu'à l'homme.
C'est une faculté innée, fondamentale, distincte et
inhérente à l'organisation. Gall a traité merveilleusement l'histoire naturelle de l'amour de la progéniture : il a établi par de nombreuses observations que
dans tous les degrés de l'animalité, la partie cérébrale
qui correspond à cet organe est plus développée
chez les femelles que chez les mâles. Chez l'homme
aussi, la philogéniture est ordinairement moins
puissante que chez la femme. Aussi, quand on
compare les cerveaux des deux sexes, on remarque que celui de la femme est bien plus allongé
dans sa partie postérieure et qu'il déborde bien d'a-
vantage le cervelet. De cette façon, le type de la tête
masculine diffère beaucoup du type de la tête féminine, et il est facile de reconnaître à quel sexe
appartient un crâne donné. C'est en observant cette
différence qu'on dit assez sûrement si une personne
ressemble à son père ou à sa mère, c'est à dire si

elle tient au type masculin ou au type féminin. Il
arrive souvent que la ressemblance est partagée,
que le haut du visage se rapproche du type mâle et
le bas du type femelle, ou quelquefois le contraire,
mais c'est rare.

L'organe de l'amour des petits ou de la Philogéniture est situé à la partie postérieure du lobe cérébral postérieur, des deux côtés de la ligne médiane, immédiatement au-dessus du cervelet.

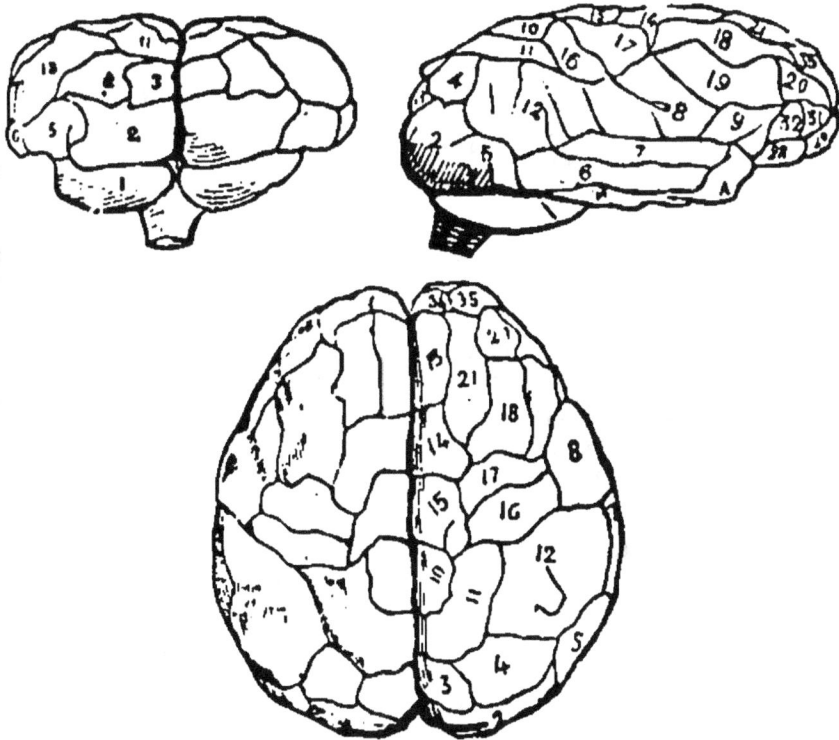

Il se traduit extérieurement à la partie moyenne de
l'occipital, au-dessus de l'apophyse qui forme une
protubérance osseuse.

PHI

(Voyez le n° 2.)

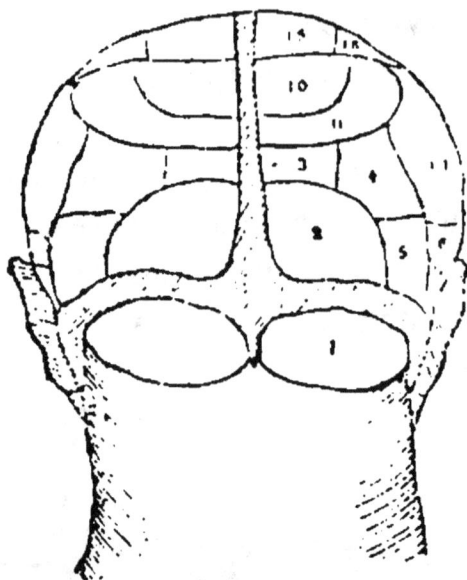

B

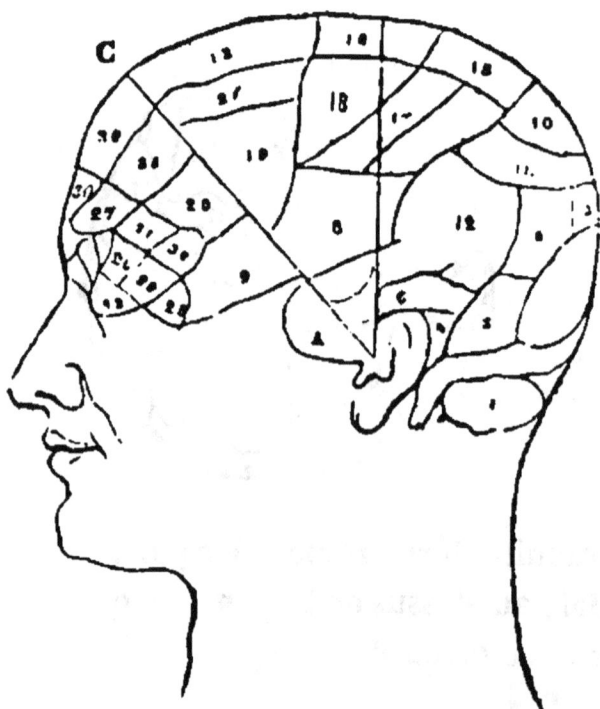

C

Quelquefois ces deux parties des lobes postérieurs s'écartent considérablement l'une de l'autre.
Dans ce cas, elles donnent lieu à une double proéminence de l'occipital, c'est-à-dire qu'il y a alors
une proéminence de chaque côté et qu'entre les
deux se trouve un enfoncement en forme de gout-
tière. Le plus ordinairement, les deux lobes sont
rapprochés et la proéminence du crâne se prononce
en une saillie bombée unique.

Pour mesurer l'organe de la philogéniture, considérant la tête de profil, on suppose un rayon partant du conduit auditif et aboutissant à l'occiput ;
plus le rayon est long, plus l'organe est développé.
(Voyez MESURE.)

PHILOSOPHIE.

La Philosophie est une : toutes ses branches sont
liées à un tronc commun ; elles sont, en quelque
sorte, les divers courans d'une source unique et
primitive. Si l'on entend le mot philosophie comme
synthèse encyclopédique de toutes les connaissances humaines, il est évident que toutes les sciences
spéciales sont harmoniques avec la science unitaire;
elles en sont tout à la fois les conséquences et la
confirmation. Chaque philosophie a donc sa doctrine relative à Dieu, au monde extérieur, à l'humanité, à l'homme. La philosophie du christianisme,
ou le dogme chrétien si l'on veut, expliquait l'hom-

me comme une dualité composée d'une âme et d'un corps, conformément à sa métaphysique générale qui admettait deux principes pour toutes choses, Dieu et le Diable en théologie, le bien et le mal en morale, etc. La phrénologie appartient à cette philosophie nouvelle qui tente de reconstituer toute la science humaine par l'unité. Elle repose sur la connexité intime du physique et du moral, de l'âme et du corps. Elle prouve en un mot l'unité de l'homme. On ne saurait donc se dissimuler que la phrénologie est la négation de la métaphysique chrétienne, en tant que dualité; et c'est là ce qui en fait l'antropologie moderne. Désormais, on ne pourra plus envisager l'homme que comme un être homogène et inséparable, qui manifeste sa VIE par des actes multiples et infiniment variés, mais de même nature; ce point de vue sur l'homme correspond en théologie, au panthéisme, c'est-à-dire à cette formule de Dieu : Dieu est tout; tout est Dieu. (Voyez MÉTAPHYSIQUE. — PANTHÉISME. etc.)

PHYSIOLOGIE.

La Physiologie du cerveau repose sur ces quatre propositions : les facultés morales et intellectuelles sont innées; leur manifestation dépend de l'organisation; le cerveau est exclusivement l'organe de ces facultés; il est composé d'autant d'organes particuliers et indépendans qu'il y a de facultés fonda-

mentales. (Voyez INNÉITÉ. — CERVEAU. — FACULTÉ.
— PLURALITÉ. — PHRÉNOLOGIE. etc.)

PHRÉNOLOGIE.

La Phrénologie est la science de l'homme considéré sous le point de vue de son organisation naturelle. Son étymologie de λογος, verbe, science,
et φρην , esprit , *scence de l'esprit* , est donc assez
incomplète ; car la phrénologie est la science du
corps humain comme de la pensée humaine. C'est
l'explication de l'homme intérieur par l'homme
extérieur, et cette définition la rapproche de la
physiognomonie. Le mot phrénologie est dû au
docteur Spurzheim, qui dans la doctrine nouvelle
semble représenter plus spécialement le point de
vue spiritualiste. Gall appelait sa découverte la
physiologie du cerveau ou l'explication des fonctions du cerveau, et il donnait spécialement le nom
d'organologie à la science des diverses facultés humaines. De son temps, le mot de cranioscopie ou
craniologie fut employé surtout pour exprimer la
science qui fait juger à l'extérieur de la tête les
virtualités de l'homme. A notre sens, le nom qui
convient vraiment à la science de l'homme est,
comme son étymologie l'indique, le mot antropologie, puisqu'il s'agit ici de l'homme tout entier et non point seulement de ses manifestations
spirituelles ; sous cette dénomination, on pour-

rait d'ailleurs réunir toutes les branches séparées
encore aujourd'hui et qui ne constituent qu'une
seule doctrine, l'appréciation de la tête, du visage
et du corps.

Le révélateur de la phrénologie est sans contredit le docteur Gall qui en a eu l'intuition première,
et qui l'a poussée avec une infatigable persévérance
presqu'aussi loin qu'en ce temps-ci. Spurzheim, son
élève et son collaborateur, l'a seulement continuée
et développée, comme aussi les successeurs de
Spurzheim n'y ont ajouté que des détails.

Toute la science phrénologique repose sur ce
principe que l'homme est un, que ses manifestations sont harmoniques avec son organisation,
que par conséquent on peut juger les unes par
l'autre, et réciproquement.

Appuyé sur cette donnée générale, le docteur
Gall se mit à étudier parallèlement l'organisation
cérébrale et les facultés manifestées par l'homme.
Il arriva à assigner les caractères qui impliquent
chaque qualité propre et fondamentale. D'une part,
il disséqua les diverses parties de l'encéphale, et
d'autre part, il analysa et observa les actes extérieurs. De cette façon, il se rendit compte de la
liaison entre telle conformation donnée et tel caractère. Après avoir recueilli des faits innombrables,
il se prouva et il prouva aux autres que chaque faculté humaine a son siége distinct dans le cerveau
et qu'on peut l'apprécier au-dehors. Ainsi fut

établie la doctrine des fonctions du cerveau. Gall reconnut et détermina 27 organes et 27 facultés primitives (Voyez NOMENCLATURE), annonçant que ses successeurs devaient éclaircir et développer sa découverte. En effet, Spurzheim vérifia quelques-uns des organes, en démontra quelques autres, et aujourd'hui encore les phrénologistes cherchent à justifier les points douteux, tout en vulgarisant les points nettement constatés. (Voyez en tête de ce dictionnaire la nomenclature telle qu'elle est adoptée présentement.)

Dans l'état actuel de la science, on reconnaît 37 organes portant les 35 premiers numéros et les lettres A et N, la première indiquant l'Alimentivité, la seconde l'Amour de la vie. Sans doute, il reste encore beaucoup à faire en phrénologie. Mais quelques contestations qu'ait soulevées la science nouvelle, ses bases n'en sont pas moins solides et destinées à vivre, quand bien même on arriverait à changer certains détails d'analyse. Car, nous le répétons, la phrénologie est l'explication de l'homme au point de vue de la nouvelle philosophie. (Voyez GALL.— SPURZHEIM.— PHILOSOPHIE. —MÉTHAPHYSIQUE. etc.)

PHYSIOGNOMONIE.

« Celui-là n'avait pas raison qui se plaignait autrefois de ce que la nature n'avait pas mis une fe-

» nêtre au-devant du cœur pour voir les pensées et
» les desseins des hommes, car la nature y a pourvu
» par des moyens plus certains que n'eût été cette
» étrange ouverture que Momus s'était imaginée.
» Elle a répandu toute l'âme de l'homme au-de-
» hors, et il n'est pas besoin de fenêtres pour voir
» ses mouvemens, ses inclinations et ses habitudes,
» puisqu'elles paraissent sur le visage et qu'elles y
» sont écrites en caractères si visibles et si mani-
» festes. » —*La Chambre.*

Malgré toute l'analogie qu'il y a dans la multitude innombrable des figures humaines, il est impossible d'en trouver deux, qui, mises l'une à côté
de l'autre et comparées exactement, ne diffèrent
sensiblement entr'elles. Il n'est pas moins certain
qu'il serait tout aussi impossible de trouver deux
caractères d'esprit parfaitement ressemblans. Cette
différence extérieure de la figure, doit donc nécessairement avoir un certain rapport, une analogie
naturelle, avec la différence intérieure de l'esprit et
du cœur.

La physiognomonie est la science qui explique
les signes des facultés dans l'état de repos. Elle
fait juger l'intérieur de l'homme par son extérieur.
C'est l'étude des rapports du physique et du moral.
C'est la logique des différences corporelles ; c'est
encore, au point de vue artiste, un sentiment poétique, une sorte de révélation, qui aperçoit les
causes dans les effets. Elle enseigne à connaître le

rapport de la surface visible avec ce qu'elle embrasse d'invisible, de la matière animée et perceptible avec le principe non perceptible qui lui imprime ce caractère de vie, de l'effet manifesté avec la cause cachée qui le produit.

Tout homme, qu'il s'en doute ou non, se connait plus ou moins en physionomie. Il n'existe pas une seule créature vivante qui ne tire des conséquences, du moins à sa manière, de l'extérieur à l'intérieur, qui ne juge, d'après ce qui frappe les sens, les objets inaccessibles aux sens.

«J'ose soutenir, dit Lavater, que presque tous les méchans sont les adversaires de la physiognomonie, et ils ont leurs raisons particulières : ils sentent intérieurement que leur physionomie n'est pas ce qu'elle serait, s'ils étaient gens de bien. L'entrée du sanctuaire de la physiognomonie doit être fermée à tous ceux qui s'y présentent avec un cœur pervers, des yeux louches, un front mal conformé, une bouche de travers.» On trouve dans les langues beaucoup d'expressions métaphoriques basées sur les rapports entre le physique et le moral. Le mot *effronté* suppose une corrélation entre le front et le caractère ; les mots *rectitude, droiture* morale, entre les lignes et les qualités.

PHYSIONOMIE.

La physionomie, de φυσις *nature*, et γνωμε *règle*,

est la surface et le contour de l'organisation. Sous ce terme, Lavater comprend tous les signes extérieurs, qui se font remarquer immédiatement dans l'homme, chaque trait, chaque contour, chaque modification active ou passive, chaque attitude.

Tous les objets ont leur physionomie. Tous les visages, toutes les formes, tous les êtres créés diffèrent entr'eux, non-seulement dans les classes, genres et espèces, mais dans leur individualité.

La nature entière n'est-elle pas physionomie? tout n'est-il pas effet extérieur et faculté interne, principe invisible et manifestation visible.

La physionomie fut cause de la chute de nos premiers parens et des misères attachées à la condition humaine : « La femme vit que le fruit était bon » à manger, qu'il était agréable aux yeux et propre » à rendre intelligent. Elle prit du fruit et en man- » gea.»

« Dans chaque physionomie, quelque dépravée qu'elle puisse être, nous retrouvons l'homme, c'est-à-dire l'image de la divinité. J'ai vu les hommes les plus pervers, je les ai vus dans le moment du crime, et toute leur méchanceté, et tous leurs blasphèmes, et tous leurs efforts pour opprimer l'innocence, ne pouvaient éteindre sur leur visage les rayons d'une lumière divine, l'esprit de l'humanité, les traits ineffaçables d'une perfectibilité éternelle. On aurait voulu écraser le coupable et l'on aurait encore embrassé l'homme. » *Lavater.*

PHYSIONOMISTE. — PHYSIOGNOMONE.

Il faut bien des qualités pour être physionomiste, bien des dispositions innées et bien des talens acquis. Il faut un grand sens de la forme pour
apprécier l'extérieur, et il faut de plus, en même
tems, comprendre toutes les puissances intérieures
du cœur et de la pensée. Celui-là qui n'a pas une
nature très complexe, qui ne résume pas en soi
presque tous les caractères humains, ne saurait être
physionomiste, puisqu'il rencontrera à chaque pas
des qualités et des signes qui lui seront étrangers.
S'il n'est poète, comment serait-il initié aux mystères de la poésie? aux abstractions de la philosophie, s'il n'est philosophe? aux recherches de la
sensualité, s'il n'est sensuel? etc. Un vrai physionomiste ne peut pas être un homme spécial; il doit
sentir résonner toutes les notes du clavier humain:
alors, il lui est donné de pénétrer toutes les individualités. Mais au-dessous de ces physionomistes
privilégiés, il y a, comme en toutes choses, une
hiérarchie graduée de physionomistes, qui saisissent une partie plus ou moins intime des affections.

PIE-MÈRE.

Membrane vasculaire, qui enveloppe le cerveau.
(Voyez MENINGES.)

PLATON.

Platon pensait que si un homme a tout le corps
ressemblant à un certain animal, il en a aussi le
caractère et les passions.

Il dit ailleurs que la femme est toujours pire
que l'homme et plus faible, ce qui a été confirmé
par Aristote et Gallien. Ils ajoutent que cela provient de sa froideur (*frigiditate*), attendu que la chaleur est le premier instrument de la nature, et là
où manque la chaleur, là aussi la perfection. Platon avait la tête un peu forte en proportion du
corps, suivant Plutarque, et le front avancé en
longueur (*in longum porrectum*).

PLINE L'ANCIEN.

Pline a presque transcrit Aristote. Ses œuvres
sont en quelque sorte une encyclopédie de toutes
les connaissances humaines à son époque.

Entr'autres observations qui se rapportent à notre sujet, il a écrit : « Le front de l'homme présente
le signe de la tristesse, de la clémence et de la sévérité. »

PLURALITÉ DES ORGANES CÉRÉBRAUX.

Une foule de preuves viennent appuyer la doctrine de la pluralité des organes cérébraux : une
contention d'esprit soutenue ne fatigue pas égale-

ment toutes les facultés intellectuelles. La principale fatigue n'est jamais que partielle, de façon que
l'on peut se reposer, tout en continuant de s'occuper,
pourvu que l'on change d'objet. Cela serait impossible, si dans une contention d'esprit quelconque,
le cerveau tout entier était également actif. M.
Charles Fourier a merveilleusement compris la
nature humaine, quand il recommande la *variété*
du travail.

Dans l'hypothèse que le cerveau tout entier est
l'organe unique et homogène de la manifestation
de toutes les facultés, il est impossible d'expliquer
les manies partielles et les dérangemens momenta-
nés. Le Tasse faisait ses plus beaux vers pendant
ses accès de manie. Comment aussi rendre compte
de la différence des génies. Qui a le plus d'intelligence de Voltaire ou de Descartes, demande Gall?
Qui a le plus d'intelligence de Mozart ou de Lessing qui détestait la musique ?

La diminution graduelle des facultés, occasion-
née par l'âge, confirme encore cette abolition
successive d'une faculté après l'autre. Quelquefois
un vieillard en démence sur presque tous les points
conserve encore l'énergie de certaines aptitudes.
Le mathématicien Lagny, au lit de la mort, ne
reconnaissait déjà plus personne, lorsque Mauper-
tuis lui demanda : quel est le carré de douze? —
144, répondit Lagny sans hésiter.

PLUTARQUE.

Les vies des *hommes illustres* de Plutarque sont une étude très curieuse pour le physionomiste. A côté de la peinture morale des caractères, il y a toujours le portrait physique des personnages, et souvent l'auteur fait remarquer la concordance des signes et des manifestations.

POITRINE. —TORSE.

Le développement de la poitrine indique le courage ; la distance du nombril à la poitrine doit être la même que la distance du nombril aux parties génitales.—*Aristote.*

Le développement du torse est toujours en harmonie avec la tête. Les individus dont le cerveau est étroit à la base, ont toujours la poitrine étroite, et *vice versâ*. Une poitrine large et ouverte annonce donc ordinairement une grande puissance d'action. Tous les hommes destinés à commander aux autres sont conformés ainsi.

POLITIQUE.

Les rouages de la vieille machine politique reposant sur l'ordre de la naissance sont bien usés. La science antropologique nouvelle est destinée sans doute à fournir des élémens qui reconstitueront

la hiérarchie sociale (voyez HIÉRARCHIE). Si la politique est la règle des relations des hommes entre
eux, elle doit, avant tout, connaitre la nature essentielle de l'homme. La phrénologie est donc la
première base de la politique. Une fois les facultés
humaines fondamentales bien déterminées, la règle
des rapports sociaux en est une déduction. La vraie
politique consiste à favoriser le développement de
toutes les individualités diverses et à les harmoniser dans une tendance générale. La politique de l'a-
venir tiendra compte de la valeur de chacun; elle
établira les *droits* en proportion du mérite personnel, et partagera l'œuvre sociale suivant les aptitudes
de chaque organisation et suivant l'intérêt de tous.

PORTA.

Jean-Baptiste Porta a publié à Naples, en 1602,
un livre intitulé *de physionomiâ humanâ.* Suivant
lui, le genre des animaux est divisé en deux *formes,*
masculine et féminine. L'âme, en descendant dans
le corps, l'anime, et opère selon le tempérament
du corps, parce que le tempérament lui a préparé
des instrumens. On peut donc juger de l'âme par
le corps. La physionomie, de φυσις , *nature,* et
γομος, *règle,* est la raison de la nature des caractères, d'après les signes permanens du corps et les
accidens qui les modifient.

Porta se sert beaucoup d'Aristote et des anciens

qu'il reproduit le plus souvent, mais il les contredit quelquefois.

Presque toutes ses notions de physionomie reposent sur la comparaison avec les animaux ; par conséquent il a plutôt rencontré les signes des facultés
primitives que des facultés élevées.

PORTRAIT.

Le portrait est l'idéal de l'homme. *Lessing.*

Un bon physionomiste devrait savoir distinguer
dans chaque portrait inconnu, les traits qui sont
vrais de ceux que le peintre a altérés, ceux qui sont
dans la nature de ceux qui en sortent. Un seul trait
parfaitement vrai doit lui suffire pour rétablir tous
ceux qui ne le sont pas (Voyez HOMOGÉNÉITÉ). Il
est souvent arrivé à l'auteur de ce dictionnaire,
dans les ateliers des peintres ou des sculpteurs, de
critiquer les invraisemblances d'un portrait, sans
connaître l'original ; et ses observations se sont
toujours trouvées conformes à la nature, après
vérification.

Nous donnons ci-après le portrait de Rubens
dessiné par M. Camille Roqueplan. C'est une excellente reproduction de l'original peint par Rubens lui-même. Il est facile de lire sur cette belle
figure toutes les qualités du grand maître flamand.
La ligne du nez est d'une noblesse singulière : on
conçoit qu'un tel homme ait merveilleusement te-

nu sa place dans les missions diplomatiques et dans les cours d'Europe. La narine puissante et dégagée annonce la fougue et l'entrain qui caractérisent toutes les œuvres du peintre, comme la lèvre inférieure est le signe de ce sensualisme voluptueux qui transpire dans ses créations. L'allure générale de cette tête indique un homme audacieux, d'un coup d'œil sûr et d'une richesse inépuisable.

Cette tête d'Annibal copiée sur un marbre antique, porte l'empreinte de la fatalité.

Il y a sur cette figure je ne sais quelle inquié-
tude vague et sublime, une sorte de puissance sauvage que la providence seule a pu dompter. L'arc
sourcilier appartient à un homme dont les perceptions sont vives et sûres, et le nez annonce la te-

nacité. La forêt de barbe et de cheveux empêche de démêler les autres signes qui caractérisent cette tête énergique.

Nous ajouterons un portrait d'Erasme qui ne vaut pas le portrait de profil peint par Holbein et qu'on voit au musée du Louvre.

Cependant on lit sur cette bouche pincée une

grande finesse, beaucoup de méthode et de sagacité. L'angle du nez annonce une exquise intelligence, et le menton une persévérance inébranlable.

Les portraits des maîtres, du Titien, du Tintoret, de Vandick, de Vélasquez, etc., sont une excellente étude pour le physionomiste.

PRÉDESTINATION.

INNÉITÉ.

La question de la prédestination est la même que celle de l'innéité et de la liberté. L'innéité des facultés étant démontrée, les individus se trouvent ainsi prédestinés à tels ou tels sentimens, à tels ou tels actes, puisqu'ils obéissent aux lois de leur organisation. Chaque individu est prédestiné à une certaine vie, en raison des qualités, qu'il porte en soi-même, comme un rosier est prédestiné par sa nature à porter des roses. (voyez INNÉITÉ — LIBERTÉ.)

PROCÈS MASTOIDIEN.

C'est le prolongement osseux des temporaux derrière le méat auditif. On le tâte facilement avec ses doigts, en arrière des deux oreilles, et il sert d'orientation pour localiser les organes.

PROFESSIONS.

VOCATIONS.

C'est une question importante dans la vie individuelle comme dans la vie sociale que le choix des
professions. Aujourd'hui encore, ce qui détermine ordinairement la carrière de chacun, c'est plutôt la condition où il est né que sa vocation attrac-
tive. On entend tous les jours un père dire de son
fils à la mamelle : « mon fils sera notaire ou avocat. » Et le fils, bon gré mal gré, est poussé dans
la profession que le hazard ou le caprice des parens
lui ont préparée. Tant pis pour le bonheur de
l'homme et pour l'utilité générale. La phrénologie,
en indiquant les aptitudes de chacun, mettra la
société à même de diriger tous ses membres vers
leurs spécialités. Mais, en ce tems-ci, l'hérédité et
les privilèges de la naissance sont encore un obsta-
cle à cette classification normale et salutaire des
hommes. Le temps viendra où l'éducation publique
et la sollicitude sociale consulteront les divers caractères et les développeront dans la voie de leurs
facultés.

PROFIL.

Les lignes du profil sont très indicatives pour le
physionomiste. Le caractère du galbe général de
la tête, du front, du nez, de la bouche, du menton, est ainsi facilement appréciable, mais il ne

faut pas se contenter de cet examen ; il faut considérer en outre le visage de face afin de juger toutes
ses dimensions en largeur. Lavater a souvent donné son avis sur de simples silhouettes et ses impressions ne l'ont guère trompé. Cependant nous
recommandons de retourner en tous sens, si cela
se peut, la tête sur laquelle on veut porter son diagnostic. Les profils convexes appartiennent ordinairement aux gens sans énergie et sans intelligence. Si le profil forme un angle aigu à l'endroit
du nez, c'est le signe du bavardage. Un profil heurté
ne se rencontre jamais avec une nature calme et
harmonieuse.

PROPORTIONS DU CORPS.

Plusieurs auteurs, Albert Durer, Pomponius
Gauricus et autres, ont écrit sur les proportions
relatives du corps humain. Ils ont déterminé la
longueur de chaque membre, et posé des règles
pour bâtir un homme suivant la formule. Le principal vice de ces méthodes est d'être tout-à-fait empiriques, de reposer sur la fantaisie, ou, si l'on veut,
sur l'observation, et non point sur une raison intime et déterminante. En outre, il n'y a pas dans la
nature, et il ne saurait y avoir, deux êtres exactement semblables: on ne doit donc pas établir de
critérium immuable pour le corps humain ; car ses
proportions sont variées à l'infini. Bien plus, en ap-

pliquant ceci à l'art, ce serait un contresens de donner les mêmes proportions à deux figures différentes. Chaque homme a sa forme individuelle et distincte de toutes les autres formes sans exception. Ces théories ingénieuses peuvent être bonnes pour généraliser, pour classer, mais elles ne trouvent point leur application dans la réalité.

L'Apollon pythien, qui est regardé comme le type de la forme, a huit têtes et demie de haut. Par malheur pour les fanatiques de l'art antique, un homme conformé comme l'Apollon serait presque stupide. On a déjà remarqué fort souvent que les Vénus grecques sont condamnées à l'idiotisme par la petitesse de leur tête relativement au corps. Nous en exceptons la Vénus de Milo.

PROPRIÉTÉ.

La propriété, en prenant le mot dans le sens le plus large, n'est pas seulement une convention sociale, c'est encore une institution de la nature chez l'homme et même chez les animaux. Mais il faut s'entendre sur les objets de la propriété. L'étude de l'histoire nous montre que le *droit* de propriété s'est appliqué à diverses choses selon les époques : ainsi l'homme a possédé l'homme au temps de l'esclavage; il a possédé le travail d'autrui au tems du servage; et aujourd'hui encore, la propriété, telle qu'elle est constituée par nos codes, s'étend aux productions créées par le fait des autres. Un propriétaire d'immeubles ou de capitaux a des *droits* sur les fruits de la terre ou de l'industrie que les cultivateurs et les ouvriers ont fait éclore : ce droit de l'oisiveté sur le travail commence à être vivement contesté. La transformation à tenter dans le domaine de la propriété consiste à émanciper les instrumens de travail. Ce qui constitue le droit *légitime* de propriété, c'est le travail personnel; travail moral, intellectuel ou physique, il n'importe, travail de l'artiste, du savant ou de l'industriel. Sans doute les lois de l'avenir établiront ce droit à l'exclusion de tous les autres, et la société ne donnera plus le spectacle déplorable d'une classe de travailleurs exploitée par les oisifs privilégiés. Ainsi le sentiment de propriété qui est inhérent à la nature humaine trouvera une satisfaction normale et complète. (voyez ACQUISIVITÉ.)

PROVIDENCE.

FATALITÉ. —LIBERTÉ. — VOLONTÉ.

Chaque être a sa sphère dans laquelle il se meut, mais cette sphère est invariablement déterminée. Dieu a tracé le cercle dans lequel l'homme doit agir. La fatalité, c'est l'influence inévitable de puissances supérieures, de la loi générale. On ne saurait nier que la sagesse suprême a dû établir un ordre auquel toutes les créatures obéissent. Et cette nécessité est merveilleusement combinée pour l'harmonie de l'ensemble. Toutes les manifestations individuelles entrent dans le plan de la vie collective et concourent à atteindre le but général.

PYTHAGORE.

Pythagore disait qu'il avait été autrefois Œthalidès, peu après Euphorbus, et qu'il avait été blessé par Ménélas ; qu'il avait été enfin Pyrrhus, et après, Pythagore.

La métempsycose pythagoricienne, cette admirable solidarité entre les hommes, a cela de faux, suivant nous, qu'elle suppose des individualités distinctes, vivant éternellement dans leur *moi*, tandis qu'il n'y a qu'une *âme* de l'humanité et de l'univers. Aussi, a-t-on la conscience du passé de l'humanité, mais on n'a pas la conscience du passé du *moi*. Le moi est un rayon de l'âme humanitaire, solidaire, une et indivisible. Cependant on pourrait peut-être dire que ce rayon est toujours le même, quelque forme qu'il revête ; que les mêmes hommes ou les mêmes types semblent reparaître à des intervalles et à des momens donnés ; que chaque individualité représentant une face de l'humanité a été continuée ; qu'il y a une chaîne de types dont la vie a été à peu près analogue. Ainsi, il y a le type révélateur, l'amour ; le type philosophe, la pensée ; le type conquérant, l'action. Ainsi, Moïse, Jésus, Luther, St-Simon. Ainsi, Aristote, Abei-

lard, Bacon, Descartes, Fourier. Ainsi, Cyrus.
Alexandre, César, Charlemagne, Napoléon, etc.

R.

RACE.

Fortes creantur fortibus et bonis.
Est in juvencis, est in equis
Patrum virtus.

Certaines qualités morales se propagent souvent
pendant des siècles dans la même famille. Quand
la constitution physique se transmet des pères aux
enfans, ceux-ci participent dans la même proportion à leurs qualités morales et à leurs facultés intellectuelles.

Cette hérédité se retrouve souvent dans les maladies réputées morales : Gaubius parle d'une fille
dont le père était entrainé par un penchant violent
à manger de la chair humaine, ce qui l'engageait
à commettre plusieurs assassinats. Cette fille,
quoique séparée de lui depuis longtems, et quoique élevée au milieu de personnes respectables entièrement étrangères à sa famille, succomba, comme son père, à l'inconcevable désir de manger de
la chair humaine.

Les différens types humains concordent avec les
diverses espèces d'animaux, d'oiseaux, de reptiles.

d'insectes, de poissons. Nous avons signalé ces analogies au mot RESSEMBLANCE : il y a le type aigle, qui appartient ordinairement aux grands artistes, aux grands poètes, le Dante et Géricault, et qui correspond à l'inspiration. Aussi, entre les *animaux symboliques*, l'aigle est-il affecté au poète Jean l'apocalyptique. Il y a le type lion qui représente l'action, la force, Cromwell. Il y a le type bœuf qui représente le travail, la patience, Francklin, Spurzheim. Il y a le type taureau qui représente la fougue, Mirabeau, etc. Il y a le type serpent, le type poisson, le type chat, le type mouton, le type pie, le type oie, etc.

En outre, le *genre humain* pris collectivement est divisé en plusieurs espèces assez distinctes auxquelles on donne souvent le nom de races : on dit la race blanche, la race noire, la race cuivrée, etc. Ces différentes races, qui forment comme une échelle depuis les degrés supérieurs de l'animalité jusqu'à l'européen de génie, sont une étude très curieuse pour le phrénologiste, puisqu'elles présentent une organisation graduée où les hautes facultés sont de plus en plus développées à mesure qu'on s'élève dans l'échelle.

RAYONS. — Voyez MESURE.

REGARD. — Voyez ŒIL.

RELIGIOSITÉ. (*n° 26, Gall; 14, Spurz.*)

SENTIMENT RELIGIEUX. — VÉNÉRATION. — MYSTICITÉ. UNITÉISME.

Les phrénologistes, Gall en tête, et après lui tous ses continuateurs, même Spurzheim, jusqu'à la présente société de Paris, n'ont pas compris, à notre sens, la valeur métaphysique de cette faculté. Tout ce qui tient à l'observation, tout ce qui est du domaine de l'expérience a été merveilleusement analysé et expliqué par Gall et ses continuateurs; mais sitôt qu'ils arrivent à la poésie et à la religion, cette grande poésie, les hommes d'analyse et d'observation deviennent impuissans: le monde positif est l'antipode du monde intuitif. Aussi, la plupart des naturalistes, savans, médecins et phrénologistes, professent-ils un profond mépris pour les rêveurs, les métaphysiciens, les mystiques, etc. Aussi sont-ils restés dans les doctrines critiques et négatives du siècle passé. Il faut oser dire que la philosophie des phrénologistes est fort peu avancée; ils n'ont pas senti la commotion de ce nouveau courant électrique qui entraîne l'humanité vers la foi et la religion. Comment auraient-ils pu expliquer le sentiment religieux? Gall s'imaginait que la religion est le résultat des facultés intellectuelles. Spurzheim la confond avec la vénération.

Nous croyons, quant à nous, qu'il faudrait

transporter et appliquer en phrénologie les conquêtes de la philosophie spéculative. Le sentiment religieux, l'idée de Dieu, la notion de la loi supérieure, sont soumis au progrès comme toutes les notions humaines. Le mot de vénération est donc fort impropre pour la Religiosité. La religiosité n'implique pas la vénération et réciproquement. Au contraire, on peut être très *religieux* et ne pas *vénérer* les religions du passé. Certainement les premiers Chrétiens étaient plus religieux que les derniers payens qui vénéraient encore Jupiter. De même, en ce tems-ci, il nous semble que les hommes les plus religieux, ne sont pas les obstinés croyans au dogme chrétien qui se meurt. La révolution en religion est une loi éternelle, comme en toutes choses. Les religions ont suivi une progression incessante qui les a transformées et agrandies. Ceux qui croient au dieu de l'avenir sont plus religieux que ceux qui croient au dieu du passé : au seizième siècle, Luther étoit plus religieux que Léon X.

Qu'est-ce donc que la Religiosité prise dans le sens le plus élevé et le plus général ? c'est le sentiment de l'harmonie, de l'unitéïsme, de la tendance qui gouverne et emporte le monde. Qu'est-ce que Dieu ? c'est la Vie éternelle et infinie. Ceux là qui ont le sentiment de la Vie universelle ont le sentiment de Dieu. .

Ce sentiment d'une puissance supérieure s'est

manifesté à différens degrés dans tous les temps et par toute la terre. Il est inhérent à la nature humaine. C'est la source d'une révélation incessante que l'homme porte en soi-même. Il y a donc dans l'organisation hominale une faculté fondamentale et propre, qui l'élève à cette connaissance. Il y a aussi par conséquent un organe cérébral pour cette faculté.

L'organe de la Religiosité est situé au sommet de la tête, le long de la ligne médiane, immédiatement au-dessus de l'oreille.

(Voyez n. 14.)

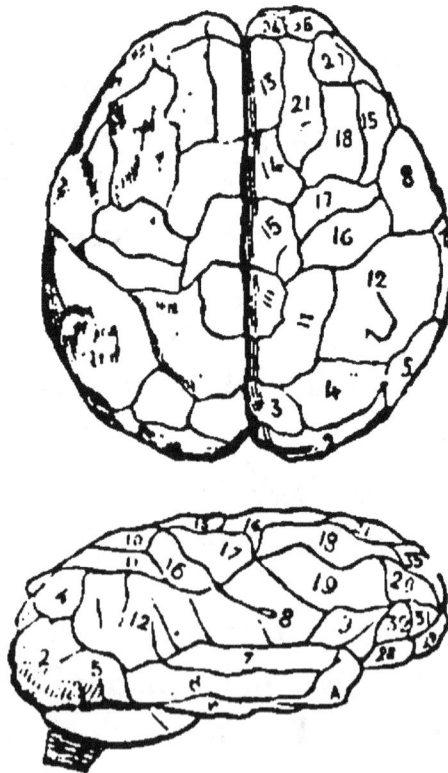

B

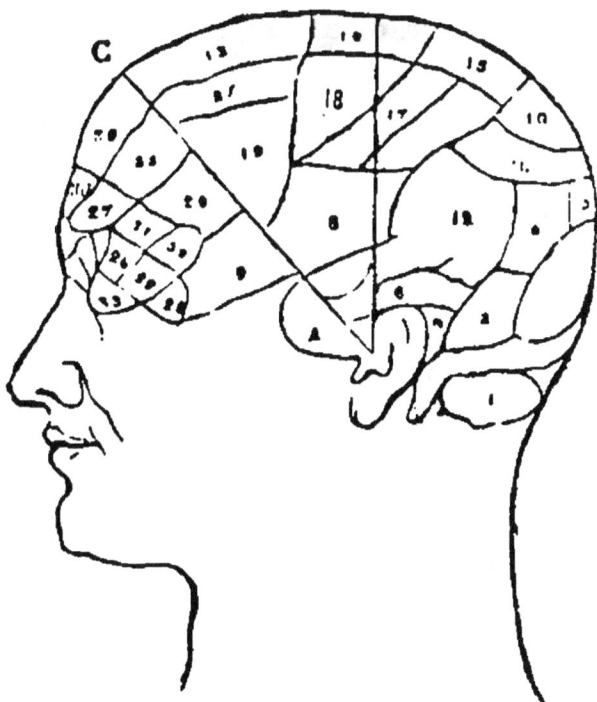

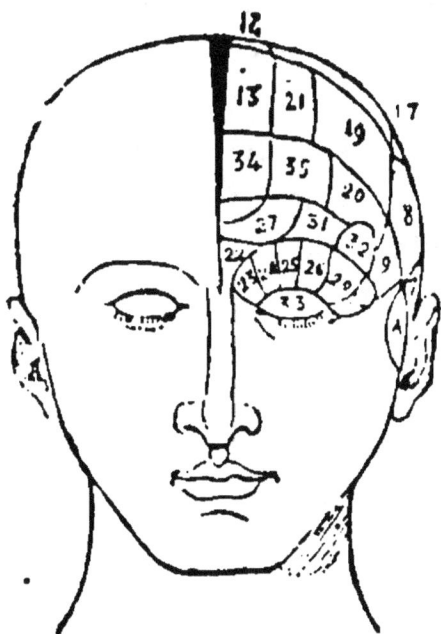

Il correspond sur le crâne à l'angle supérieur antérieur du pariétal auprès de sa jonction avec l'os frontal. Il est borné en avant par la Bienveillance, en arrière par la fermeté, en coté par la Merveillosité et l'Espérance.

Le caractère commun à tous les hommes religieux est dans l'élévation du vertex de la tête. Les œuvres de l'art présentent à ce sujet de nombreux documens. Presque toutes les têtes antiques sont peu élevées à la partie supérieure. Tel est le type payen chez lequel la religiosité était moins développée que dans le type chrétien. Il en faut cependant excepter les hommes qui ont manifesté un grand sentiment de Dieu et de l'unité, comme Socrate, Platon, etc. La tête du Christ reproduite par les maîtres offre une admirable conformation à la partie supérieure, soit que l'instinct ait guidé les artistes, soit que le type en ait été conservé par la tradition. Il est certain que le type de la tête du Christ est d'une très-haute antiquité. Les gnostiques du 2ᵐᵉ siècle possédaient des images du Christ et de saint Paul. Une tradition, peut-être fondée, rapporte que saint Luc qui était peintre a laissé des portraits du Christ et de la Vierge, et je crois qu'on montre encore aujourd'hui en Italie quelques peintures attribuées à saint Luc. Sans être sûr de l'authenticité de ces images, on peut cependant admettre que le caractère de la tête du Christ n'a pas été altéré en passant par l'art de 18 siècles.

La tête de Cromwell est fort curieuse à observer. Cromwell fut très mystique, très religieux et très fanatique; son masque moulé sur nature offre tous les signes de cette disposition. M. Villemain a réuni dans l'histoire de Cromwell plusieurs pièces authentiques qui éclaircissent singulièrement le caractère du puissant Protecteur; voici, entr'autres documens, un portrait laissé par un comtemporain : « Cromwell était d'une constitution robuste; il avait près de six pieds; *sa tête était si forte que vous auriez cru qu'elle renfermait un vaste trésor de facultés intellectuelles*; son humeur excessivement inflammable; mais ce feu tombait en partie de lui-même, ou était bientôt apaisé par les qualités morales du Protecteur. Il était compâtissant pour les êtres en souffrance, même jusqu'à un dégré de faiblesse. Quoique Dieu lui eût fait un cœur dans lequel il y avait peu de place pour la crainte, excepté celle qu'il inspirait lui-même, cependant il poussait jusqu'à l'excès la tendresse pour ceux qui souffraient. Il a vécu et il est mort dans une parfaite *union avec Dieu*, comme l'ont observé des personnes judicieuses qui étaient près de lui. » La physionomie de Cromwell justifie pleinement cette appréciation. Au milieu de cette force colossale qui domine toute la tête et lui donne le caractère d'une tête de lion, on sent dans certains traits les qualités morales les plus élevées, une sensibilité exquise dans la narine, et dans la bouche une sévère Religiosité.

M. de La Mennais, le sublime révolutionnaire du catholicisme, a la tête extrêmement élevée à l'endroit de la Religiosité ; car la Religiosité, nous le répétons, n'est pas la vénération, mais le sentiment de l'unité, l'amour de Dieu et des hommes.

Selon que cet organe coexiste avec d'autres organes également très actifs, la Religiosité se manifeste avec diverses complications. Ces combinaisons enfantent Louis XI et Philippe II, en même temps dévots, cruels et grands politiques ; Newton qui voyait le doigt de Dieu dans toute la nature ; Mallebranche qui rapportait toutes les idées à Dieu, etc.

Je connais, dit Gall, un libertin dévot qui paie les femmes publiques, en leur donnant des livres de prières ; chez cet homme, l'organe de la dévotion et celui de la propagation sont l'un et l'autre très développés.

Ces combinaisons vont à l'infini pour l'organe de la Religiosité, comme pour tous les autres, dans l'état de santé, comme dans la manie, qui fournit encore de nouvelles preuves à l'appui de cette faculté fondamentale.

Avant de finir, nous demandons bien pardon à la société phrénologique d'avoir changé la dénomination de cette faculté ; mais nous lui conseillons d'adopter notre mot de Religiosité, et surtout les idées que nous y avons rattachées.

RESSEMBLANCE.

Le type masculin et le type féminin sont séparés par certains caractères distincts, qui se trouvent pourtant quelquefois transportés d'un sexe à l'autre. La tête féminine est généralement plus alongée dans sa partie postérieure que la tête masculine. C'est pourquoi cette conformation chez un individu annonce presque toujours sa ressemblance avec la mère. Au contraire, quand la tête est aplatie à l'occipital, on peut avancer que le sujet ressemble à son père.

Presque chaque figure humaine a une ressemblance éloignée avec quelque race animale ; car les animaux sont les notes dont l'homme est l'harmonie ; les animaux sont les lettres et l'homme est l'alphabet, ou encore, l'homme est un code dont les animaux sont les articles, suivant l'expression d'un grand phrénologiste de nos amis.

Cette ressemblance est toujours déterminée par la faculté dominante de l'individu ; ainsi, un bavard a toujours quelque chose de l'oiseau ; le nez d'un bavard ressemble ordinairement à un bec. Ainsi, l'homme cruel a du tigre ; sa tête est large, ses mâchoires écartées ; l'homme rusé a du renard etc. (Voyez RACE.)

RÊVE.

Les rêves sont un état de veille partielle de la vie animale, c'est-à-dire une activité involontaire de certains organes, pendant que les autres reposent. Lorsqu'il n'y a qu'un organe en activité, le rêve est simple; plus il y a d'organes en activité à la fois, plus l'action que représente le rêve sera compliquée ou confuse, plus il y aura de disparates. Lorsque les organes se trouvent épuisés par les veilles et par le travail, d'ordinaire on ne rêve pas pendant les premières heures de son sommeil, à moins que le cerveau ne soit extrêmement irritable. Mais à mesure que les organes se délassent de leur fatigue, ils sont plus disposés à rentrer en activité, et voilà pourquoi, à l'approche du réveil, on rêve davantage et avec plus de vivacité. Les sentimens et les idées excités dans un rêve sont, dans certains cas, dégagés de tout mélange extérieur, et toute la force vitale se trouvant concentrée sur un seul organe, ou sur un petit nombre d'organes, il en résulte que leur action doit être rendue plus énergique, et qu'on manifeste quelquefois certaines facultés avec plus de puissance que dans la veille. C'est ainsi que Francklin trouvait tout fait le matin un travail qu'il avait projeté en se couchant; que Condillac résolvait dans son sommeil les problêmes les plus difficiles, et qu'Alexandre décidait le plan d'une bataille.

RÉVÉLATION.

Il y a une révélation éternelle, incessante et progressive que Dieu a mise dans l'organisation humaine. Il n'est pas besoin d'aller chercher une communication directe entre Dieu et les hommes, ce qui suppose l'antropomorphisme, ni une manifestation extraordinaire par une *incarnation* de Dieu en un corps, ce qui suppose que Dieu se reposerait, une fois la révélation donnée. Dieu est sans cesse vivant et se manifestant dans l'univers et dans l'homme. Il parle éternellement par sa grande voix multiple de la nature extérieure et du cœur humain. Chaque sentiment, chaque pensée, chaque révolution est une révélation de Dieu; l'homme n'a qu'à regarder la terre et le ciel, écouter sa vie intime et consulter la vie générale; Dieu est là, partout et toujours. Le *buisson ardent* de Moïse et *l'opération du Saint-Esprit*, sont inutiles dans le temps présent, car l'humanité a grandi : elle est tout entière l'incarnation de Dieu.

RHYTHME. — Voyez TEMS.

RIDES.

Les rides tiennent à la pathognomonique. Elles sont le résultat des mouvemens musculaires et par conséquent du *caractère en action.* Elles doivent donc indiquer les tendances et les habitudes d'un individu, ses facultés et ses passions. Ainsi, les lignes verticales entre les sourcils sont le signe de la fougue et de l'emportement. Les rides transversales sur le front annoncent la réflexion et souvent la tristesse; les plis à l'angle extérieur de l'œil, la gaîté et l'insouciance; les plis au coin de la bouche, l'amertume et la causticité. Les petites rides horizontales sur les ailes du nez entre l'œil et la narine, indiquent la finesse de l'esprit. Lorsque la grande ligne qui dessine la joue en descendant le long des narines et des coins de la bouche est très prononcée, elle est le signe d'un caractère fougueux et énergique.

RIRE.

Risu inepto, res ineptior nulla est.
Rien n'est plus inept qu'un rire inept. *Catulle.*
Risus abundat in ore stultorum.
Le rire abonde dans la bouche des sots. *Proverbe.*

Suivant Rhases, celui qui ne rit pas beaucoup est bienveillant et d'une nature affectueuse.

Le rire, comme les larmes, laisse des traces sur la physionomie. (Voyez RIDES. — LARMES.)

RUSE. — Voyez SECRÉTIVITÉ.

S.

SECRÉTIVITÉ (n° 6 *Gall*; 7 *Spurz.*)

RUSE. — DUPLICITÉ. — FAUSSETÉ. — DISCRÉTION. — MENSONGE. — TROMPERIE. — SINCÉRITÉ. — SAVOIR-FAIRE. — CABALISTE.

Les animaux emploient d'innombrables ruses pour se procurer leur nourriture et pour échapper à leurs ennemis. Si l'on fait réflexion que ces moyens sont précisément toujours les meilleurs, les mieux appropriés au but qu'il est question d'atteindre, et que les animaux qui les emploient n'ont sous tout autre rapport, que des facultés très bornées, l'on sera obligé d'admettre en eux une force particulière qui les inspire. Tout le monde connait les ruses des chats, des renards, des plongeurs, etc.

Chez l'homme, la Sécrétivité se manifeste de différentes manières dès l'enfance. Il y a des enfans, par exemple, qui, sans avoir contracté cette habitude par l'éducation, mentent quoiqu'il fut plus commode pour eux de dire la vérité.

Il y a certaines personnes qui trouvent du plaisir à l'astuce, à la dissimulation, à la fausseté, d'autres au contraire ont une franchise et une sincérité qui tourne souvent à leur préjudice; ce sont les deux extrêmes de la faculté fondamentale nommée Secrétivité : elle a pour but de donner à l'homme la réserve et la discrétion convenables au milieu de toutes les circonstances de la vie. Développée à un haut point elle conduit à l'intrigue, et à ce que M. Fourier appelle la *cabaliste*; combinée avec les facultés intellectuelles et contrebalancée par les sentimens moraux, elle peut enfanter de grandes choses et se tourner au profit de la société; dirigée dans un intérêt personnel, elle aide à commettre les escroqueries, les fourberies, les faux, etc.

L'organe de la Secrétivité est situé dans le lobe moyen du cerveau : c'est une Circonvolution alongée d'arrière en avant, parallèlement à la Destructivité au-dessus de laquelle elle est placée. Elle est bornée en arrière par la circonspection, en haut par l'Acquisivité, en avant par l'Alimentivité.

(Voyez le n. 7 sur les figures suivantes.)

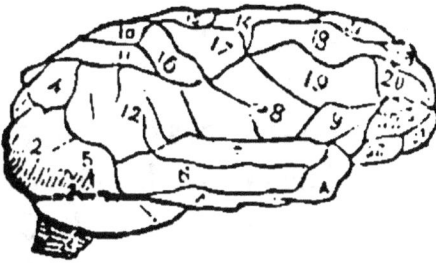

Il se traduit sur le crâne à la partie supérieure de l'os temporal, près de sa jonction avec le pariétal, à un pouce environ au-dessus de l'oreille.

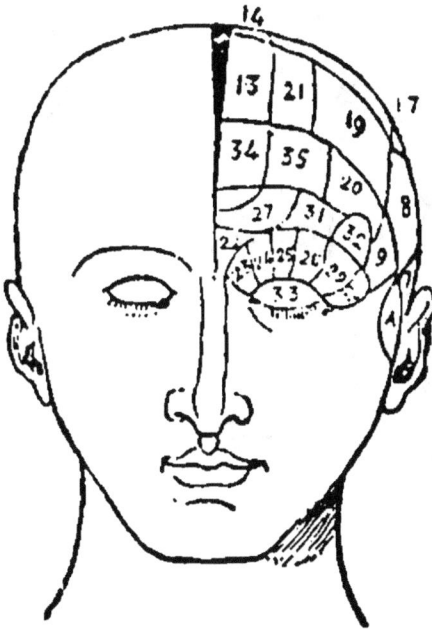

Pour apprécier le développement de cet organe.
il faut supposer un diamètre transversal passant
d'un côté à l'autre de la tête, comme pour tous
les organes situés sur les parties latérales. La figure suivante a la Secrétivité très développée, comme on le voit par la largeur de la tête, au-dessus
des oreilles, entre les lignes F E et H G.

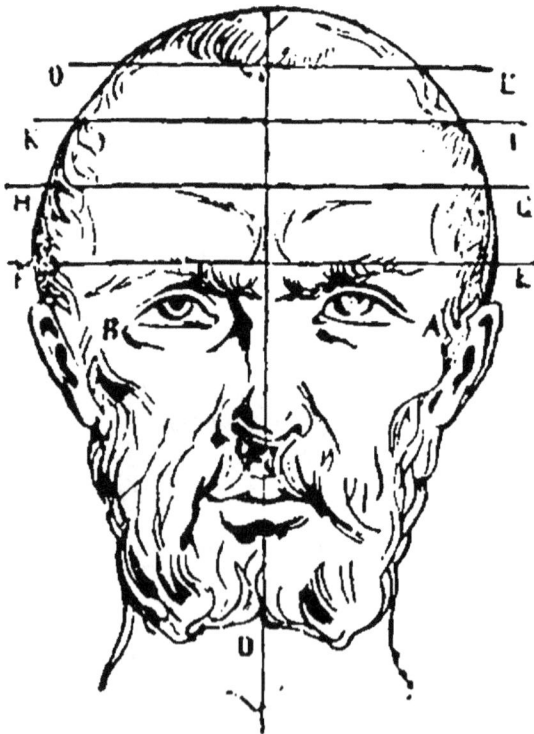

SENS.

SENSATION. — SENSIBILITÉ.

La fonction des sens externes est de transmettre au cerveau les impressions du monde extérieur. Mais ils sont circonscrits à ces fonctions propres et spéciales. La manière dont ces impressions sont mises en œuvre, les différentes fins pour lesquelles elles sont ultérieurement élaborées, dépendent de la différente nature des puissances internes ; en effet, l'homme, avec des sens quelquefois moins parfaits, est infiniment supérieur aux animaux par ses qualités morales et ses facultés intellectuelles.

Les sens ne sont donc qu'un intermédiaire et un instrument : ce sont pour ainsi dire les canaux de communication de la vie universelle.

On appelle *sens extérieurs*, dit Gall, les systèmes nerveux qui, outre leur action intérieure, reçoivent par le moyen d'appareils extérieurs les impressions du monde extérieur et produisent dans le cerveau les sensations et les idées de ces impressions. Par conséquent, ces systèmes révèlent à l'être vivant les objets qui existent hors de lui. Avec chaque sens, l'animal ou l'homme découvre un monde nouveau : ainsi la création s'agrandit ou diminue pour lui, suivant qu'il est doué de sens plus ou moins nombreux et plus ou moins parfaits ; sans les sens, les animaux et l'homme resteraient renfermés en eux-mêmes, et toute leur conscience serait bornée à leur vie intérieure. Mais pourvus de sens, ils entrent en communication avec l'immensité de la nature ; ils s'associent à tous les êtres qui les entourent ; une action et une réaction continuelles s'établit entre eux.

Les impressions, soit qu'elles viennent du monde extérieur par les sens, ou de l'intérieur par les organes généraux de la sensation, doivent donc être considérées comme des conditions indispensables sans lesquelles aucune perception et aucune irritation de l'intérieur ne peuvent devenir une sensation ou une idée sans le concours du cerveau. La faculté de percevoir les impressions, de retenir, de comparer les idées et d'en faire l'application, n'est nullement en proportion avec les sens dans l'homme ni dans les animaux, comme le prouvent les idiots et les imbéciles. Ainsi, quand même on eût pu démontrer que l'homme est de tous les animaux celui qui a les sens les plus parfaits, on n'eût pas encore expliqué par là pourquoi il les surpasse tous en facultés intellectuelles. Aussi Condillac a-t-il été obligé de dire que les sens ne suffisent point pour connaître les objets de la nature ; car les mêmes sens nous sont communs à tous, et cependant nous n'avons pas tous les mêmes connaissances.

Toutes les fonctions des sens s'affaiblissent graduellement dans la vieillesse. Suivant quelques physiologistes, cela vient de ce que les sens se sont habitués aux impressions extérieures, et de ce que celles-ci produisent des irritations successivement moins fortes. On veut même expliquer par cette habitude, pourquoi nous avons si peu le sentiment de ce qui se passe en nous dans la vie organique ou automatique. Il nous semble plutôt que c'est à dessein que la nature a enlevé le sentiment de la vie automatique. Et elle a vraisemblablement atteint ce but par la ténuité des filets de communication des systèmes nerveux de la poitrine et du bas-ventre avec les systèmes nerveux de la colonne vertébrale, des sens et du cerveau. Mais dans la vieillesse, les fonctions des sens s'affaiblissent, parce que les organes eux-mêmes des sens diminuent; les filets nerveux et leur substance nourricière s'amaigrissent, ainsi que la substance grise en général; et tous les nerfs commencent à s'atrophier. Cette diminution n'ayant pas lieu en même tems dans tous les systèmes nerveux, il en résulte que toutes les fonctions ne diminuent pas également en même tems. — CALL.

SEXUALITÉ.

ANTÉRIORITÉ. — ANDROGYNE. — HERMAPHRODITE.

La sexualité est la condition de tous les êtres finis. Nous avons dit ailleurs qu'elle était commune à la minéralité, à la végétalité et à l'animalité. Il n'y a que Dieu qui n'ait pas de sexe, parce que Dieu est l'unité infinie. Dieu seul est androgyne. L'androgynisme transporté dans la nature finie, c'est l'immobilité et le néant. Aussi la sculpture antique avait-elle représenté l'*hermaphrodite* dans l'état de repos et d'impuissance.

La vie de l'univers repose sur cette qualité des sexes. Ils correspondent au principe actif et au principe passif. L'un complète l'autre. L'existence du sexe mâle implique l'existence du sexe femelle : tout pourrait être ramené à la théorie des sexes, c'est-à-dire aux deux principes. Partout l'élément fécondateur et l'élément fécondé.

La mission des deux sexes est différente, quoique parallèle. Ils sont égaux, mais divers. Pour entrer dans l'humanité, l'œuvre de l'homme est autre que l'œuvre de la femme. Leur organisation leur impose un rôle qui ne saurait être tout-à-fait le même ; là, est la solution du problème social sur les rapports de l'homme et de la femme.

Mais chaque sexe a en soi les élémens de l'autre sexe, selon les êtres avec lesquels il est en rapport, c'est-à-dire qu'il peut se manifester quelquefois à l'état *mâle*, quelquefois à l'état *femelle*. Il y a des hommes qui sont *mâles* avec certains, *femelles* avec d'autres, c'est-à-dire qu'ils sont tour à tour fécondateurs ou fécondés. Ainsi des femmes.

Les anciens avaient symbolysé ces deux principes éternels dans les organes de la génération. Le phallus des Egyptiens, le lingam indien, qui figuraient dans le culte religieux, n'étaient autre chose que le mythe de la Vie.

SIGNES. — Voyez ENVIES.

SILHOUETTE.

Lavater se piquait de juger les caractères sur la simple inspection d'une silhouette. Il est certain que les lignes du profil offrent des indications très caractéristiques, mais les appréciations qu'on peut donner ainsi doivent être nécessairement fort incomplètes, puisque la plupart des signes échappent au physionomiste. La largeur et la conformation de la tête vue de face doivent apporter bien des lumières. nouvelles Il faut donc autant que possible, examiner une figure sous tous ses aspects.

SINUS FRONTAUX.

Dans quelques têtes d'homme, la lame externe du crâne s'écarte de la lame interne immédiatement au-dessus et sur les côtés de la racine du nez; et comme dans ces sujets, quoiqu'ils ne soient pas encore très vieux, la lame externe s'écarte en dehors et non point en dedans, ainsi qu'il arrive dans l'âge de la décrépitude, il nait dans cette région deux proéminences très sensibles. C'est cet écartement des deux lames de l'os crânien qu'on appelle sinus. Il s'en trouve rarement chez les femmes; ils manquent souvent aussi chez les hommes jusque dans un âge assez avancé, où la lame interne recule en dedans; mais par là, il ne nait pas de proéminence à l'extérieur. Il faut donc être très circonspect dans l'appréciation des organes situés sous les sinus, surtout quand on examine une tête de vieillard.

Pour ne pas être embarrassé par les sinus frontaux des animaux, il faut avoir fait une étude approfondie de la structure de la tête dans les différentes espèces. Dans certaines espèces, tous les individus adultes ont des sinus très grands, comme le taureau, l'éléphant, le cochon, etc. Dans quelques unes, les sinus frontaux existent chez un individu et n'existent pas chez un autre.

SOBRIÉTÉ. — Voyez ALIMENTIVITÉ.—MACHOIRE.

SOCIABILITÉ.

La sociabilité semble une faculté complexe qui résulterait du groupe d'organes placés harmonieunement derrière la tête. Car la Philogéniture veut dire attachement à la famille, l'Habitativité attachement au sol, à la patrie, l'Affectionivité attachement aux personnes, et l'Approbativité qui surmonte ces deux dernières est encore un élément qui porte à la sociabilité. Sans doute les autres facultés morales, comme la Bienveillance et surtout l'Unitéisme, contribuent puissamment aux liens qui rapprochent les hommes.

SOLIDARITÉ HUMANITAIRE.

Chaque créature est nécessaire dans l'immense empire de la création. L'existence d'un homme ne peut rendre celle d'un autre superflue, et nul homme ne peut remplacer un autre homme. L'œil peut-il dire à la main : qu'ai-je besoin de toi ?

« Tout ce qui tient à l'humanité est pour nous une affaire de famille. Tu es homme et tout ce qui est homme hors de toi, est comme une branche du même tronc, un membre du même corps : il est ce que tu es. O homme, réjouis-toi de l'existence de tout ce qui se réjouit d'exister et apprends à supporter tout ce que Dieu supporte. »

Ces passages empreints d'un merveilleux sentiment de fraternité sont empruntés à l'excellent Lavater qui comprenait au plus haut degré la solidarité humanitaire en même tems que la dignité individuelle.

La diversité des organisations est une preuve de la solidarité qui unit tous les hommes. L'œuvre de l'humanité est en même tems une et multiple, une dans son but, multiple dans ses moyens. Chacun concourt à cette œuvre suivant la nature dont il est doué.

SOMMEIL — Voyez RÊVE.

SOMNANBULISME.

Le somnambulisme se distingue du rêve, seulement en ce que, dans le rêve, il n'y que sentimens et qu'idées intérieurs, tandis que, dans le somnambulisme, un ou plusieurs sens deviennent encore susceptibles de recevoir des impressions du dehors, et qu'un ou plusieurs instrumens des mouvemens volontaires sont encore mis en activité. — Gall.

SONS. — Voyez TONALITÉ.

SOCRATE.

Un jour le plus ancien de tous les physionomistes dont la tradition nous ait conservé le souvenir, Zopyre, ayant examiné la tête et le visage de Socrate, formula son diagnostic de la façon suivante : « Cet homme est porté à l'ivrognerie, à la violence et à toutes les passions grossières et brutales. » Et comme les assistans se récriaient contre Zopyre et la science physionomique, Socrate avoua qu'en effet il avait toujours senti, au fond de sa nature, les penchans les plus infimes, mais qu'il les avait dominés par la philosophie.

Zopyre n'avait compris que la moitié inférieure de la puissante figure de Socrate, car le haut du visage et de la tête porte le signe de l'intelligence et de la moralité. Le bas du masque appartient aux penchans sensuels, comme il arrive assez ordinairement ; ce lourd menton, ces mâchoires carrées, dénotent une fougue indomptable ; il y a du satyre dans ces lèvres grossières, du sensualisme dans ce nez large et aplati ; mais il se mêle à tout cela de la bienveillance et de la bonhomie ; puis, à mesure que vous vous élevez, les traits se reposent ; le calme succède au heurtement des lignes. Les yeux sont magnétiques et pénétrans. On trouve encore à l'endroit des sourcils quelque trace de la lutte

entre les divers élémens de cette magnifique organisation, mais le haut du front rayonne d'une pla-
cidité divine. Cette ligne harmonieuse de la partie
supérieure antérieure de la tête est très rare dans
le type antique. Il n'y a peut-être que Platon, l'é-
lève et le continuateur de Socrate, qui présente
cette conformation à un degré à peu près égal.

SOURCILS.

Au-dessous du front, commence sa belle *fron-
tière*, le sourcil, arc-en-ciel de paix dans sa douceur; arc tendu de la discorde, lorsqu'il exprime
le courroux. Ainsi, dans l'un et l'autre cas, c'est le
signe annonciateur des affections. — *Herder.*

Cette observation de Herder a trait à la pathognomonique; mais la phrénologie, en révélant les
organes qui forment l'arc sourcilier, donne des indications certaines pour apprécier les facultés. D'a-
près cette science, quand la voûte des sourcils est
baissée et avancée, elle dénote des facultés perceptives plus ou moins développées. Quand le sourcil est relevé et plat, il y a généralement faiblesse
de perception des objets extérieurs. Les sourcils à
la ligne harmonieuse, sont un des signes les plus
infaillibles du génie ou du talent. George Sand a
les plus beaux sourcils de Paris.

» Jamais, dit Lavater, je n'ai vu un penseur pro-
» fond, ni même un homme ferme et judicieux,

»avec des sourcils minces , placés fort haut.
»Des sourcils doucement arqués s'accordent avec
»la modestie et la simplicité. Placés en li-
»gne droite, et horizontalement , ils se rappor-
»tent à un caractère mâle et vigoureux. Lorsque
»leur forme est moitié horizontale, moitié cour-
»bée, la force de l'esprit se trouve réunie à une
»bonté ingénue.

SPÉCIALITÉS.

Dieu qui a créé les hommes pour la vie collective et l'association, a dû les approprier à cette
destinée : il a donné à chacun des qualités qui pus-
sent s'engrener pour ainsi dire dans l'œuvre commune. Si tous les hommes étaient semblables ou
même égaux par leur organisation, la société serait impossible; bien plus, elle serait inutile; car
chacun n'aurait rien à attendre de son voisin. Le
grand Dieu est assez riche pour avoir une diversité infinie au sein de son unité : il n'y a pas deux
êtres qui se ressemblent exactement et qui soient
propres à la même chose. Chaque individu a sa
place marquée dans la vie générale de l'humanité;
il s'agit de découvrir les spécialités personnelles et
de les utiliser dans l'ordre commun.

SPIRITUALISME.

Si le spiritualisme est la croyance à la distinction de l'esprit et de la matière et à l'infériorité de l'une relativement à l'autre, les spiritualistes logiciens ont raison de repousser la phrénologie; car la phrénologie est la justification de l'unité hominale. Certains spiritualistes ont pourtant admis que l'esprit était servi par des organes, et que ces organes étant appropriés aux facultés de l'esprit, pouvaient bien les faire pressentir par leur caractère extérieur. Mais nous ne devons pas nous lasser de répéter que la dualité des chrétiens est une abstraction, que la vie est *une*, qu'il n'y a point une vie physique, et une vie morale entièrement séparées; cependant l'infirmité du langage force souvent à employer ces formules incomplètes et fausses, parceque l'homme ne saurait traduire l'unité que par la multiplicité. (Voyez MATÉRIALISME. — CHRISTIANISME. — PACANISME. — BIEN. — MAL, etc.)

SPURZHEIM.

Le docteur Spurzheim, qui a commencé avec Gall ses travaux anatomiques et physiologiques, a rendu de grands services à la phrénologie. Après qu'ils eurent élaboré ensemble les premiers points de la doctrine, ils se séparèrent sur quelques difficultés, Spurzheim cependant continuant toujours l'œuvre de son maitre. C'est à Spurzheim qu'on doit la découverte et l'éclaircissement de certains organes. C'est à lui qu'on doit une nouvelle classification et une nouvelle nomenclature qui est encore adoptée aujourd'hui (voyez la nomenclature en tête de ce dictionnaire). Spurzheim joignait une grande persévérance à un esprit sage et appliqué. Il a beaucoup contribué à répandre la phrénologie en Angleterre, où il est resté plusieurs années. Il n'y avait pas longtemps qu'il était arrivé aux Etats-unis, lorsqu'il y est mort en 1832. Il a laissé plusieurs ouvrages remarquables en allemand et en anglais, dont la plupart ont été traduits en français.

STYLE.

Le style est l'homme, ou plutôt chaque homme a un style propre et distinct du style des autres. Qu'est-ce qui détermine le style? ce sont les qualités dominantes de l'organisation. Un homme qui a les facultés perceptives relativement très développées, aura un style imagé, extérieur, plastique; celui en qui dominent les réflectives, aura un style plus abstrait et plus rationel; ainsi de toutes les autres qualités qui viennent donner leur couleur au style. L'expression est toujours en harmonie avec la nature des pensées. L'organisation d'un homme donne donc l'explication de son style. M. George Sand a un style tour à tour idéal, descriptif, métaphysique, tendre, passionné, parce qu'elle est à la fois poète, artiste, philosophe, religieuse, ardente et dévouée. M. Hugo a un style plastique, parce qu'il est vivement frappé de l'aspect extérieur des objets.

Et pour appliquer cela aux *beaux-arts*, le style du Caravage est fougueux, heurté comme son caractère; le style de Rubens est bouillant, facile, exubérant, riche et magnifique comme sa figure.

SUICIDE.

Gall qui n'avait compris que très imparfaitement la Destructivité à laquelle il donne le nom d'instinct carnassier, Gall cherchant avec raison dans le cerveau la première cause impulsive du suicide et voulant la rattacher à un organe spécial, l'attribua à la Circonspection. « Il n'est pas étonnant, dit-il, que dans le cas d'un malaise général, d'une surirritation ou d'une excitabilité particulière du système nerveux, l'organe de la Circonspection joue son role dans toute sa plénitude, ne présente au malade que du sinistre, et lui fasse regarder la terre comme un séjour de désolation; qu'enfin il fasse naître le penchant à se détruire. L'état de maladie qui précède ordinairement cette espèce de suicide, suffit seul pour prouver que l'organe de la Circonspection est au plus haut degré d'exaltation et que celle-ci finit par s'emparer d'autres parties cérébrales. » Sans doute la prévoyance de l'avenir et mille autres causes peuvent disposer à la mélancolie, au désespoir et au suicide; mais ce qui le détermine, c'est le développement exagéré de l'organe de la Destructivité et le faible développement de l'organe de l'Amour de la vie. Quand on n'a pas ces deux conditions, le désespoir à un degré égal porte vers d'autres ressources ou d'autres excès. On souffre, on se résigne, ou on se révolte, ou bien on est relevé par l'Espérance, ou

par l'Idéalité ; ou bien on est retenu par les facultés réflectives ou par le faible développement du
courage : mille causes qui disposent au suicide ou
qui en éloignent.

Souvent la propension au suicide arrive jusqu'à la
manie et à l'irrésistibilité. Souvent elle se transmet
des pères aux enfans. Gall cite les exemples suivans
de cette fatale hérédité :

« Le sieur Gauthier, propriétaire de diverses maisons construites au-delà des barrières de Paris,
pour servir d'entrepôts de marchandises, laissa
sept enfans, et une fortune d'environ deux millions
à partager entre eux. Tous restèrent à Paris ou
dans les environs, et conservèrent leur patrimoine;
quelques-uns même l'accrurent par des spéculations commerciales. Aucun d'eux n'éprouva de
malheurs réels; tous jouirent d'une bonne santé,
d'une fortune suffisante et d'une estime générale.
Tous cependant furent travaillés de la fureur du
suicide, et tous les sept y succombèrent dans l'espace de trente à quarante années; les uns se pen-
dirent, d'autres se noyèrent, d'autres se brûlèrent
la cervelle.

» L'un des deux derniers avait invité, un diman-
che, seize personnes à dîner. La société était réunie, le dîner servi, tous les convives autour de la
table... il ne répond pas : on le trouve pendu
dans un grenier. Il n'y avait pas une heure qu'il

avait donné paisiblement des ordres à ses domestiques, et causé avec ses amis.

» Le dernier, propriétaire d'une maison rue de
Richelieu, ayant fait exhausser sa maison de deux
étages, s'effraie du montant de cette dépense, se
croit ruiné, et veut se tuer : trois fois on l'en empêche ; bientôt après, on le trouve mort et frappé
par lui-même d'un coup de pistolet. La succession,
toutes dettes payées, s'élevait à trois cent mille
francs ; il pouvait avoir quarante-cinq ans à l'époque de son suicide.

» Dans la famille de M. N***, l'aïeul, le grand-
père et le père se sont suicidés.

» Dans une autre famille, la grand'mère, la mère et
la fille ont mis elles-même fin à leurs jours. La fille de
la dernière a été sur le point de se précipiter par la
croisée ; le fils s'est pendu.

» Les exemples de cette fatale hérédité ne sont pas
très rares. Il en est comme de la goutte ; le grand-
père, le petit-fils et l'arrière petit-fils en souffrent
horriblement, et le fils n'en éprouve pas la moindre atteinte.

» Chose étonnante et terrible tout à la fois,
dit M. Falret, la mélancolie suicide est peut-
être l'espèce de folie la plus susceptible d'être
transmise aux descendans. J'ai été à même de
constater un grand nombre de fois les effets funes-
tes de cette prédisposition. J'ai vu à la Salpêtrière
une fille qui a fait trois tentatives pour se noyer ;

sa sœur s'était noyée quelques années auparavant. J'y ai vu la mère et la petite-fille atteintes de mélancolie suicide; la grand' mère de celle-ci est à Charenton pour la même cause. Parmi les aliénés de la classe élevée, j'ai vu l'oncle et la nièce, la mère et la fille, affectés de la même maladie.

» Un individu s'était suicidé dans une maison de Paris; son frère, qui vint assister à ses funérailles, s'écria, en voyant le cadavre : « Quelle fatalité! mon père et mon oncle se sont tués, mon frère les imite, et moi-même j'ai eu vingt fois la pensée de me jeter dans la Seine pendant mon voyage. »

» Un semblable aveu m'a été fait par un jeune officier qui venait voir son frère, atteint de mélancolie.

» Rush, dans son *Traité de l'Insanity*, rapporte un fait de ce genre, qui me paraît fort remarquable :

» Les capitaines C... L... et J... L... étaient jumeaux; ils étaient si ressemblans qu'on ne pouvait les distinguer l'un de l'autre. Ils avaient servi dans la guerre de l'indépendance de l'Amérique; ils s'étaient fait également remarquer; ils avaient obtenu les mêmes grades militaires; ils étaient d'un caractère gai; ils étaient heureux par leur famille, leurs alliances et leurs fortunes. Le capitaine J... L... reste à Greenfield, distant de deux milles de l'habitation de son frère; le capitaine

C... L... revenant de l'assemblée générale de Vermont, se cassa la tête d'un coup de pistolet ; il était triste et morose quelques jours auparavant. Vers le même temps, le capitaine J... L... devint mélancolique et parla de suicide. Quelques jours après, il se lève de grand matin, propose à sa femme une partie de cheval, se rase, et après avoir terminé, il passe dans une chambre voisine et s'y coupe la gorge. La mère de ces deux capitaines, ajoute Rush, est aliénée, et deux de leurs sœurs ont été, pendant plusieurs années, tourmentées de l'idée de se suicider.

» Voltaire, dans ses *Questions philosophiques*, parle d'un homme d'une profession sérieuse, d'un âge mûr, d'une conduite régulière, qui se tua le 7 octobre 1769 ; son père et son frère s'étaient tués au même âge que lui.

» M. M***, teinturier, issu de parens sains, mais d'une humeur très taciturne, marié à une femme bien portante, eut, de son mariage, cinq garçons et une fille. L'aîné de ses garçons entra dans le commerce et s'établit à Montauban. Il se maria et eut des enfans ; il était d'un tempérament mélancolique ; sa famille et ses associés, sachant qu'il avait fait plusieurs tentatives pour se tuer, le faisaient garder à vue ; mais enfin un jour il se précipita d'un troisième étage dans la basse-cour, et resta mort sur la place. Il était âgé d'environ quarante ans, avait de bonnes mœurs, ses

34

affaires étaient en bon état, et une disposition relative à la mélancolie paraissait être la seule cause d'une fin aussi tragique. Le deuxième fils, d'un tempérament bilieux sanguin et assez taciturne, était également négociant ; il se maria, éprouva des chagrins domestiques ; on le disait jaloux. Il perdit au jeu une partie de sa fortune ; il s'étrangla dans son magasin, à l'âge de trente-cinq ans. Le troisième, d'un tempérament bilieux, se précipita par une fenêtre dans son jardin, et ne se fit presque pas de mal ; il disait qu'il voulait essayer de voler. Le quatrième, un jour cherchait à se tirer un coup de pistolet dans la gorge, mais il en fut empêché.

» Le cinquième est d'un tempérament bilieux, mélancolique, d'ailleurs fort tranquille et livré à ses affaires de commerce.

» La sœur, qui est mariée et qui a des enfans, n'offre aucun signe qui puisse faire soupçonner la maladie de ses frères, mais un de ses cousins-germains s'est suicidé. Il était d'un tempérament bilieux ; il eut des chagrins domestiques ; sa femme lui reprochait souvent d'avoir perdu quelque argent au jeu. Un matin il sort de chez lui, se promène pendant plusieurs heures sur les bords du Lot, et finit par se précipiter dans cette rivière. »

L'été parait avoir une influence plus funeste que l'hiver sur le penchant au suicide ; il y a certaines constitutions du tems qui le déterminent et le rendent épidémique. Ce penchant au suicide est, comme toutes les autres surexcitations organiques, soumis à une sorte de périodicité. Une des causes les plus puissantes chez les femmes est l'époque de la menstruation. Gall a fait sur ce grand phéno-mène les recherches les plus curieuses et les plus concluantes (4ᵉ vol. page 352.). Suivant lui, et nous partageons cette opinion, les hommes sont jusqu'à un certain point sous l'empire de la même loi. Ils sont aussi sujets à un dérangement critique qui coïncide toujours avec l'époque de la menstrua-tion chez les femmes. * Les individus jeunes et robustes ne s'en aperçoivent pas facilement à moins qu'ils ne s'observent avec une attention par-ticulière, mais les hommes d'une constitution fai-ble, fatigués par des souffrances habituelles ou des maladies, ou doués d'une grande irritabilité, éprouvent dans l'espace de quatre semaines, pen-dant un, deux, trois jours, ou plus, un certain malaise dont ils ne sauraient se rendre compte; ils sont enclins à une espèce de mélancolie, de mé-contentement; ils sont de mauvaise humeur, peu dispos au travail; les idées naissent et se coordon-nent difficilement; le teint devient terne; toute

---

* Gall prétend que les femmes sont rangées en deux classes qui ont une période différente pour la menstruation ; que la cause de ces époques n'existe pas dans l'individu ; que c'est une loi universelle de la nature qui gouverne tous les êtres subordonnés à ce phénomène.

l'organisation subit des altérations plus ou moins fortes; enfin ces accidens disparaissent sans qu'on y ait contribué en la moindre chose.

Cependant le nombre des suicides est beaucoup plus grand parmi les hommes que parmi les femmes. Brosson établit cette proportion comme cinq est à un; MM. Esquirol et Falret comme trois est à un.

SURNATURALITÉ. — Voyez MERVEILLOSITÉ.

SWEDEMBORG.

ANALOGIES.

> Similitudo totius est in parte,
> et partis in toto.

Emmanuel Swedemborg, le sublime mystique, établit à sa manière, dans son curieux ouvrage de *Cælo et Inferno*, l'identité de l'homme intérieur et de l'homme extérieur, de l'homme *spirituel* et de l'homme *naturel*, comme il les appelle. Tout son système théologique et cosmogonique repose sur cette dualité. Tout le monde naturel, dit-il, correspond au monde spirituel, non seulement dans l'ensemble mais dans les détails. L'homme est un *ciel* et aussi un monde en petit à l'image du grand; c'est pourquoi il a en soi-même le monde spirituel et le monde naturel. On peut voir sur le visage de l'homme quelle analogie (*correspondantia*) il y a entre son monde spirituel et son monde naturel ; sur un visage qui n'est pas appris à feindre, toutes les affections de l'âme se gravent comme dans leur type.

Swedemborg a fait du panthéisme au point de vue du spiritualisme. Il ne faut donc pas s'étonner, s'il a souvent rapporté de ses visions (1) et de ses communications avec les essences supérieures un merveilleux sentiment des harmonies et des ANALOGIES universelles : Nul ne sait plus aujourd'hui, dit-il, les choses spirituelles du ciel qui correspondent aux choses naturelles du monde, parce que la science des analogies est perdue ; cependant, continue t-il, je vais en signaler quelques-unes qui m'ont été révélées dans le ciel, etc. Et toujours au moyen de sa dualité, *monde spirituel*, *monde naturel*, il explique simplement et clairement les concordances des choses. Seulement, n'est-il point plus logique et plus vrai de voir L'UNITÉ dans les relations intimes de tous les êtres, au lieu de ces deux faces hétérogènes et pourtant combinées.

(1) *De auditis et visis e cœlo.* — Non seulement il m'a été dit par les anges que le seigneur (le fils) apparaît dans le ciel comme un soleil, mais il m'a été donné de le voir quelquefois. —Souvent les paragraphes commencent ainsi : *dictum est mihi ab angelis.*—J'ai souvent conversé avec des hommes après leur mort, etc.

SYMPATHIE.

ANTIPATHIE. — DYSPATHIE. — ATTRACTION.

Tous les objets extérieurs mis en relation avec les sens produisent une impression quelconque, d'attraction ou de répulsion. Il y a des visages qui s'attirent les uns les autres. Il y en a qui sont antipathiques; à la première vue, on est porté vers un être, on l'aime, on voudrait entrer en rapport avec lui; ou bien on sent que toute communication est impossible. Certaines personnes éprouvent bien plus vivement que d'autres ces impressions spontanées. C'est un problème difficile à décider que de savoir ce qui détermine les sympathies; on pourrait croire que c'est une ressemblance ou une analogie de goûts, de caractères ou d'aptitudes; mais l'observation démontre que le plus souvent, dans les amours, ou dans les amitiés et dans toutes les liaisons diverses, les amans ou les amis sont de nature entièrement opposée. C'est même peut-être ordinairement sur ces divergences que se fondent les affections. Peut-être faut-il que l'équilibre et l'harmonie s'établissent entre les deux êtres qui se sont rapprochés. Peut-être ainsi se complètent-ils l'un et l'autre. Quoiqu'il en soit, le phénomène des sympathies est inniable. Il n'y a pas jusqu'aux organisations les plus inférieures qui n'en éprouvent les effets.

T.

TAILLE.

NAINS. — GÉANS.

Il y a une harmonie complète entre la taille de l'homme et son caractère, puisque tout le reste du corps est harmonique avec la constitution du cerveau. Mais il est fort difficile dans l'état actuel de la science de déterminer suivant quelles lois se déduit la conformation générale d'un individu. Il y a des nains qui ne manquent pas d'intelligence ; je ne sache pas qu'aucun géant ait jamais été autre chose qu'un idiot, parce que la tête n'est pas proportionnée à ce développement anormal du corps. Je ne crois pas qu'on cite un seul homme de génie qui ait eu seulement cinq pieds six pouces. (Voyez PROPORTION. — HOMOGÉNÉITÉ.)

TEINT.

Le teint dépend surtout du tempérament, et quelque peu aussi des habitudes, c'est-à-dire des facultés dominantes. Ainsi, le tempérament bilieux comporte un teint foncé, brun ou jaune ; le sanguin, un teint coloré ; le lymphatique, un teint blême, etc. Ainsi, l'excitation des facultés instinctives modifie le teint. On peut donc jusqu'à un certain point juger la vie d'un homme d'après la couleur de son visage. (Voyez TEMPÉRAMENT.)

TEMPÉRAMENT.

Les anciens, et d'après eux beaucoup de naturalistes modernes, ont admis que le caractère de l'homme dépend de son tempérament. Il est incontestable que la manière dont les facultés intellectuelles et les qualités morales se manifestent est modifiée par le tempérament, ou autrement que la constitution générale du corps est en harmonie avec la constitution du cerveau; mais il ne faut pas chercher la cause des inclinations ou des aptitudes dans le tempérament. Alexandre, César, Mahomet, Cromwell, Richelieu, Napoléon, n'ont pas dû leur activité et leur volonté seulement à leur tempérament bilieux, mais bien à leur organisation cérébrale.

Lavater, comme presque tous ses devanciers, admet quatre tempéramens principaux : le bilieux, le colérique, le sanguin et le lymphatique. Mais ce sont des divisions tout-à-fait abstraites. On pourrait dire qu'il n'y a qu'un tempérament qui suit une échelle de progression, et que le tempérament est le degré d'irritabilité qui varie à l'infini dans les individualités.

TEMPES.

Nous avons dit au mot MUSCLE que les tempes étaient recouvertes en partie par le muscle temporal, et qu'il fallait faire acception de son épaisseur. L'organe qui est situé sous les tempes est celui de la Constructivité. La largeur de la tête à l'endroit des tempes indique donc l'aptitude à la construction et à la mécanique.

TEMPORAUX. — Voyez CRANE.

TEMS. (n. 31, *Spurz.*)

MESURE. — RHYTHME.

Il fallait bien que l'homme fut mis en rapport avec la durée, comme il a été mis en rapport avec toutes les autres qualités de la vie universelle. Il a donc été doué d'un organe pour apprécier le Tems. Gall n'avait pas soupçonné l'existence de cette faculté dont la découverte est due à Spurzheim. C'est au moyen de cet organe qu'on peut se rendre compte du tems qui s'écoule, et qu'on a la notion de la succession. Le Tems joue un rôle dans la musique sous le nom de *mesure*, dans la poésie sous le nom de *rhythme*.

La circonvolution qui préside à cette faculté est située à la partie antérieure du cerveau, entre la

Localité et la Tonalité, au-dessus de l'Ordre et du
Coloris.

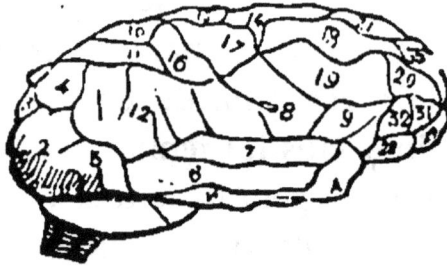

Elle se traduit à l'extérieur au-dessus du sourcil,
non loin de l'angle orbitaire externe, en dehors
de l'endroit où sont quelquefois les sinus, et au-
dessous des bosses frontales.

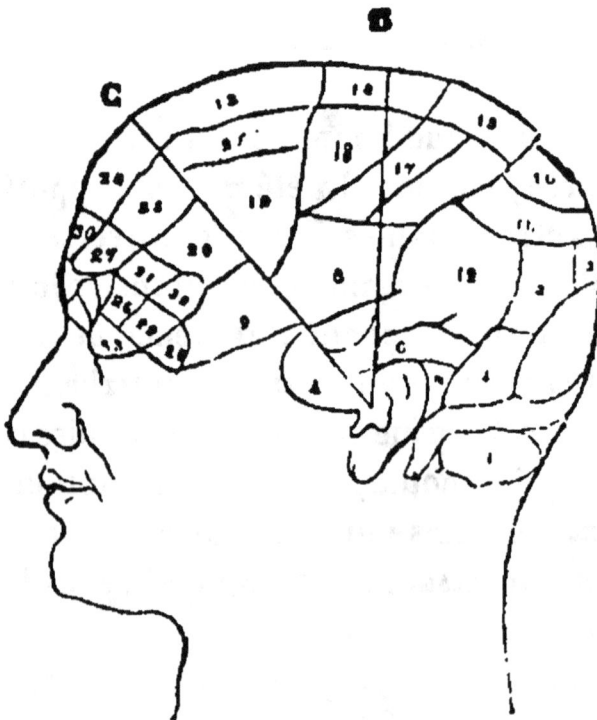

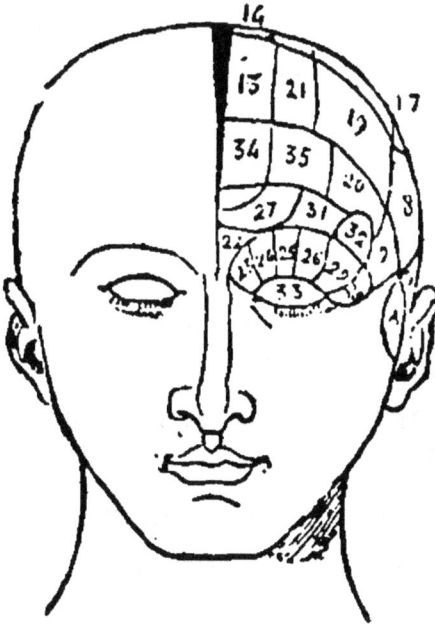

TÊTE.

Les anciens naturalistes ont avancé beaucoup d'assertions contradictoires sur la tête humaine : Aristote, se fondant sur cette étrange raison que plus le centre de conception est grand, plus il doit être incomplet, Aristote dit que *ceux qui ont la tête trop développée sont lourds et endormis* (*somniculosos*): et Albert-le-Grand ajoute *qu'une tête qui penche sur les épaules, à cause de sa grosseur, annonce le manque de sens et de courage ; qu'une tête immense annonce un homme stupide et très difficile.* Il y a apparence qu'ils entendaient parler des anomalies ; car cette pesanteur d'intelligence est un signe d'hydrocéphale. Albert-le-Grand ajoute encore, ce que Pole-

mon et Adamantius ont reproduit, que *la grosseur
de la tête indique plutôt l'abondance de la matière
que l'excellence de la qualité*; que *les enfans*, avec
une forte tête, ont une intelligence médiocre; asser-
tion qui peut être contestée; que *les ânes et les oiseaux de nuit ont la tête énorme*; la tête, non pas le
cerveau. Puis il cite Vitellius : mais où est le développement de la tête de Vitellius ? à la base du cerveau, à l'endroit des *instincts*; et Vitellius n'a pas
fait mentir son organisation sensuelle.

Cependant Albert-le-Grand dit ailleurs : *ceux qui
ont la tête un peu plus forte que la mesure ordinaire,
sont doués d'un sens droit et d'un esprit vif, de courage et de magnanimité.*

Nous trouvons encore dans les naturalistes, qui
se sont occupé de la tête humaine, ces citations
historiques : Attila avait la tête très grosse ; Hippocrate dont la taille était petite, était remarquable
par le développement extraordinaire de sa tête.

Nous savons aussi, pour prendre des exemples
dans l'époque moderne, que lorsque Mirabeau vint
au monde, la grosseur surhumaine de sa tête mit
la vie de sa mère en danger. On rapporte l'anecdote suivante qui concerne Napoléon. Un jour tous
les généraux réunis dans l'antichambre de l'empereur trouvèrent son *petit chapeau* sur une console ;
chacun l'essaya à son tour. Mais sur toutes ces é-
paules de colosses, il n'y eut pas une tête qui put
remplir le *petit chapeau*.

Ce préjugé sur la grosseur de la tête explique les erreurs qu'ont souvent commises les artistes. Les poètes Athéniens se moquaient de la tête de Périclès, parce qu'ils la trouvaient trop disproportionnée avec son corps. Même dans les beaux temps de la Grèce, les sculpteurs le représentaient couvert d'un casque, afin de dissimuler la grosseur de sa tête. J'ai vu, dit Gall, commettre la même faute par nos artistes modernes : ils laissaient la tête de Napoléon dans sa proportion naturelle, mais pour établir un équilibre conforme à leurs idées, ils la plaçaient sur un corps colossal.

Examinons donc sur les individus les divers degrés de développement de la tête, c'est-à-dire du cerveau.

En mesurant les têtes des idiots les plus dégradés, immédiatement au-dessus de l'arc supérieur de l'orbite et au-dessus de la partie la plus proéminente de l'occipital, on trouve une périphérie de onze à treize pouces ; en les mesurant de la racine du nez au bord postérieur de l'occipital, on trouve huit à neuf pouces ; elles contiennent par conséquent autant de cerveau que la tête d'un enfant nouveau né, c'est-à-dire un quart, un cinquième ou un sixième de la masse cérébrale d'un adulte jouissant de toutes ses facultés.

Les idiots de second degré sont compris à peu près entre quatorze et dix-sept pouces de périphérie. Avec ces dimensions, on rencontre plus ou

35

moins de stupidité, une incapacité plus ou moins complète de fixer son attention sur un objet déterminé , des sentimens vagues, des affections passagères. des phrases hachées par substantifs ou par verbes, comme manger, marcher, etc., des instincts aveugles et déréglés ou presque nuls.

Les têtes de dix-huit pouces à dix-huit pouces et demi, sont encore de petites têtes, quoiqu'elles permettent un exercice régulier des facultés intellectuelles ; elles emportent une triste médiocrité, un esprit servilement imitateur, la crédulité, la superstition, ce genre de sensibilité qui, pour un rien, est au comble de la joie ou dans les larmes, un jugement peu sûr, une extrême difficulté de saisir le rapport de cause et d'effet, le défaut d'empire sur soi-même, et souvent, ce qui est fort heureux, peu de besoins.

Avec ce degré de développement, il peut cependant exister déjà des qualités ou des facultés distinguées, parce que plusieurs organes particuliers peuvent être développés à un haut degré, ainsi que cela se rencontre quelquefois chez des enfans en bas âge, de l'un et de l'autre sexe. Ce sont là de ces personnes chez lesquelles l'on remarque le contraste frappant entre une faculté saillante et une inconcevable médiocrité de toutes les autres.

Mais à mesure que nous nous rapprochons des cerveaux plus considérables, nous voyons prendre aux facultés intellectuelles plus d'étendue , jusqu'à

ce que nous soyons parvenus aux têtes de vingt-un
à vingt-deux pouces de périphérie, terme où l'homme a atteint toute la portée de son intelligence.

Les deux dimensions ci-dessus ne déterminent
pas encore exactement la masse du cerveau; car,
en s'en tenant à ces mesures, on néglige les parties cérébrales placées à la base du crâne, au haut
du front, et à la partie latérale supérieure de la
tête.

Et plus loin, Gall, auquel nous empruntons une
partie de ces observations, ajoute :

« Que l'on ne croie pas que ce n'est qu'ac-
cidentellement, qu'une tête de dimensions considérables coincide avec un génie distingué.
Quoi que l'amour-propre puisse objecter, la loi
est générale. Je n'ai rencontré, ni dans l'antiquité, ni dans les temps modernes, aucun homme d'un génie vaste, dont la tête ne dût être rangée dans la dernière classe que je viens d'établir,
surtout si l'on fait attention au grand développement du front. Que l'on considère les bustes et les
gravures d'Homère, de Socrate, de Platon, de Démosthènes, de Pline, de Bâcon, de Sully, de Ga-
lilée, de Montaigne, de Corneille, de Racine, de
Bossuet, de Newton, de Leibnitz, de Locke, de
Pascal, de Bœrhave, de Haller, de Montesquieu,
de Voltaire, de J.-J. Rousseau, de Franklin, de
Diderot, de Kant, de Schiller, etc.

» On nous a objecté plus d'une fois, et surtout à

Paris, que Voltaire, malgré son vaste génie, avait la tête petite, et que souvent l'on voit des personnes d'un esprit très borné, avoir une grosse tête.

» La boîte osseuse de la tête de Voltaire, et particulièrement sa partie antérieure, a des dimensions très considérables; mais Voltaire avait la figure petite, et voilà ce qui fait illusion. On me fit la même objection à Vienne, au sujet du poète Blumauer. Blumauer avait également la face petite, mais son crâne est l'un des plus grands qui se trouvent dans ma collection.

» D'autres personnes ont les os de la face très gros, ce qui fait paraître la tête en général d'un volume considérable; mais cela n'empêche pas que le réservoir du cerveau puisse n'avoir qu'une capacité très médiocre.»

Les têtes d'hommes et de femmes présentent presque toujours une différence dans le rapport des proportions : le plus souvent, on trouvera chez les femmes le diamètre du frontal à l'occipital plus grand que chez les hommes, parce que chez elles l'occiput recule davantage. La partie cérébrale placée dans l'occipital est plus grande chez les femmes que chez les hommes, quoique le cerveau entier de la femme soit plus petit que le cerveau entier de l'homme ; cette différence provient du développement des organes du familisme et en particulier de la philogéniture. (Voyez FAMILISME et PHILOGÉNITURE).

Il nous reste à indiquer les variations progressives que la tête humaine a subie, depuis l'antiquité la plus reculée : ce développement est tout-à-fait parallèle au développement des facultés. L'homme primitif a les organes des facultés *physiques* et des perceptives très proéminens, parce que sa mission est surtout de conserver son corps et de modifier la nature extérieure. L'art antique nous offre cette conformation dans presque tous les types des premiers héros et même des premiers dieux qui sont la représentation de l'homme. Tels sont Hercule, Bacchus, Venus, même Jupiter, même Apollon.

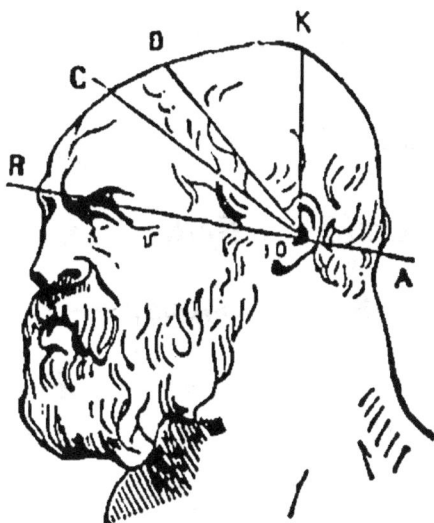

Nous avons déjà fait observer ailleurs que dans cette tête d'Hercule la base du cerveau est extrêmement large et les parties antérieures et supérieures presque nulles. La tête romaine est encore élargie à sa base et aplatie à son vertex, mais les parties antérieures sont plus avancées. Enfin la tête humaine s'est encore considérablement développée depuis le christianisme : elle s'est bombée à l'endroit de l'intelligence; car la mission de l'homme s'est agrandie et son organisation s'est proportionnée à son œuvre.

En un mot, on peut suivre le progrès physiologique de l'humanité, comme on suit son progrès historique.

Sans doute la tête humaine est destinée à prendre encore dans l'avenir un accroissement successif aux parties antérieures et supérieures, siége de la pensée et des sentimens généraux.

THÉATRE. — Voyez MIMIQUE.

TONALITÉ. (17 *Gall.* 32 *Spurz.*)

SENS DES SONS. — MUSIQUE. — MÉLODIE.

Un grand nombre d'animaux doués d'une oreille plus fine que l'homme, ne témoignent cependant pas la moindre *receptivité* pour la musique. On connait des oiseaux qui ne chantent pas, doués d'une oreille aussi fine que les oiseaux chanteurs ; la femelle, privée de la faculté de chanter, est douée des mêmes organes auditifs et d'une oreille aussi fine que le mâle. *Gall.*

Le sens des sons, le talent de la musique ne dé-

pend donc pas de l'oreille. Les sens ne sont que les
appareils intermédiaires qui transmettent l'impression du monde extérieur à un organe cérébral qui
la perçoit. Chaque sens doit avoir son organe correspondant, le sens de l'ouie, comme le sens du
goût, ou le sens de la vue, etc. Il y a donc un organe de la Tonalité.

« La musique et le chant, dit Gall, ne sont pas des in-
ventions de l'homme ; le créateur les lui a révélés à
l'aide d'une organisation particulière. Par le moyen
de son organisation, l'homme est mis en rapport
avec les lois des vibrations des corps, de même
que le peintre l'est avec les lois des couleurs. Il
existe hors de nous certaines lois, suivant lesquelles les vibrations sonores naissent et se propagent.
Les expériences de M. Chladni ont rendu sensibles
aux yeux quelques-unes des lois de ces vibrations.
Si l'on couvre de sable fin un disque de verre ou
de métal que l'on soutient dans tel ou tel de ses
points, et qu'on le fasse frémir à l'aide d'un coup
d'archet appliqué à tel ou tel autre de ses points,
l'on pourra annoncer d'avance que le sable se ran-
geant d'une manière prévue, formera telle figure
déterminée ou telle autre. La vibration des molé-
cules du disque donne naissance à telle figure régulière, ou à telle autre, suivant que le point auquel l'on applique le coup d'archet et celui que l'on
soutient varient. Le lecteur pourra voir les expériences ultérieures, à l'aide desquelles le phy-

sicien démontre les lois des vibrations des corps
dans le traité d'acoustique qu'il a publié. C'est sur
ces lois des vibrations que se fondent les tons qui
so~t eux-mêmes subordonnés et coordonnés entre
eux d'après des lois fixes. Supposé que l'homme
dut être sensible à la musique, il fallait qu'il fût
doué d'une organisation en vertu de laquelle il se
trouvât en rapport avec toutes ces lois, qui en ren-
fermât en quelque façon le type. Là où cet organe
manque, il n'y a pas de point de contact entre l'a-
nimal et les tons. Toutes les fois que cet organe
existe, l'animal et l'homme sont agréablement affectés par la mélodie et par l'harmonie, et désa-
gréablement par la discordance des tons. Lorsque
cet organe a acquis une certaine perfection, l'animal ou l'homme, non seulement perçoit et juge
bien les rapports des tons, mais il crée encore
dans son intérieur des rapports et des suites de
tons, qui plaisent d'autant plus généralement qu'ils
sont plus conformes aux lois extérieures des vibrations, et à l'organisation des autres individus.

» Les observations qui suivent convaincront le
lecteur que le sens des tons est une faculté propre
et indépendante, et que par conséquent il suppose
un organe particulier.

» Il y a de fréquens exemples que cette faculté a
existé dans un haut degré d'activité et de perfection
dès l'âge le plus tendre. A peine Hændel eut-il
commencé à parler, qu'il essaya de composer de

la musique; son père éloigna de la maison tous les instrumens, mais le jeune Hœndel trouva bientôt moyen
de s'exercer; à l'âge de dix ans, il composa une suite
de sonates à trois parties. Piccini, dès sa plus tendre enfance, montra un goût tellement décidé pour
la musique, qu'il ne pouvait voir un clavecin sans
tressaillir. Mozart père parcourut l'Europe dès l'â-
ge de six ans, jouant du piano, non seulement
avec une grande force d'exécution, mais avec âme,
avec goût. Mozart fils étudia, dès l'âge de douze
ans, la composition sous le fameux Streicher. »

L'organe de la Tonalité est situé à la partie latérale du lobe cérébral antérieur : c'est une circonvolution pyramidale, qui s'élève entre la Constructivité et le Tems, et dont la base repose immédiatement au-dessus de l'angle externe du plancher
orbitaire.

(Voyez n° 32.)

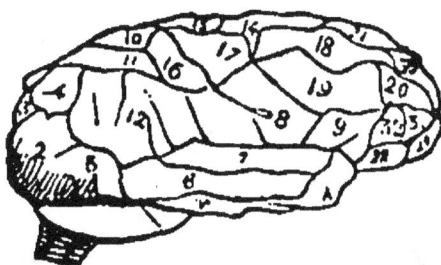

Il se traduit extérieurement à l'angle externe de
l'œil, en une proéminence conique dont la pointe
s'étend sur le bord extérieur antérieur du front,
jusqu'à la moitié de sa hauteur. Souvent il fait une

espèce de bourrelet à l'angle du sourcil.

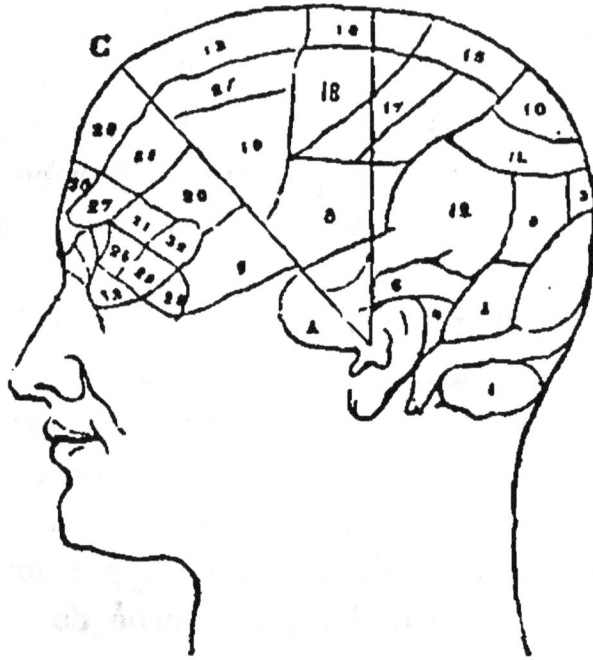

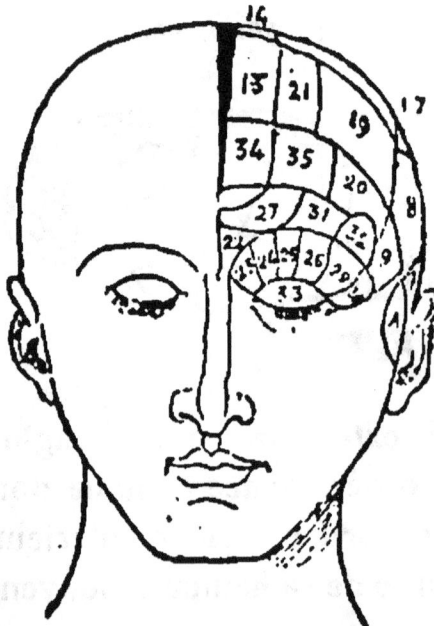

L'organe de la Tonalité, ainsi que cela a lieu également pour tous les autres organes, est modifié d'une manière différente dans chaque individu, selon qu'il est accompagné de telles ou telles facultés. Combiné avec la Religiosité, il détermine le goût pour la musique religieuse ; avec la Combativité, pour la musique guerrière, etc.

En outre, il est assisté par l'organe du Tems, ou de la mesure, pour le rhythme musical ; par l'organe de la Constructivité ou de l'adresse, pour l'exécution ; par l'organe des Nombres, pour la composition, etc.

Les bustes de Mozart, de Beethoven, etc., présentent cet organe très développé. Madame Malibran avait aussi cette conformation très apparente. L'exemple le plus frappant de ce signe extérieur de la Tonalité est Paganini qui a une protubérance énorme en saillie aux angles externes des sourcils.

TOPOGRAPHIE DES FACULTÉS.

La topographie, c'est-à-dire la localisation des facultés, a subi beaucoup de modifications depuis Gall. Certains organes ont été circonscrits d'une autre façon. Certains groupes de circonvolutions ont été dédoublés, et il en arrivera peut-être encore autant au groupe de la Philogéniture qui préside sans doute à plusieurs fonctions.

Il va sans dire que la topographie varie sur chaque tête, puisque chacun a une combinaison d'organes différemment développés. Mais il y a certains points qui servent de jalons, et au moyen desquels on trouve la relation de tous les autres. Ainsi, la Religiosité est toujours verticalement au-dessus du conduit auditif, lorsque la tête est droite; ainsi, la Combativité est toujours derrière le procès mastoïdien, etc. M. Dumoutier enseigne une méthode nette et facile pour dessiner la topographie des facultés sur une tête quelconque.

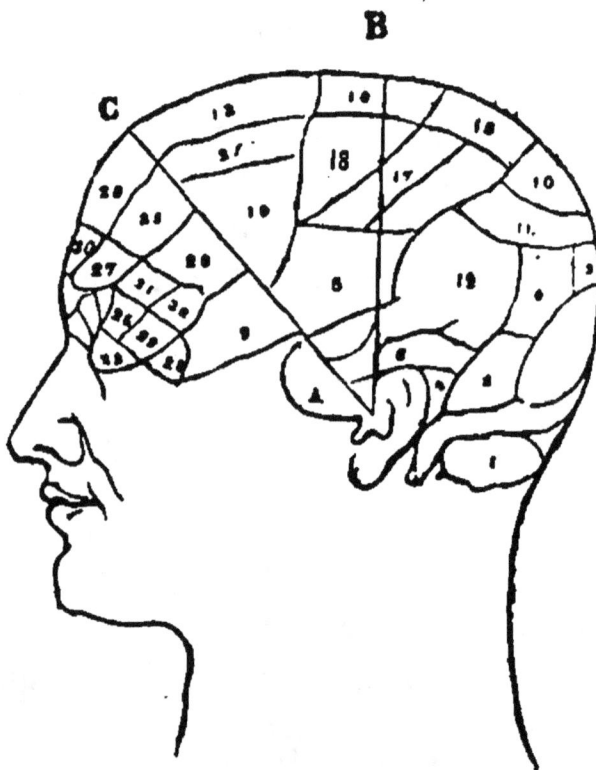

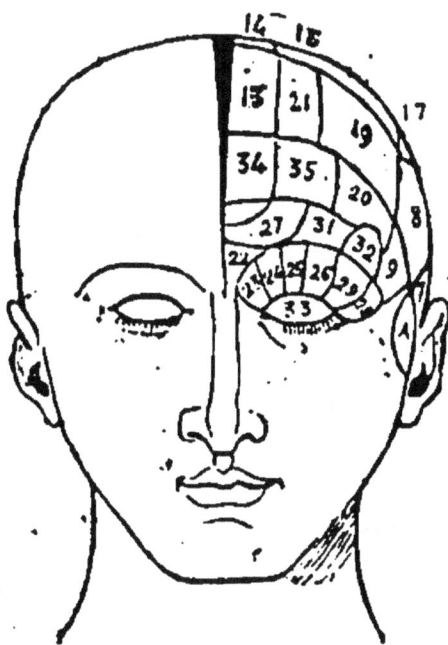

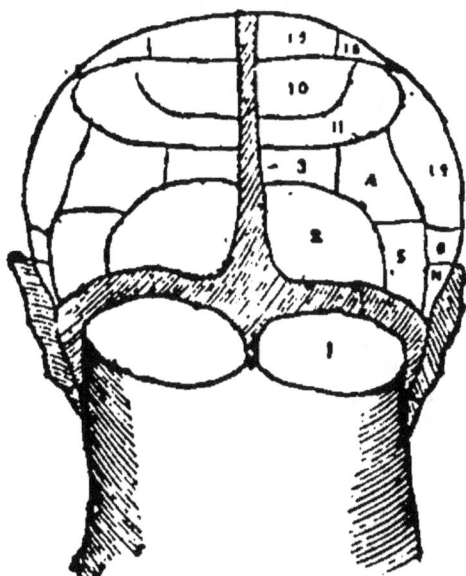

TRISTESSE.

La tristesse dépend-elle du faible développement de l'organe appelé Gaité ? pourtant, la tristesse est une manifestation très complexe, et qui tient à mille causes diverses, suivant les natures. Il faut donc étudier la combinaison générale du caractère pour apprécier le degré de tristesse des individus.

TROU OCCIPITAL.

On appelle ainsi l'ouverture ronde, d'un pouce environ de diamètre, qui se trouve à l'os occipital, à la partie inférieure du crâne vers le tiers postérieur. C'est par ce trou que passe la moëlle épinière, qui s'étend ensuite le long de la colonne dorsale et donne naissance à tout le système nerveux. Le trou occipital est situé entre les deux procès mastoïdiens, c'est-à-dire un peu en arrière du diamètre passant d'une oreille à l'autre.

TYPES. — Voyez RACES.

U.

UNITÉISME.

Ce mot, qui appartient à la langue de M. Charles Fourier, nous semble exprimer merveilleusement la tendance que certains individus ont à généraliser toutes choses et à les voir sous le point de vue synthétique. En ce sens-là, l'unitéisme est à peu près la Religiosité. Il est certain que tous les hommes synthétiques et unitaires ont la tête fort élevée à l'endroit de la Religiosité que les phrénologistes appellent assez improprement vénération. (Voyez RELIGIOSITÉ.)

V.

VEINES. — Voyez FRONT.

VÉNÉRATION. — Voyez RELIGIOSITÉ.

VENTRE.

Un gros ventre indique la sottise, l'orgueil et la luxure. Gallien.

Un ventre proéminent incline à la sensualité et à la paresse. Lavater.

VÊTEMENS.

La manière de se vêtir est une indication infaillible du caractère des individus. Il a été fait à cet égard un grand nombre d'observations de détail, mais jamais aucun travail systématique. Ce sont en général les artistes qui se sont emparés de ce sujet; beaucoup ont su représenter de la façon la plus piquante ces traits saillans du costume qui reflètent si bien les habitudes de chaque caractère. Il suffit de nommer, parmi les écrivains, Labruyère et notre moderne analyste, M. de Balzac; parmi les sculpteurs et les peintres, Dantan, Daumier, Granville, qui excellent à reproduire, en les *chargeant*, c'est-à-dire en les mettant en relief, les traits des costumes aussi bien que ceux des physionomies.

Ces artistes se sont principalement occupés à suivre et retracer la *forme* des vêtemens. C'est dans les lignes qu'ils ont vu l'expression. Mais les couleurs ne jouent pas un moindre rôle dans la physionomie des vêtemens. S'il est vrai que l'homme vaniteux ne dispose pas les plis de sa cravate comme le penseur dont l'intelligence abaisse le front, il n'est pas moins certain que l'harmonie ou la discordance des couleurs du vêtement correspondent toujours à un développement analogue de l'organe de la couleur. L'homme vaniteux cherche les couleurs éclatantes et variées; l'homme méditatif est vêtu de couleurs sombres et uniformes; on pourrait

même juger aux préférences manifestées par les
vêtemens, les combinaisons de facultés qui portent
les peintres à employer fondamentalement dans
leur pratique telle ou telle couleur.

VIRGINITÉ.

Il y a des signes qui indiquent la virginité ou la
défloration. Les anciens y avaient une foi complète. Démocrite, dit un livre sur le mariage, était un
de ces hommes profonds, dont la rencontre n'était
pas gracieuse pour plusieurs femmes : ayant un
jour salué une fille, il la salua le jour suivant comme femme, parce qu'il connaissait à l'air de son
visage qu'elle avait consenti, depuis qu'il l'avait
vue, à perdre sa virginité. Il y avait à Prague un
religieux qui, par l'odorat, connaissait les personnes, comme on les connaît par la vue, et qui, par
ce moyen, distinguait sans se tromper une fille et
une femme chastes d'avec celles qui ne l'étaient
pas. On trouve aussi dans les *essais sur Paris*, un
exemple assez singulier de la finesse de l'odorat
d'un aveugle qui s'aperçut ainsi qu'une de ses filles
avait pris un amant.

C'était une coutume des Romains, lorsqu'ils
mariaient une fille, que sa nourrice, ou quelqu'autre femme, vînt, en présence de tous les assistans,
lui mesurer avec un fil la grosseur du col. Le lendemain matin, après être entrée avec un certain

nombre de parens dans la chambre de l'épousée, elle examinait si le fil était encore la mesure du col; et lorsqu'il se trouvait trop court, elle s'écriait transportée de joie: *ma fille est devenue femme!* c'est de cet usage que parle Catulle dans ces deux vers:

> Non illam nutrix, orienti luce revisens,
> Hesterno collum poterit circumdare filo.

Charles Musitan, médecin italien, assure avoir fait plus de *mille fois* l'expérience du fil, et qu'elle ne l'a jamais trompé. —*Anecdotes de médecine.*

Il y a aussi une sympathie irrécusable entre les organes de la voix et les organes de la génération.

VISAGE.

FIGURE. — FACE.

La partie inférieure de la face humaine a été par la nature environnée d'un nuage dans les mâles, et sans doute avec raison. Car c'est ici que se développent sur le visage les traits de la sensualité qu'il convenait de cacher dans l'homme. *Herder.*

Un visage large suppose un cou raccourci, un large dos et de larges épaules; les personnes ainsi constituées sont intéressées et destituées de sentiment moral. Un visage étroit et long s'associe à un long cou, à une taille déliée; j'attendrais de ces sortes de gens plus de droiture et de désintéressement. (Citation de Lavater.) La phrénologie donne la raison de cette observation : c'est que dans le premier cas les instincts dominent ; ils élargissent la base du crâne, et par suite le visage, le col, etc. Le contraire a lieu dans le second cas.

Nous avons dit ailleurs que Lavater divisait le visage en trois régions : supérieure, moyenne et inférieure ; la partie supérieure du front réfléchit l'intelligence ; la moyenne (les yeux et le nez) réfléchit les facultés morales ; enfin la partie inférieure (la bouche et le menton) porte le signe des facultés physiques. Il arrive donc souvent que ces trois régions ont un caractère très distinct : assez ordinairement le haut du visage porte le type masculin, et le bas le type féminin. C'est ainsi qu'on ressemble quelquefois à son père et à sa mère en même tems.

VISIONS.

Il est incontestable que certaines personnes ont des apparitions, des visions, des communications qui semblent surnaturelles. Où est la cause qui produit ces phénomènes ? est-elle extérieure à l'individu, ou bien repose-t-elle dans sa propre organisation ?

Socrate parlait souvent et fort volontiers à ses disciples d'un génie qui lui servait de guide. Dans sa défense, il s'exprime ainsi sur son *esprit familier* : « Quant au génie particulier dont j'écoute l'inspira-

tion, ce n'est pas une divinité nouvelle, c'est l'é-
ternel instinct, c'est le génie éternel de la morale ;
pour se conduire, les uns consultent des sybilles,
d'autres le vol des oiseaux, d'autres les cœurs des
victimes ; moi, je consulte mon propre cœur ; j'in-
terroge ma conscience, je converse en secret avec
l'esprit qui m'anime. »

Jeanne d'Arc était encore à la fleur de son âge,
quand, dans une disposition d'esprit déjà exaltée
par des circonstances antécédentes, elle s'imagina
voir à sa droite et du côté de l'église du hameau,
une grande clarté d'où sortit une voix inconnue.
Quelque temps après, la même voix se fit entendre, et des êtres célestes s'offrirent à ses regards.
St. Michel lui dit que Dieu avait pitié de la France,
et lui ordonna d'aller faire lever le siége d'Orléans,
et de faire sacrer ensuite à Reims le roi Charles.

Le Tasse prétendit un jour avoir été guéri par le
secours de la Vierge et de Sainte Scholastique, qui
lui apparurent durant un violent accès de fièvre.
Dans les notes historiques qui accompagnent la vie
du Tasse, on lit l'anecdote suivante tirée des mémoires de Manso, marquis de Villa, publiés après
la mort du Tasse, son ami :

« Le Tasse, dans son délire, croyait converser
avec des esprits familiers. Un jour que le marquis
son ami tâchait de lui ôter ces idées de la tête, le
Tasse lui dit :

« Puisque je ne peux pas vous convaincre par le

» raisonnement, je vous convaincrai par l'expérien-
» ce ; je vous ferai voir à vous-même l'esprit au-
» quel vous ne voulez pas croire. »

» J'acceptai l'offre ; et le lendemain, pendant
que nous étions assis à causer auprès du feu, il tourna les yeux vers la fenêtre ; et regardant fixement,
il parut si absorbé, que quand je l'appelai, il ne me
répondit pas. Je regardai de tous mes yeux, et
je ne vis rien qui pénétrât dans sa chambre. Pendant ce temps-là, le Tasse entra en conversation
avec cet être mystérieux. Je ne voyais et n'enten-
dais que lui. Tantôt il questionnait, tantôt il répondait ; et par le sens de sa réponse, je comprenais
ce qu'il avait entendu. Ses discours étaient d'une
nature si relevée pour le sujet, et si sublime pour
les expressions, que je me sentis une sorte d'extase.
Je n'osais pas interrompre Torquato, ni lui faire de questions sur ce que je ne voyais pas, et il
se passa beaucoup de temps avant que l'esprit dis-
parût. J'en fus averti par Torquato, qui se tournant de mon côté, me dit : « A l'avenir vous n'au-
» rez plus aucun doute. — C'est-à-dire, lui répon-
» dis-je, que j'en aurai davantage ; car quoique
» j'aie entendu des choses merveilleuses, je n'ai
» rien vu...... » Il répartit, en souriant : « Vous
» avez peut-être plus entendu et vu que....... ».
Il s'arrêta là, et craignant de l'importuner par

mes questions , je laissai tomber la conversation (1). »

Swedemborg se crut miraculeusement appelé à révéler au monde les mystères les plus cachés. « En 1743, dit-il, il a plu au Seigneur de se manifester à moi, et de m'apparaître personnellement pour me donner la connaissance du monde spirituel, et me mettre en relation avec les anges et les esprits, et ce pouvoir m'a été continué jusqu'à ce soir. •

Les visions ne sont pas rares dans la manie. « Rien n'est plus ordinaire dans les hospices, dit M. Pinel, que les visions nocturnes ou diurnes qu'éprouvent certaines femmes attaquées de mélancolie religieuse. Une d'entre elles croit voir pendant la nuit la Ste.-Vierge descendre dans sa loge, sous la forme de langues de feu. Elle demande qu'on y construise un autel pour y recevoir dignement la souveraine des cieux, qui vient s'entretenir avec elle et la consoler de ses peines. Une autre femme, d'un esprit cultivé, et que les événemens de la révolution ont jetée dans des chagrins profonds et un délire maniaque , va constamment se promener dans le jardin de l'hospice, s'avance gravement les yeux fixés vers le ciel, croit voir Jésus-Christ, avec toute la cour céleste, marcher en ordre de procession au haut des airs, et entonner des cantiques accompagnés de sons mélodieux; elle

(1) Vie du Tasse, publiée à Londres en 1810.

le montre, pleinement convaincue de la réalité, comme si l'objet lui-même frappait ses sens ; elle se livre à des emportemens violens contre tous ceux qui veulent lui persuader le contraire (1). »

Gall chercha à expliquer le phénomène des visions comme tous les autres phénomènes humains par l'organisation cérébrale :

» Dès le premier fanatique que je vis, dit-il, je fus frappé de la saillie arrondie de la partie supérieure de l'os frontal. Cette saillie ne forme point au milieu de la tête une protubérance alongée, comme l'organe de la bonté ; ce n'est pas non plus la protubérance surbaissée de la mimique. Ici toute la partie de l'os frontal est bombée en segment de sphère.

» Entre les circonvolutions, qui constituent le talent poétique, et celles qui forment celui de la mimique, est placée une autre circonvolution, dont le développement considérable entraîne très probablement la disposition aux visions. Cette circonvolution fait-elle partie de l'organe de la mimique, et son développement excesssif exalte-t-il le talent pour la mimique au point d'en faire la faculté de personnifier les simples idées, et de les transporter, ainsi métamorphosées, hors de nous ? ou bien cette circonvolution fait-elle partie à-la-fois de la poésie et de la mimique ? ou enfin constitue-t-elle un organe particulier ? Voilà ce que des recherches

(1) De l'Aliénation mentale, 2°. édit., p. 108 et 109.

ultérieures sur les cerveaux des visionnaires pourront seules décider.

« Comme il est très possible que les visions ne soient qu'un résultat nuancé d'une action exaltée de l'un de ces deux organes, ou des deux ensemble, je n'ai pas cru devoir le considérer comme un organe particulier.»

Cependant, depuis Gall, cette circonvolution qui s'alonge entre la Mimique et l'Idéalité a été reconnue par Spurzheim constituer un organe propre et fondamental, auquel il a donné le nom de Merveillosité. C'est donc par surexcitation de l'organe de la Merveillosité que les phrénologistes rendent aujourd'hui raison des apparitions surnaturelles. Le genre des visions dépend des différentes combinaisons de la Merveillosité avec les autres organes. Combinée avec la Religiosité, elle disposera aux communications avec Dieu et les essences supérieures ; combinée avec les organes des sentimens particuliers, elle fera apparaître les morts qu'on regrette ou les absens qu'on aime ; combinée avec l'Idéalité, elle évoquera toute sorte d'images et d'hallucinations poétiques.

VOCATIONS. — Voyez PROFESSIONS.

VOIX.

Le sentiment influant d'une manière décidée sur

l'organe de la voix, n'y aurait-il pas pour chaque individu un ton de voix primitif dans lequel se réunissent tous les autres tons dont sa voix est susceptible? et ce ton primitif ne serait-ce point celui que nous prenons dans nos momens les plus tranquilles? si donc on s'appliquait à rassembler, à classifier et à caractériser ces différens tons, on arriverait au bout d'un certain tems, à indiquer au juste le son de voix naturel qui appartient à chaque visage. (*Citation de Lavater.*)

L'observation de Lavater est facile à faire à chaque instant, bien qu'il soit très difficile d'arriver à analyser, à compter, à classer les signes distinctifs de chaque genre ou espèce d'organe, comme on le fait pour les signes phrénologiques et physiognomoniques. Il faudrait une persévérance presque surhumaine pour observer et noter les différences des timbres de voix. Cette étude est encore à faire ; et plus la science de la physiognomonie sera avancée, plus il sera facile de rattacher les variétés d'organes aux variétés de physionomies. Chaque individu a un timbre de voix à lui propre, comme il a une physionomie particulière. Dans les organes, on remarque aussi des caractères communs qui pourront servir plus tard à les classer ; et il est certain que les membres d'une même famille se reconnaissent à la voix, comme à la figure.

Il en est de la voix humaine comme d'un orchestre d'harmonie. Chaque homme a sa voix, comme

chaque musicien son instrument; et toutes ces voix
différentes parcourent, comme tous les instrumens,
en variant d'étendue, une même échelle de tons;
les mêmes tons sont toujours employés par toutes
les voix pour exprimer les mêmes sentimens, les
mêmes passions, comme les mêmes mouvemens
affectent les physionomies différentes, quand les
passions agitent les hommes.

VOL.

Le penchant au vol est une exagération anormale de l'Acquisivité (Voyez ACQUISIVITÉ). Il arrive
souvent, comme la plupart des autres facultés, jusqu'à l'irrésistibilité et à la manie. Gall cite les
exemples suivans d'une propension invincible à voler :

«Victor Amédée I, roi de Sardaigne, prenait partout des objets de peu d'importance. Saurin, pasteur de Genève, quoique imbu des meilleurs principes de la raison et de la religion, succombait continuellement au penchant à dérober. Un autre individu fut, dès son bas âge, en proie à cette inclination. Il entra à dessein dans le militaire, espé-
rant être contenu par la sévérité de la discipline;
mais ayant continué de voler, il fut sur le point
d'être condamné à être pendu. Cherchant toujours
à combattre son penchant, il étudia la théologie et

se fit capucin. Son penchant le suivit dans le cloitre. Mais comme il ne dérobe plus que des bagatelles, il se livre à son inclination sans s'en inquiéter. Il prend des ciseaux, des chandeliers, des mouchettes, des tasses, des gobelets, et les emporte dans sa cellule. Un employé du gouvernement, à Vienne, avait la singulière manie de ne voler que des ustensiles de ménage. Il loua deux chambres pour les y déposer ; il ne les vendait point et n'en faisait aucun usage. La femme du célèbre médecin Gaubius avait un si fort penchant à dérober, que lorsqu'elle achetait, elle cherchait toujours à prendre quelque chose. Les comtesses M*** à Wesel, et J*** à Francfort, avaient aussi ce penchant. Madame de N*** avait été élevée avec un soin particulier. Son esprit et ses talens lui assuraient une place distinguée dans la société. Mais ni son éducation, ni sa fortune ne la garantirent du penchant le plus décidé pour le vol. Lavater (1) parle d'un médecin qui ne sortait pas de la chambre de ses malades sans leur dérober quelque chose, et qui après n'y songeait plus. Le soir, sa femme visitait ses poches ; elle y trouvait des clefs, des ciseaux, des dés à coudre, des couteaux, des cuillers, des boucles, des étuis, et les renvoyait aux propriétaires. Moritz, dans son *Traité expérimental sur l'âme*, raconte, avec le plus grand détail, l'histoire d'un voleur qui avait le penchant du vol à un tel

(1) Physiognomonie, édit. de la Haye, T. III, p. 169.

degré, qu'étant à l'article de la mort, il vola la ta-
batière de son confesseur. Le docteur Bernard, médecin de sa majesté le roi de Bavière, nous a parlé
d'un Alsacien de sa connaissance qui commettait
partout des vols, quoiqu'il eut tout en abondance
et qu'il ne fut pas avare. Il avait été élevé avec
soin, et son penchant vicieux lui avait attiré plusieurs fois des punitions. Son père le fit enrôler
comme soldat. Ce moyen même ne servit point à
le corriger. Il fit des vols considérables, et fut condamné à être pendu. Le fils d'un savant célèbre
nous a offert un exemple semblable. Il se distinguait
de tous ses condisciples par ses talens; mais dès sa
tendre enfance, il volait ses parens, sa sœur, ses
domestiques, ses camarades et ses professeurs. Il
dérobait ies livres les plus précieux de la biblio-
thèque de son père. On essaya toutes sortes de
moyens de le corriger, on le fit soldat; il subit
plusieurs fois les châtimens les plus rigoureux;
mais tout fut inutile. La conduite de ce malheureux
jeune homme était régulière sur tous les autres
points : il ne justifiait pas ses vols; mais si on lui
adressait à ce sujet les représentations les plus
amicales et les plus énergiques, il restait indiffé-
rent; il avait l'air de ne pas les entendre. L'aumônier d'un régiment de cuirassiers prussiens, homme d'ailleurs instruit et doué de qualités morales,
avait un penchant si décidé au vol, que souvent, à
la parade, il dérobait les mouchoirs aux officiers.

Son général l'estimait beaucoup: mais aussitôt qu'il paraissait, on enfermait tout avec le plus grand soin, car il avait souvent emporté des mouchoirs, des chemises, jusqu'à des bas de femme. Au reste, quand on lui demandait ce qu'il avait pris, il le rendait de bon cœur. M. Kneisler, directeur de la prison de Prague, nous a parlé de la femme d'un riche marchand, qui volait continuellement son mari de la manière la plus adroite. On fut obligé de la renfermer dans la maison de force. A peine en fut-elle sortie, qu'elle vola encore, et fut renfermée pour la seconde fois. Remise en liberté, de nouveaux vols la firent condamner à une troisième détention plus longue que les précédentes. Elle volait dans la prison même. Elle avait pratiqué, avec une adresse extrême, une ouverture dans un poêle qui échauffait la pièce où était la caisse de l'établissement. Les vols répétés qu'elle y fit, furent remarqués. On mit inutilement, pour la découvrir, des sonnettes aux portes et aux fenêtres ; mais enfin des pistolets qui partirent à l'instant où elle touchait à la caisse, lui causèrent une frayeur si vive qu'elle n'eut pas le temps de s'échapper par le poêle. Nous avons vu dans une prison de Copenhague un voleur incorrigible, qui distribuait quelquefois ses larcins aux pauvres. Dans un autre endroit, un voleur, enfermé pour la septième fois, nous assura avec chagrin qu'il ne lui semblait pas possible de se conduire autrement. Il demandait avec instance d'être gardé en prison, et qu'on lui fournit les moyens de gagner sa vie. •

VOLONTÉ. — Voyez PERSÉVÉRANCE. — LIBERTÉ. etc.

WINKELMANN.

L'abbé Winkelmann, qui a exercé une si grande influence sur l'art depuis la fin du dix-huitième siècle, est un des hommes qui ont le plus faussé la compréhension de la tête humaine dans notre époque. Sa préoccupation exclusive de l'art grec lui fit nier en quelque sorte toute la civilisation chrétienne et toute la civilisation moderne. Il a tenté d'appliquer à notre tems les principes de l'antiquité, relativement à la beauté, aux lignes, et par conséquent à la physionomie. Heureusement, tout en appréciant la valeur historique des travaux de Winkelmann, on commence à comprendre qu'il a seulement ressuscité un cadavre, mais que les ressorts qui faisaient jouer l'organisation des payens ne sont plus les mêmes aujourd'hui. L'humanité a marché depuis dix-huit siècles, et sa *forme* a changé, aussi bien que ses idées et ses sentimens. (Voyez ART. — BEAUTÉ. — TÊTE.)

YEUX. — Voyez OEIL.

ZOPYRE. — Voyez SOCRATE.

TABLE DES MATIÈRES.